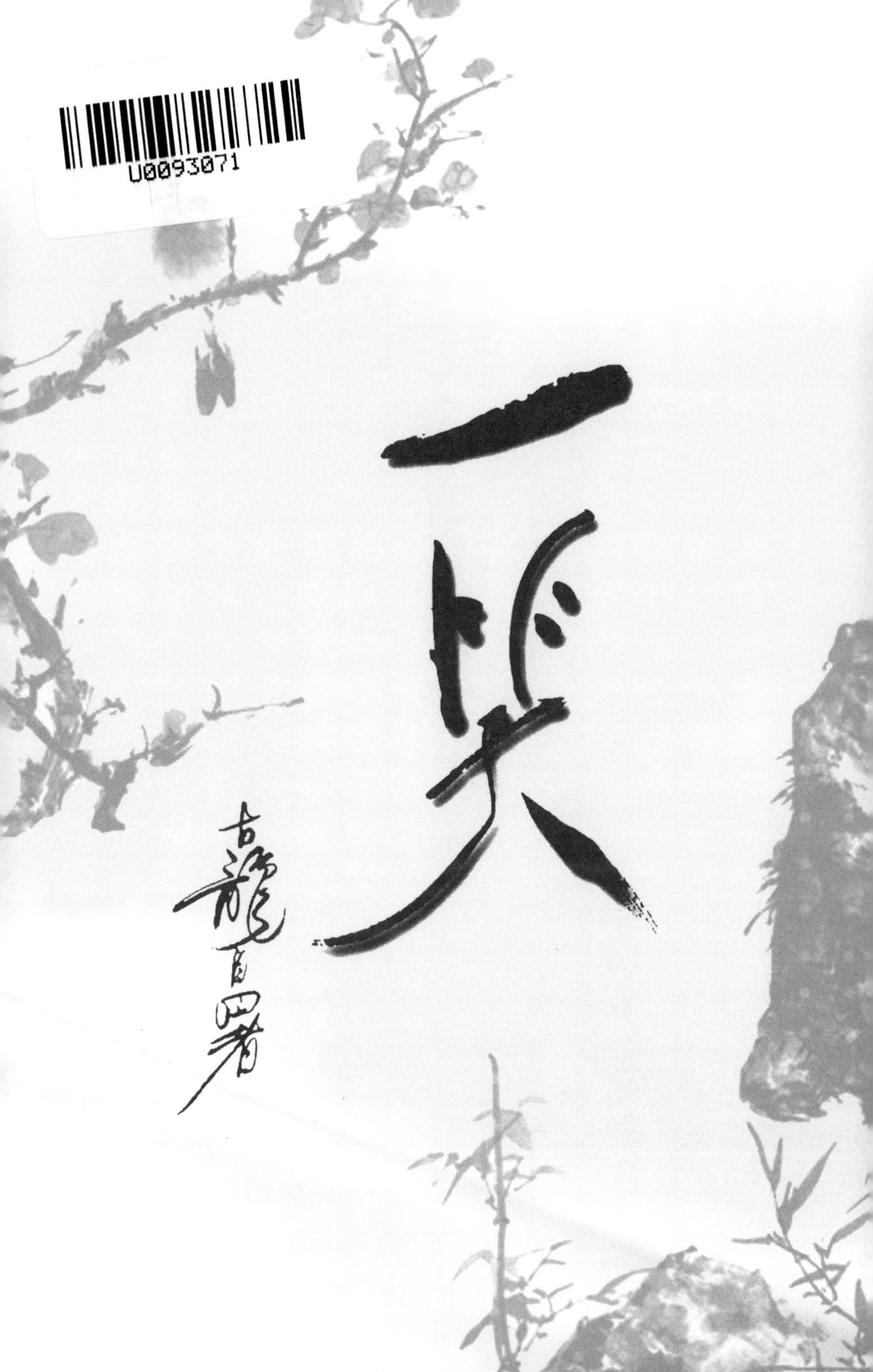
一笑

盛期之風貌

與

臥龍生作品　帶動武俠風潮

《飛燕驚龍》開一代武俠新風

《飛燕驚龍》(1958)爲臥龍生成名作，共48回，約120萬言。此書承《風塵俠隱》之餘烈，首倡「武林九大門派」及「江湖大一統」之說，更早於香港武俠巨匠金庸撰《笑傲江湖》(1967)所稱「千秋萬世，一統」達九年以上。流風所及，臺、港武俠作家無不效尤；而所謂「武林盟主」、「江湖霸業」等新提法，竟成爲社會大眾耳熟能詳的流行術語了。

《飛燕》一書可讀性高，格局甚大。主要是寫江湖群雄爲覬覦傳說中的武林奇書《歸元秘笈》而引起一連串的明爭暗鬥；再以一部假秘笈和萬年火龜爲餌，交插敘述武林九大門派（代表正派）彼此之間的爾虞我詐，以及天龍幫（代表反方）網羅天下奇人異士而與九大門派的對立衝突。其中崑崙派弟子楊夢寰偕師妹沈霞琳行道江湖，卻如夢似幻地成爲巾幗奇人朱若蘭、趙小蝶之絕世武功技驚天龍幫，而海天一叟李滄瀾復接連敗於沈霞琳、楊夢寰之手；致令其爭霸江湖之雄心盡泯，始化解了一場武林浩劫云。

在故事佈局上，本書以「懷璧其罪」（與真、假《歸元秘笈》有關）的楊夢寰屢遭險難，卻每獲武林紅妝垂青爲書膽(明)，又以金環二郎陶玉之嫉才害能，專與楊夢寰作對(暗)爲反派人物總代表。由是一明一暗交織成章，一波未平，一波又起，極盡波譎雲詭之能事。最後天龍幫冰消瓦解，陶玉帶著偷搶來的《歸元秘笈》跳下萬丈懸崖，生死不明，卻予人留下無窮想像空間。三年後，作者再續寫《風雨燕歸來》以交代陶玉重出江湖，爲惡世間，則力不從心，當屬狗尾續貂之作。

在人物塑造方面，臥龍生寫男主角楊夢寰中看不中用，固然乏善可陳，徹底失敗；但寫其他三名女主角如「天使的化身」沈霞琳聖潔無瑕，至情至性，處處惹人憐愛；「正義的女神」朱若蘭氣質高華，冷若冰霜，凜然不可犯；「無影女」李瑤紅則刁蠻任性，甘爲情死等等，均各擅勝場。乃至寫次要人物如「賓中之主」海天一叟李滄瀾之雄才大略，豪邁氣派；玉簫仙子之放蕩不羈，爲愛痴狂；以及八臂神翁聞公泰之老奸巨猾，天龍幫軍師王寒湘之冷傲自負等，亦多有可觀。

摘自 葉洪生、林保淳著《台灣武俠小說發展史》

台港武侠文

流行天

卧龍

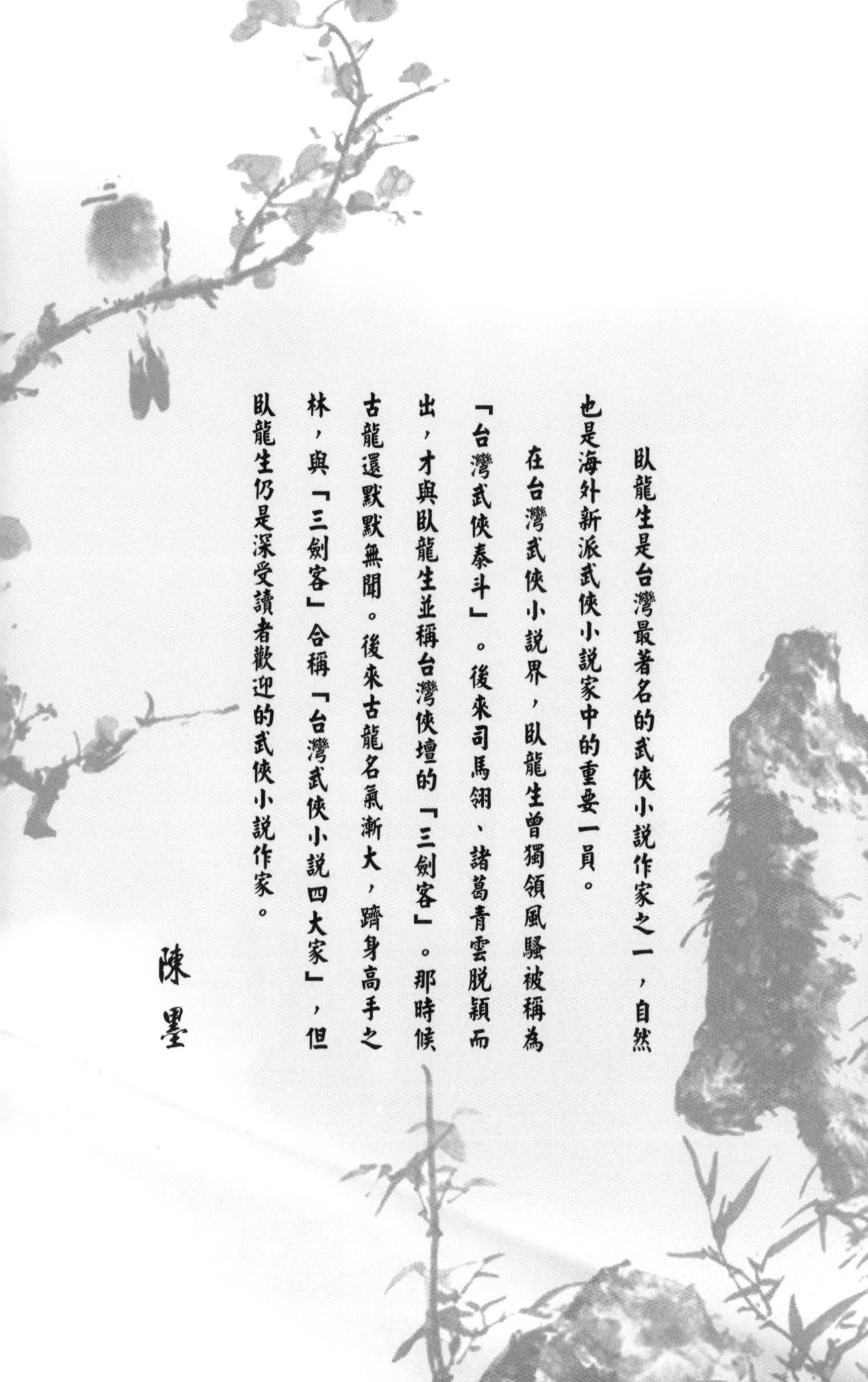

臥龍生是台灣最著名的武俠小說作家之一，自然也是海外新派武俠小說家中的重要一員。

在台灣武俠小說界，臥龍生曾獨領風騷被稱為「台灣武俠泰斗」。後來司馬翎、諸葛青雲脫穎而出，才與臥龍生並稱台灣俠壇的「三劍客」。那時候古龍還默默無聞。後來古龍名氣漸大，躋身高手之林，與「三劍客」合稱「台灣武俠小說四大家」，但臥龍生仍是深受讀者歡迎的武俠小說作家。

陳墨

絳雪玄霜
（二）
臥龍生
武俠經典珍藏版
10
臥龍生

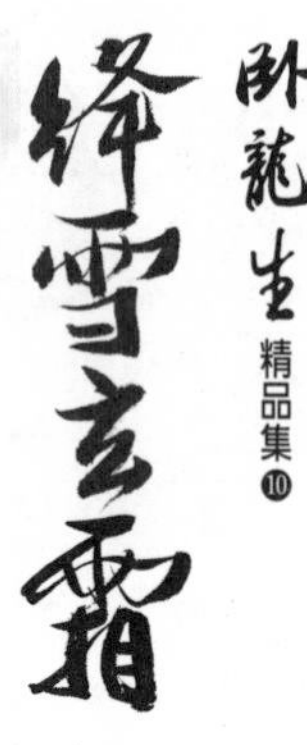

絳雪玄霜

臥龍生 精品集⑩

(二)

目錄

十四 藝驚群豪

方兆南自在抱犢崗谷中和人動手之後，已知自己武功大進，自非昔時可比，如若加上陳玄霜相助之力，或可闖得過少林僧侶攔截。

葛天鵬對他的武功，早已傾服，是以對他闖過少林寺僧侶攔截之事，信心甚是堅定。

一瞧方兆南當先躍奔而上，立時低聲對葛氏兄弟說道：「你們瞧瞧人家和你們年齡相若，但拳掌之學，比你們高出不知若干倍了……」

忽然想到自己就難以接得方兆南三招五式，這等責備他們兄弟兩人，自是不太適當，趕忙停口，拔身一躍，急追過去。

神刀羅昆與天風道長相互望一眼，彼此不約而同，搖頭微笑，原來兩人心意相同，對方兆南的武功，甚不信任。

神刀羅昆抬頭望去，只見方兆南、陳玄霜、葛天鵬，以及葛氏兄弟，卻已到一、兩丈外。羅昆才低聲說道：「道兄放心，那姓方的娃兒武功雖差，但那女娃的武功卻在咱們之上，再加一筆翻天葛天鵬，於必要時會出手相助，也許能闖過少林僧侶攔截。」

說罷，急躍向前追去。天風道長緊隨羅昆身後，也急急向前趕去。

方兆南一馬當先，奔到那二僧隱身岩石面前，陡然停下腳步，高聲說道：「兩位禪師請留神防守，在下要闖關了！」

他這一聲喝問之言，用心在引誘二僧，暴露藏身位置，以便早做預防。

哪知這後山派守之人，都是少林寺達摩院中高僧，個個武功高強，機智沉著，對方兆南喝問之言，置如不聞。

陳玄霜疾如飄風，掠著方兆南身側而過，櫻唇輕啓，低聲笑道：「我替師兄開路！」施出上乘輕功身法，迅快無比地從巨岩一側衝過。

方兆南怕她有失，大喝一聲：「師妹不可輕敵！」緊隨她身後追去。

但聞巨岩之後響起了一聲佛號，一股強猛絕倫的潛勁，山湧而出。

少林寺中高僧，大都是心地慈悲之人，掌勢雖然強猛，但並未直接擊人，僅橫封去路，阻擋敵勢。

陳玄霜「生死玄關」已通，武功早已步入另一境界。

她對敵經驗不足，看對方擊來潛力雄渾，哪裡敢硬擋銳鋒，當下一提起真氣，身子忽然間向上升去。

只覺嬌軀凌空直上，疾升起兩丈多高，懸空一個筋斗，人已越過了大岩，直飛過兩丈六、七尺遠。

這一招輕功身法，舉世罕見，只瞧得葛氏父子暗中敬佩不已。

陳玄霜一躍而度大岩後二僧攔截，方兆南已緊隨衝到。

大岩後佛號重起，一支鐵禪杖橫伸而出。

揮舞間幻出一片杖影，攔住了方兆南的去路。

方兆南在向前躍衝之時，早已拔劍在手。

他見杖影重重，橫阻去路，長劍立時疾點而出，一招「迎雲捧日」，勁力集中於劍尖一點，刺入那幻起的杖影之中。

劍杖相觸，響起了一陣輕微的金鐵交鳴之聲。

那幻起岩側的一片杖影，被方兆南運集全力一點之勢，倏忽消失。只見一支銀光閃爍的劍尖，壓在一柄鐵禪杖上，相持不下。

原來方兆南見對方杖影如山，劃帶起一片嘯風之聲，威勢強猛，如不設法衝破這一片杖幕，決難闖得過去。

因那登山之路，在那突岩之前，突然縮爲兩丈寬窄的一片狹道，一半被那突岩擋住，餘下七、八尺寬窄的狹道，又被突岩後橫出的鐵禪杖封住。

兩側絕壁深達百丈，除了以絕世輕功，越過那兩丈多高的大岩石外，只有衝破那重重杖影封鎖，才可通過。

形勢迫得方兆南不得不冒險硬衝，但又覺得對方杖風猛烈驚人，只怕憑藉自己內功實力，難以硬接對方杖勢。

正感到爲難之際，忽然想到那駝背老人，所授的一招「迎雲捧日」，把全身真力集中於一點之上，專以化解對方排山倒海的攻勢。

當下提聚真氣，貫注在劍尖之上，用力點去。

這一招奇奧之學，雖是專解對方排山湧浪的攻勢，但如稍有失措，便易招致殺身之禍。

因爲全力集於一點，如無法點中對方兵刃，立時將暴露在對方兵刃籠罩之下，那時想抽身

而退，實是大不容易之事。

方兆南一著得手，欺身而上，正待躍過石岩，忽聽沉喝道：「小施主身手不凡，無怪膽敢口出大言，硬闖後山！」

話未落口，人已現身，另一個手執禪杖的和尚，搶先躍落在方兆南身前五、六尺處，手橫禪杖，擋住去路。

第一次出手施襲的僧人，卻用力一彈，收回禪杖，仍然隱在大岩後，沒有現身。

方兆南暗讚道：「少林高僧，究非一般綠林中人物可比，不肯以二打一。」

這時，葛天鵬帶者葛煌、葛煒，也到了大岩旁邊。

葛氏兄弟聞少林武學，領袖天下，被譽爲武林中泰山北斗，心中甚想見識見識，不約而同轉過臉去，低聲叫道：「爹爹，我去把那位方大俠替下好嗎？」

兩人一般心意，都知父親異常敬重方兆南，如果說出替他下來，或可得父親允准，最少不致挨罵！

葛天鵬望了兩人一眼冷冷說道：「這後山派守之人，都是少林寺中最有名望的高僧，我都沒有勝人的信念，你們豈是敵手？」

幾人這說話的時間，方兆南已和那攔路的和尚動上了手。

那和尚功力深厚，出手橫掃一擊，威勢強猛，杖風如嘯。

方兆南看他出手一擊這等凶猛，心中暗自驚駭，忖道：「江湖上盛傳少林武功，領袖群倫，今日一見，果是不錯，如在那駝背老人未授自己武功之前，只此一杖威勢，已足以把自己

驚退了。」

當下抱元守一，長劍斜斜刺出，封住緊依大岩的側翼門戶，人卻迅快地向後飄開三尺，讓過一杖。

那和尚一擊迫退了方兆南，立時緊接著攻襲而上，鐵禪杖縱送橫擊，挾著勁厲金風，排山倒海般地直湧過來。

這等威勢不只看得葛氏兄弟有些驚駭之感，就是久經大敵的神刀羅昆和天風道長，也看得暗自驚佩，想道：「少林寺被譽爲武學發源集萃之所，看來果是不錯。一個名尙未列入寺中高手的和尙，竟然有這等本領，看他掃擊杖勢的雄渾，縱然是我，也難擋得住這雷霆萬鈞的攻勢。」

葛天鵬卻已從背上拔出文昌筆，目注場中形勢變化，準備及時搶救。

那施展輕功絕技，躍過突岩的陳玄霜，也緩緩走了過來。

原來那和尙不容方兆南有緩手的機會，以全力連杖迫攻，但聞呼呼嘯風中，幻化出滿天杖影，山湧攻上，迫得方兆南節節後退。

激戰之中，忽見大岩後又躍出一個和尙，翻身擋住了陳玄霜，道：「姑娘已闖過第一攔截，雖非憑仗武功闖過，但貧僧已不願再行追截，如若姑娘重又返回助拳，那就不能怪貧僧等不守信約了……」

忽聽方兆南大喝一聲，手中長劍突然幻化出滿天銀星，綿綿反擊過來。

原來他被迫得節節後退，心中甚是焦急，雖然已想到那駝背老人相授的武功劍招，但一時間卻不知用什麼劍法，才能一舉扭轉劣勢，再者又被那和尙手中禪杖迫得沒法抽暇還擊。

要知那駝背老人傳授方兆南的劍招，大都是天下各門各派劍法精奧之學，沒有一套完整的劍法，在未能融會貫通之前，很難用來克敵。

心中愈急，愈是想不出制敵之策，劍法逐漸散亂，眼看落敗在即。忽想到那駝背老人傳授劍招中的一記「天河倒掛」，此一招之中，連續七劍，可攻可守，當下大喝一聲，縱躍而起，長劍揮舞出一片寒星，反擊過去。

此招乃武當劍法中一記精萃之學，七劍綿連，合爲一招，攻勢銳利異常，反擊之勢，強猛絕倫，登時把那和尚攻勢擋住。

葛天鵬本對方兆南的武功甚是敬佩，但見他被那和尚迫得節節後退，卻無一記奇招，挽回劣勢，心中甚覺奇怪，不禁對那次失敗之事，發生懷疑起來。

正待躍上，接替他下來，忽聞方兆南大喝一聲，躍起反擊，長劍連綿出手，倏忽之間，已把少林僧侶強猛的攻勢擋住，而且借勢迫攻，反把那少林僧侶迫得節節後退。

方兆南一招「天河倒掛」用完，已把那少林和尚擊退了四、五步。

陳玄霜目睹方兆南忽然間反敗爲勝，隨之停下了腳步。

那躍出守護同伴背後的少林和尚，也被方兆南反擊的劍招所震，呆在當地。

他見多識廣，眼看那攻出劍招頗似武當派中一招絕學，不知此人竟何以會此劍招，難道他是武當門下不成……

忽聽方兆南又一聲大喝，長劍忽然斜斜指出，逕向那少林和尚右腕之上刺去。

這一招乃華山派中一招奇奧劍學「蛛絲纏腕」。

那少林和尚連續閃避三次，均無法逃避那指襲向腕上的劍勢，迫得一個大轉身，向後讓退

了三、四尺遠，才算把那如影隨形的劍勢拋開。

方兆南不待少林僧有還手機會，第三招連續攻出，長劍在身前劃了一個半圓的圈子，倏忽間帶著一圈銀虹，直刺過去。

閃閃銀虹，幻化出三朵劍花，分襲少林僧前胸三大要穴。

這一招是崑崙派中一記「彩雲飛虹」，那一圈耀目銀虹，掩護著幻化出來的三朵劍花，叫人難以分辨虛實。

少林僧舉杖一封，方兆南冷笑一聲，健腕一抖，長劍乘虛而入，挑破了少林僧左肩的僧袍，原來他被劍圈幻化起的銀虹所惑，封架失誤，門戶大開，被方兆南劍勢乘隙而入。

方兆南在出手幾招反擊之中，連續用出武當、華山、崑崙三大劍派絕招，不但看得葛天鵬、天風道長、羅昆等一個個既驚且服，就是那少林僧，也為之大大地心折，雙腕一振，投了手中禪杖道：「小施主以弱冠之年，懷此絕技，老衲有幸領教，佩服至極。」

合掌當胸，躬身退到一側，讓開路來，方兆南收了長劍，笑道：「少林高僧，風度果然非凡。」

葛天鵬父子、天風道長、神刀羅昆等，魚貫走了過去。

兩個少林僧靜立一側，也不攔阻，直待幾人走出五、六丈遠後，才回到那大岩之後。

神刀羅昆輕輕嘆息一聲，道：「小兄弟身負絕世武學，但卻深藏不露，實叫人佩服得五體投地。」

方兆南道：「哪裡，哪裡，晚輩僥倖勝得，怎敢當老前輩等過獎！」

天風道長說道：「以貧道所見而論，那和尚如若再戰下去，只怕也難再撐五回合……」

陳玄霜聽得幾人盛讚方兆南的武功，心中大感高興，秀眉一揚，嬌笑說道：「哪裡還要五回合，如他再不棄杖讓輸，立時就要身受劍創。」

葛天鵬微微一笑，道：「以老朽半生走遍天涯的見聞，方兄可算是我生平所見高手中，武功最是博奇之人。幾劍反擊中，似都是眼下武林幾大著名劍派中的奇奧之學、不傳之秘，廣包武當、崑崙、華山三大劍派絕學……」

他幼年闖蕩江湖，憑一支文昌筆，打出一筆翻天的綽號。會過無數高人，所聞所見，可算舉國第一，是以一口氣說出了方兆南劍招源出的各大門派。

方兆南所用劍招源出何門何派，他自己也一無所知，只好淡然一笑，含糊地支吾過去。

陳玄霜忽然回過頭，望著方兆南嫣然一笑問道：「師兄，咱們闖過這一關之後，不知道是否還有和尚攔截？」

方兆南抬頭望去，相距小峰之頂，尚有一段不近的距離，點頭笑道：「既有守護山道之人，只怕不止這一關攔截！」

陳玄霜忽然放低了聲音，道：「再遇攔截之時，讓我試試好嗎？」

方兆南知她武功高過自己，當下一笑說道：「好吧！再遇攔截之人，由妳出手就是……」

一語甫落，突聞兩聲低沉的佛號同時響起。

緊接著風聲颯然，兩個身著月白僧袍的和尚，同時由一株巨松之上，墜躍下來，橫身攔住了去路。這兩人身軀都異常高大，直挺挺地由半空中摔了下來，如非有極佳的輕功，非得重傷當場不可。

陳玄霜似怕被人搶去了先著一般，嬌軀一晃，欺到二僧身側。

二個僧人一個手執禪杖，一個手執戒刀，還未來得及開口說話，陳玄霜已逼近兩人身側說道：「你們兩位可是要攔截我們登山嗎？」

這兩句話問得既是單刀直入，又有些稚氣可笑，兩個和尚一時之間，真還想不出適當的措詞答覆她，只好點點頭。

陳玄霜不容兩人開口，又道：「你們既是攔截我們的，那是非動手不可了！」

右面一僧一橫手中禪杖，道：「貧僧等身受……」

陳玄霜忽舉起右手，一掌拍去，道：「別說啦！既然一定要動手，那就早些打一場吧！」說完，左手「拂柳取花」，向另一個和尚擊去。

兩個和尚想不到她說打就打，而且出手迅快無比，左右雙手，先後分襲兩人，攻的又都是要位大穴，迫得兩人一齊向後退。

陳玄霜一擊逼退兩個和尚，嬌軀直躍過去，玉掌翻飛，急如狂風暴雨般，紛紛攻向兩人。

葛天鵬和天風道長，心中都覺這個女娃兒太過橫蠻，一句話尚未講完，出手就打，葛天鵬暗中提聚功力，準備出手相救。

在他暗忖道：「這個女孩子決非兩個和尚之敵，雖然搶了先機，但兩僧一旦開始反擊，陳玄霜定是難支。」

哪知事情大謬不然，陳玄霜攻勢愈打愈快，招數愈打愈奇，指點、掌劈，攻勢凌厲無匹。二僧被她搶去先機的連綿快攻，竟是迫得沒有還手之力，空自手中有著兵刃，卻是無法施展開來。

一側觀戰的葛天鵬、天風道長等，看了一陣之後，心中大生驚奇。

只覺得陳玄霜攻出的一指一掌，無不是精奇難測之學，常常把兩個和尚準備好的反擊之勢，迫得自行躍退放棄。

轉瞬之間，雙方已交手二、三十招，二僧不但未能扳回劣勢，反而更覺得手忙腳亂起來。

反觀陳玄霜指風掌力，愈打愈是強猛，愈攻愈是凌厲，兩個和尚久戰無功，立時齊齊向後躍退出八、九尺遠。

二僧這躍退之勢，似是早有預謀，彼此之間，相距有六、七尺遠，如若陳玄霜追襲一人，另一人則有充分的時間，準備施襲。

原來二僧想盡辦法，準備反擊，都爲陳玄霜搶制先機的快攻，逼得兩人無能還手，這才相互一施眼色，一齊向後躍退。

二僧同是「達摩院」中的上座弟子，久在一起練習武功，彼此之間，心意已可相通，借那一眼互望，立時了然對方之意。

陳玄霜武功雖高，但她對敵經驗不足，一見二僧分頭躍退，不覺微微一怔，一時之間，不知先攻哪個才對。

這等高手相搏，差不得分毫時光。

陳玄霜略一猶豫，二僧已分由兩側疾攻而上，左側一僧鐵禪杖幻化起一片杖影，山壓而下，右側一僧戒刀電奔，挾著金風破空之聲，閃電襲到。

這一攻之勢，不但迅如雷奔，而且分兩側同時襲到，不管封架、閃避，均極不易，何況陳玄霜手中全無寸鐵，憑一雙嬌嫩的玉掌，來對付兩般兵刃，自是危險異常。

方兆南一擺手中長劍，正待躍奔過去，忽聽陳玄霜嬌叱一聲，疾如離弦流矢般凌空而起，

竟比二僧合擊之勢，尤快幾分。

二僧刀杖一齊落空，已知不對，還未來得及收回刀杖，瞥眼見陳玄霜在空中打了一個旋身，急撲而下，雙掌分襲兩人。

二僧這合擊之勢，久經練習，一攻之中，威勢籠罩了丈餘方圓大小，當世高手，能夠躲得過合襲一擊之人，可謂不多。

但陳玄霜卻在縱身一躍中，躲避開兩人的合攻，武功膚淺的人，還瞧不出什麼特異之處，但二僧和葛天鵬武功早列武林中一流高手，一望之下，已瞧出陳玄霜躍避二僧刀杖合擊的身法，和一般身法大不相同。

只覺迅快絕倫，直向高空射去，恰如射出的弩箭一般。

二僧合擊之勢未中，已知決非來人敵手，登時面如死灰，橫向一側閃去，棄去手中兵刃，合掌當胸而立。

方兆南大聲喝道：「霜妹不可傷人！」

陳玄霜嬌笑一聲，懸空一個筋斗，向後翻落出一丈多遠，才落實地，身法美妙無比，二僧垂手退後一步，讓開去路。

方兆南當先帶路，挺胸昂首，大步走了過去，葛天鵬、天風道長、神刀羅昆、葛煌、葛煒等人魚貫而行，從兩僧之間穿行而過。

幾人目睹陳玄霜力敗二僧之後，對方兆南和陳玄霜的武功，心中已生敬佩，神情之間，對兩人甚是恭敬，已不敢再有輕視兩人的成見。

陳玄霜自幼追隨爺爺身側，一脈相承，她雖不知自己武功在江湖之上，應該列名幾流，但

對擊敗二僧之事，認爲是理所當然，心中毫無驚異之感。

但方兆南卻是大感驚奇，他已在江湖之上闖蕩了數年歲月，對少林寺的威名，耳聞甚久，看這般出手攔截自己和尙的武功，個個都甚高強，自己卻勝得毫無吃力之感。

這時，他才知道那駝背老人傳授自己的劍招武功，招招都是世所難求之學，雖然沒有一套完整的劍法，但任何一招，都可個別用出來對敵……

正忖思間，忽聽神刀羅昆，輕嘆一聲，道：「少年人能深藏不露，確是難得，老朽走了一輩子江湖，沒有走眼走得這般厲害，方兄身懷絕世武功，老朽竟然是一點也沒有看出……」

方兆南暗道：「我這奇遇在我們相見之後，別說你看不出來，就是我此刻想來，還有些不大相信呢！」

但口中微笑說道：「老前輩過獎了！」

神刀羅昆突然一拍大腿，翹起大拇指讚道：「嗨！勝而不驕，懷技不炫，方兄的胸襟大度，實叫老朽佩服！」

此人雖已年過花甲，但仍帶三分童心，不失豪邁氣概，心對方兆南武功佩服，就滿口地稱讚於他。

談話之間，已登峰頂。

但見一片蒼松環繞山緣，掩遮住了峰頂景物。

葛天鵬道：「明月嶂的後山和左右兩側，都爲松林環抱，只有前山一處，有路可通，咱們勢非穿林而過了……」

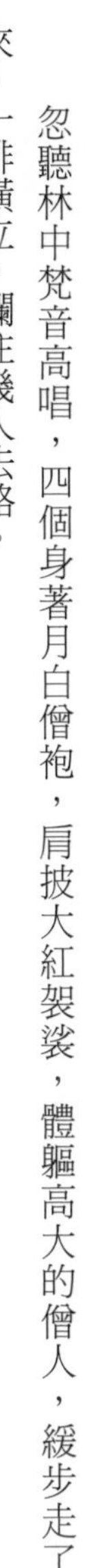
忽聽林中梵音高唱，四個身著月白僧袍，肩披大紅袈裟，體軀高大的僧人，緩步走了出來，一排橫立，攔住幾人去路。

葛天鵬曾得過少林方丈大方禪師邀約，在少林寺曾做三日盤桓。對少林寺中僧侶的服色，辨認甚詳。

此時一瞧四僧裝束，立時辨認出當前四僧，都是寺中身分極高的長老，不禁暗自發愁。當下抱拳說道：「在下葛天鵬，承蒙禪師垂顧，馳函相邀，參與泰山英雄大會，貪看景色，誤入後山，尚望四位大師賞賜薄面，讓路放行。」

四僧年齡大約都在五旬上下，個個神情莊嚴，滿臉肅穆之色，令人一見之下，油然生出畏懼之心。

左首一僧手橫一柄鴨蛋粗細的鐵禪杖，最右一僧雙手分執兩柄寒光森森的燦銀戒刀，正中二僧手中各執兩面徑尺的銅鈸。

他們聽完葛天鵬的話後，彼此互相望了一眼，才由最左一位手橫禪杖的和尚說道：「葛施主既得本寺方丈馳函相邀，自屬大會貴賓。前山早已設下相迎驛站，迎接大駕。貧僧奉了掌門方丈佛諭，後山捷徑不得任人擅行通過，幾位施主，還是請走前山大道吧！」

方兆南目睹四僧一個個寶像莊嚴，心中本甚怯怕，但轉念又想到同行一群人中，除了葛天鵬身懷少林方丈相邀之函外，其餘的人，均未蒙受邀請。

縱然繞道前山，只怕也得費上一番手腳，後山攔截已闖其二，看樣子，這大概是最後一道，倒不如闖它一下試試！

心念轉動，豪氣忽生，朗朗一笑說道：「四位禪師奉諭攔路，自是不能循私，晚輩想試行

闖過，不知四位禪師可否應允？」

四僧八道目光齊齊投注在方兆南的臉上。瞧了一陣，右面手執雙刀的和尚，才低喧了一聲佛號，道：「後山捷徑，共有三關，幾位施主能闖過二關，自是身懷絕技之人。不過貧僧奉諭甚嚴，未得方丈特許，不許任何人由捷徑入山，幾位施主如自信能闖得過，貧僧等自是不便出言相勸。」

言下之意，無疑奉勸幾人，要他們知難而退。

方兆南微微一笑，道：「承蒙相示禪機，晚輩感謝不盡，但我等既然僥倖闖得過一、二兩關，這最後一關總得勉力一試，尙望四位老禪師手下留情！」

翻腕抽出背上長劍，長長吸一口氣，緩步向前走去。

陳玄霜低聲說道：「方師兄，我和你一起去好嗎？」

方兆南微微一笑，道：「先讓我一人去試試，如果接不下時，師妹再上不遲！」

陳玄霜嫣然一笑，深情款款地說道：「那我就替師兄掠陣吧！」

她自換著新裝之後，人更顯得嬌美，一笑之間，百媚橫生。

方兆南忽覺心頭一跳，慌忙別過頭，大步向前衝去。

只見四個和尙，個個閉目而立，毫無戒備動手的模樣。

方兆南一揚手中寶劍，高聲說道：「四位老禪師請手下留情！」

四僧同時微微一睜雙目，瞧了方兆南一眼，說道：「小施主但請出手就是。」說完，重又閉上雙目。

方兆南一挺手中寶劍，大步向前走去，寶劍平橫胸前，真氣凝貫劍身，在接近四僧五步左

右之時，突然停了下來。

四僧本來未把方兆南放在眼中，但一看他橫劍而進的姿勢，都立時變得臉色凝重起來。

這時，一筆翻天葛天鵬、天風道長、神刀羅昆、葛煌、葛煒等人的緊張程度，反超過了方兆南許多，個個臉上神色凝重，雙目圓睜，目注場中。

只見四僧淵渟嶽峙，尊嚴的有如四尊羅漢一般，動也不動一下，叫人望而生畏。

方兆南突然大喝一聲，手中寶劍緩緩掄動，平劃了半個圈子。

這一招看去不但緩慢異常，又毫無作用，但四個身披紅衣袈裟的和尚，卻看得臉色微變，不約而同地把手中兵刃向前推出半尺。

原來他這一招劍式，乃武當派震山絕藝「太極慧劍」中一招「動生兩儀」，看去勢道緩慢，但在那緩慢劍勢之後，卻蘊藏著綿綿不絕的奇奧變化。

四僧在少林寺中身分崇高，名列長老，常和武當派中高人相聚，是以對「太極慧劍」略有所聞。

現見他出手劍式竟是武當派中震山絕藝，不禁心頭大感震駭，個個凝神戒備，打消了輕敵之心。

哪知事情大出了四僧意料之外，方兆南劃出一劍之後，竟然橫劍靜立，不肯出手搶攻。

左首手橫禪杖僧人低喧一聲佛號，問道：「小施主可是武當派門人弟子嗎？」

方兆南捧劍微笑，道：「晚輩授業恩師，未立門派，四位老禪師儘管出手！」

四僧同時一變臉色，道：「小施主出手劍式，明明是武當派『太極慧劍』中一招絕學，但卻又不肯承認武當門下弟子，難道欺貧僧等不識劍術嗎？」

方兆南正容答道：「晚輩所學，異常博雜，而且武功一道變不離宗，縱然劍招之上，偶有和武當派劍術相同之處，也不能硬指晚輩出身武當門下。」

左面一僧一掄手中鴨蛋粗細的鐵禪杖，登時湧起一片杖影，劃起滿天嘯風之聲，說道：「貧僧等奉諭守此後山，未得敝寺掌門方丈令諭，任何人均不得擅越一步，小施主如自信可以闖過，且請出手就是！」

方兆南見對方隨手舞杖的威勢，亦不禁暗生驚駭，但已勢成騎虎，自不能畏縮而退，當下一挺手中長劍，說道：「恭敬不如從命！」

長劍斜向右面最右一僧點去，身子隨著劍勢一轉，向前欺進了三步。

最右一僧手中兩柄燦銀戒刀，交錯而出，封住門戶。

方兆南挫腕收回長劍，對方也立時收回戒刀，靜站原地，竟不還擊。

這一來，卻給了方兆南甚大的困擾，如若四僧個個堅守原地不動，只用手中兵刃相互支援，除了施下毒手，傷人之外，想衝過這道攔截，實非易事。

他沉思了一陣，覺得只有同時分攻四僧，先把他們陣位衝亂，才有衝過這次攔截的機會。

心念一轉，長劍突出一招「驚鴻離羣」，疾向正中一個手執銅鈸的和尚刺去，身軀隨劍移動，向前欺進。

只聽中間二僧同時高喧了一聲佛號，四面銅鈸一齊推出，揮舞之間，鈸光如幕。

方兆南不待劍勢和那漫天鈸影相觸，突然大喝一聲，身子懸空疾轉，劍勢易位襲敵，寒光電奔，猛向那手執禪杖的和尚攻去。

他自得那駝背老人傳授劍術之後，雖已學到了天下各大劍派中不少精華之學，但內功的進

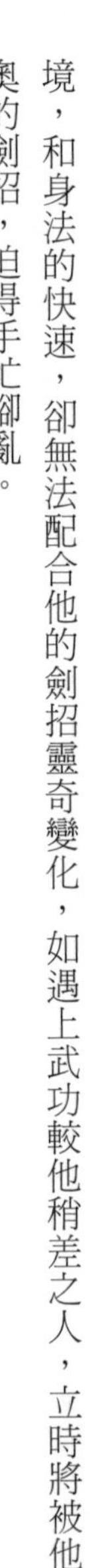

境，和身法的快速，卻無法配合他的劍招靈奇變化，如遇上武功較他稍差之人，立時將被他奇奧的劍招，迫得手忙腳亂。

但眼前四僧，個個都有著三十年以上的精純功力，靜如山嶽，動如靈蛇，隨手一擊，就勁道迫人。

動手之初，雖被方兆南精奧的劍招，迫得有點微生慌亂，但交手十回合之後，四僧漸轉鎮靜，杖影鈸光，結成一堵光牆。

方兆南施盡奇學，也難越雷池一步。

激戰之中，忽聽那手執戒刀的僧人，高聲說道：「小施主所言非虛，劍招果是博雜，這十回合之內已遍出當今武林各大劍派奇招。只可惜火候不夠，功力不足，無法把各派劍招威力發揮出來。」

他低沉地唸了一聲阿彌陀佛，接道：「小施主小心，貧僧要反擊了！」

餘音未了，人已欺身過來，兩柄燦根戒刀，幻化出一片寒光，當頭罩下。

方兆南久戰無功，心中已自焦急，他已自知沒有取勝之望。

因他已快用盡那老人相授劍招，正待抽身而退，那手執戒刀的和尚，已挾雷霆萬鈞之勢，凌空撲到。

葛天鵬低聲對葛煌、葛煒說道：「那和尚說得不錯，如果方兆南能有我這般功力修爲，少林寺的四位長老，早已敗在他的劍下了。唉！如若少林寺四個長老敗在一個年輕人的手中，定當成爲震動江湖的一件大事，這一戰已足可使他成名江湖了……」

他一直對方兆南有著甚強的信心，認定四僧必然要敗在他精奇的劍招下，只是早晚而已。

忽聽神刀羅昆說道：「葛兄，只怕方兄難以抵住四僧合擊之力，咱們助他一臂如何？」

葛天鵬抬頭望去，只見那手執戒刀和尚已躍飛懸空，刀光如山，直向方兆南壓了下來。

方兆南正在和另外三僧動手，似是無法兼顧那直罩而下的威勢。

這不過是刹那間，待葛天鵬覺出危險，準備出手相救時，已是晚了一步，但見一片銀虹直落而下。

忽聽方兆南大喝一聲，手中長劍奇招突出，劍尖顫動，灑出了滿天劍花，看得人眼花撩亂，有如數百支寶劍一齊出手。

原來他在四僧圍攻之中，突然想到駝背老人傳授劍招中一記「巧奪造化」，大喝一聲，施將出來。

這一招奇奧絕倫的劍招，一出手，立時使四僧大感震駭。

但聞幾聲連續的佛號，響起杖影鈸光，突然交連一起，疾向後退出五尺。

那幾聲佛號，似是四僧互相連絡的暗號，那懸空疾撲而下、手執雙刀的和尚，也突然收住了向下撲擊之勢，向後疾退。

但見方兆南劍光暴漲，直向四僧反擊過去。

葛天鵬、天風道長等人，齊齊爲之臉色大變。

他們從未見過這等奇幻威猛的劍勢。只見那朵朵劍花，從眩目的劍光之中暴射而出，竟未看清楚方兆南是如何出手……

一陣金鐵交鳴過後，劍光杖影突然消失，一切重歸寂靜。

在場之人，誰也沒有看清楚，方兆南這一劍是如何出手，但見四個身披大紅袈裟的和尚捧

鈸橫胸，垂手甫立一側。

方兆南怔怔地望了幾個和尚一眼，只見手中分執禪杖的二僧，袈裟之上被劍鋒劃裂了數處，那手執銅鈸和分執戒刀的和尚，不但僧袍破裂，而且臂肩胸數處，汩汩流著鮮血。

葛天鵬回目望了羅昆和天風道長等一眼，說道：「老朽生平之中從未見過這等劍術，當真有巧奪造化之能……」

方兆南正站在當地出神，忽聽葛天鵬叫出自己施用劍招之名，不覺地轉頭問道：「老前輩可識得晚輩這一招嗎？」

葛天鵬搖頭笑道：「方兄劍招奇奧，爲老朽生平僅見，似這等驚世絕學，老朽如何能夠識得？」說話之間，人已走了上來。

方兆南啊了一聲，默然不言，心中卻在想著那招「巧奪造化」中以後的變化。

那駝背老人在傳他這一劍招之時，雖然不厭其煩，反覆地解說了數遍，但方兆南一直未能把這一招奇奧的劍招中的變化完全學會，剛才形勢危殆，情急之下，用了出來，糊糊塗塗地出手一擊。

現在想來，不但未能把這一招變化用完，連如何出手擊敵，腦際之間，亦有著茫茫地難憶之感。

其實上乘的武功、劍術，運用克敵，大都在心念一動之間，有時，劍勢還在意先而出。

只聽陳玄霜銀鈴般的嬌笑之聲繚繞耳際，道：「師兄剛才用來克敵制勝的劍招，可是叫『巧奪造化』嗎？」

方兆南道：「不錯，師妹可學過嗎？」

陳玄霜笑道：「爺爺好像傳授過我，所以，當你劍招出手之時，會好像似曾見過，但仔細一想，又一點也記不起來，唉！想不到，我竟然是這樣一個笨人！」

方兆南收了長劍，暗道：「連我剛才用過制敵，現在想來，還是記不清楚，自是難怪妳記不得了。」

但口中卻微微一笑，道：「以後咱們找時間一起切磋研究一下，也許彼此都有收益。」

陳玄霜嫣然一笑，當先向林中走去。

這時四僧都已隱入林中不見，再也沒有人攔截他們。

這座環繞在山峻四周的密林，看去雖甚濃密，其實只不過四、五丈深。

幾人剛剛出林，忽見兩個面貌清秀，年約十五、六歲，身著灰僧袍，手執拂塵的小和尚，奔了過來，步履矯健，來勢甚快，轉眼之間，已到幾人面前。

陳玄霜只道兩人又來攔路，暗中一提真氣，嬌聲喝道：「站住！」

兩個和尚果然應聲停下了腳步，合掌當胸，說道：「我等奉了掌門方丈之命，特來迎接幾位，並無其他之意，姑娘不要誤會。」

葛天鵬搶前兩步，說道：「貴寺方丈現在何處？」

兩個小沙彌道：「敝寺方丈現在峰頂恭候幾位大駕，小僧走前一步帶路了。」

說完，轉身急步向前走去。

群豪隨在兩個小沙彌身後，走約十幾丈遠，到了一座寺院之前。

這座寺院的規模並不宏大，占地不過畝許大小，兩扇黑漆大門早已大開。

兩個小沙彌同時停下腳步，回頭說道：「諸位請在門外稍候，小僧去稟師父，迎接貴客……」忽聽寺內響起了一聲低沉的佛號，打斷兩個小沙彌未完之言。

緊接著響起了一個嘹亮的聲音說道：「老衲已得監院上座四老轉告，葛大俠親率高人蒞會，請恕老衲未能分身迎迓之罪。」

只見一個身披黃色袈裟，白眉垂目的老僧，緩步迎了出來。

葛天鵬搶前兩步，抱拳笑道：「在下得蒙老禪師法眼垂顧，飛箋相召，敢不如約前來？」

白眉老僧輕嘆一聲，笑道：「老衲凡俗之人，雖得我佛慈悲，渡人佛門，但五十年的青燈梵音，面壁向佛，竟然仍未能消除嗔怒之心，為我武林同道，召來不少痲煩！」

葛天鵬雖是成名江湖的大俠，但面對天下武林千萬同道仰慕的少林方丈，卻也不敢隨便。

葛天鵬長揖肅容說道：「老禪師慈悲我武林同道，才不惜跋涉千里，趕來東嶽，召開英雄大會，此等大仁大勇，豪壯千秋的用心，必將留給後代武林無比的敬慕崇仰。」

白眉老僧淡然一笑，道：「無嗔、無念、無我、無相，才是佛門中上乘境界，老衲已著魔道，葛大俠這般稱讚，更使老衲惶惶無地自容了！」

他微一停頓之後，又道：「剛才聽得敝寺中監院上座四僧相告，葛大俠邀約了一位身懷驚世武功的少年劍客同來，不知可否替老衲引見一番？」

葛天鵬哈哈一笑，回頭望著方兆南道：「方兄人中之龍，一舉名動天下，當今武林人物，能得少林寺掌門方丈這般頌讚之人，老朽還未聞有過第二個……」

方兆南久聞少林寺，被推崇為武林中泰山北斗，能身受少林寺掌門方丈這等頌讚，自非容易之事，當下抱拳說道：「晚輩方兆南，久慕老禪師慈顏威望，今幸得一晤，何幸如之？」

白眉老僧合掌笑道：「老衲大方，小施主年紀不過二十一、二，竟然能劍創敝寺監院上座四僧，假以時日，定可爲武林中放一異彩。」

方兆南道：「晚輩不過僥倖勝得，怎敢當老禪師這般誇獎。」

大方禪師微微一笑，欠身道：「偏殿上已擺下接風素齋，諸位請入座一敘，老衲先走前一步帶路。」說完，轉身向前走去。

幾人魚貫隨在身後，穿過一座院落，到了一偏殿之上。

只見二十餘人，分坐殿中，一見大方禪師帶著幾人進來，齊齊起身相迎。

葛煌、葛煒一見這等冷落的場面，心中甚感奇怪，暗自想道：「沿途之上，所遇之人何止百位，怎地與會之人，竟是這等冷落？」

目光轉動，掃掠了全殿一眼，但見殿中分擺了五張方桌，看樣子只準備了五桌菜，似乎只有四、五十人參與這場大會。

大方禪師環掃全場一眼，說道：「諸位想已腹中饑餓多時，快請入座。」

全殿中所有之人，除了方兆南、陳玄霜、葛煌、葛煒四人之外，都是五旬以上的年紀，長衫，短裝，垂髯短鬚，裝扮身形各異。

聽得大方禪師讓請入座之言，個個都入了席位。

方兆南細看室中之人，太陽穴大都高高突起，目中神光逼人，似都有著深厚功力的內外兼修高人，但並未見袖手樵隱史謀遁師徒，和在抱犢崗朝陽坪上相遇之人。

正在忖思之間，幾個清秀的小沙彌，已捧酒端菜而上，分置各桌。

大方禪師端起酒杯，說道：「承蒙諸位瞧得起老衲，不遠千里趕來，老衲感激不盡，借此水酒，敬奉各位一杯。」

眾英豪一齊欠身起立，各自捧起面前酒杯，一飲而盡。

忽聽室外一陣步履之聲，兩個小沙彌帶著四人而入。

四人已入偏殿之後，八道眼神，一齊投注方兆南身上。

陳玄霜輕輕一拉方兆南衣袖說道：「師兄還認得這些人嗎？」

方兆南微一點頭，低聲說道：「這般人早已有了和咱們惹事生非之心，別理他們……」

大方禪師耳目靈敏，似已聽得兩人之言，目光一掠方兆南，轉望著來人，合掌一笑道：「諸位快請入席。」

原來這四人，卻是方兆南、陳玄霜在抱犢崗朝陽坪上見過的天南雙雁、袖手樵隱，以及那長衫白髯老者一掌鎮三湘伍宗漢。

四人之中伍宗漢和天南雙雁等三個，一齊抱拳躬身還禮，只有袖手樵隱仍是一副冷若冰霜的神情，一語不發，橫跨兩步，自行入席就座。

大方禪師也不放在心上，視若無睹地笑道：「老衲以托護佛門身分，召請這次英雄大會，個中詳情，諸位或都早已了然，久絕江湖的『七巧梭』，重又出現在江湖之上……」

他微微一頓，目光環掃了在座群雄一眼，接道：「數十年前，七巧梭曾在江湖之上出現，不知有多少武林同道，傷殞在用梭人的手中。

「因此，這一枚小小暗器，被我武林同道視作一種死亡的標幟，凡是見過此梭之人，無一能夠倖免，其時老衲尚未接掌少林門戶，曾奉當時的掌門方丈之諭，帶領寺中達摩院八個高手，訪查那用梭之人的下落。

「哪知施梭之人，行蹤飄忽，狡詭絕倫，忽隱忽現，無法捉摸，老衲追蹤了半年之久，竟無法偵得他的行蹤，只好回寺覆命。

「當時敝寺掌門方丈覺得此人手段太過陰辣，如不及早除去，我武林同道個個都難安枕，因而聯絡武當、崑崙等武林各大門派，聯合追蹤堵擊，費時近年，終於在金陵近郊，找到了他，當即展開了一場慘烈絕倫的拚搏……」

他似在回憶往事一般，仰臉思索了一陣，接道：「老衲無緣參與那場大戰，事後聽得兩位師兄談起，那場大戰的激烈，凡是參與其戰之人，都覺得是生平最為凶殘的一戰。一十二個追蹤的四大門派高手，全都參與出手，由暮至晨，力戰四個時辰之久，仍然被他傷了四人，突圍而出，這一戰江湖上甚少傳聞，也許在座諸位，都還未聽過此事……」

忽見最左一席上，緩緩站起一個獨目老人，接道：「老朽不才，但卻有緣參與了那場大戰……」

群雄個個聽得怦然心動，不約而同，轉臉向那獨眼看人望去。

只見那獨目老人年約七旬以上，胸前垂著五綹白髯，左眼用一塊黑布蒙著，眉毛中間，有一條疤痕，使人極易看出他這左目，是被人用刀劍之類的兵刃所傷。

但聽他輕輕嘆息一聲，舉手取下蒙在左眼之上的黑布，說道：「老朽這隻左眼，就是傷在那次大戰之中，除了老朽之外，受傷之人，還有六位，加上老朽，一共被他傷了七人……」

他緩緩把目光移注在大方禪師臉上，接道：「三個傷勢沉重之人，在他突破圍困逃走之後，立即不治而亡，活著之人，共有四個受傷，禪師說他傷了四人，自是不能算錯！」

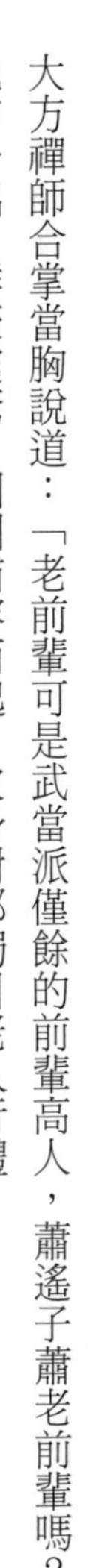

大方禪師合掌當胸說道：「老前輩可是武當派僅餘的前輩高人，蕭遙子蕭老前輩嗎？」

此言一出，群豪震驚，個個肅容而起，欠身對那獨目老人行禮。

因那蕭遙子乃武當派中近百年來，第一名劍，數十年前早已蜚聲武林，名動江湖，六十以上之人，都聽過此人之名。

五十年前號稱江湖上四大劍派的武當、華山、崑崙、峨嵋，論劍峨嵋山時，蕭遙子以弱冠之年，獨敗華山、崑崙，峨嵋三大劍派中的高手。

當時震動天下，被譽爲一代神劍，武林中人都以能見他一次爲榮。

可惜這被推譽爲一代神劍的蕭遙子，自從峨嵋論劍震動了天下之後，就如石沉大海一般，從未再在江湖之上露面。

此刻，突然在此出現，知道此事之人，無不感到心頭震動，肅然起敬，也起身作禮，連袖手樵隱史謀遁那冷傲自負不通情理之人，也不自覺地欠身而起。

只有方兆南、陳玄霜、葛煌、葛煒四人，因年紀幼小，不知此事，不爲所動。

方兆南已在江湖之上，走動過數年時間，見識方面，自是要比幾人強上許多。

一見殿中之人，大都欠身作禮，趕忙站了起來，抱拳一禮。

陳玄霜輕伸皓腕，一拉方兆南衣角，低聲說道：「你認識那個獨眼老人嗎？」

方兆南怕她再說下去，偷偷伸出手去，握著她抓在衣角的纖手，輕輕搖了一下，但覺如握柔玉，光滑異常。

陳玄霜本是極端聰明之人，被方兆南握著右手一搖，立時知他用心，輕將嬌軀附在方兆南耳際之上，輕聲說道：「師兄可是不要我多說話嗎？」

方兆南回頭一笑，微微點頭，但覺一陣幽香襲上面來，慌忙別過頭去。

只見那獨目老人把手中黑布重又蒙在眼上，接道：「老禪師可聽到令師兄提過老朽嗎？」

他微微一頓之後，獨目環掃了全場一周，接道：「老朽當時正值壯年，因得師長垂愛，試修本派一種內功，閉關剛滿，正趕上四大門派，追殺那妖婦之事。那時年輕氣盛，聽得那妖婦諸般惡跡，立時義忿填胸，特地請命敝派掌門之人，參與那追殺妖婦之事，易服下山，參與四派聯手之行……」

神刀羅昆忽然起身說道：「蕭老前輩，參與其事，乃是驚動江湖的一件大事，怎地未聽人說過？」

蕭遙子道：「當時敝派掌門，覺得對方武功太過高強，不許老朽明目張膽而出……」

話至此處，倏而住口不言，但在場之人大都已經明白，因他是當年武當派中最爲傑出的弟子，盛名已傾四海，如若那一戰不幸落敗，不但蕭遙子的盛名，將受挫辱，就是武當派的威望，也將受到甚大損失。

大方禪師合掌當胸，道：「阿彌陀佛。蕭老前輩大駕親蒞，使這次東嶽之會，生色不少，但望老前輩以我武林同道千百生靈爲念，主盟這次東嶽之會……」

蕭遙子道：「少林派被武林視爲泰山北斗，此次大會，由禪師出面主持，最是理想……」

他又環掃了全場一眼，說道：「除了少林派方丈之外，又有什麼人能邀得這多高手？」

大方禪師道：「蕭老前輩既然不願主持其事，貧僧也不敢相強，但望能指示一、二機宜，使貧僧有所遵循！」

蕭遙子輕輕一嘆，道：「此舉成敗，老朽不敢妄測，但眼下所集高手，可算已聚當今武林

精萃，是成是敗，只有聽命於天，昔年那大戰之中，老朽雖被她傷了一目，但卻劃破她蒙面黑紗，因而知她是個女人……」

忽見一個身佩雙劍，道裝老人起身接道：「不知老前輩可否把昔年經過之情，詳細說出，既可增加晚輩等見聞，亦可使我等多一點對敵經驗。」

蕭遙子點頭笑道：「那日老朽傷目之後，並未立即返回武當山去，自行尋找了一處隱秘之處，養息傷勢，傷勢痊癒之後，又開始習練幾種未成的武功。因此，一直未返回武當山去，雖聞敝派掌門人派出了很多人找我的下落，但都未能遇上……」

他雖未說原因，但殿中之人，都知他是羞於回山，也沒有人追問於他。

只聽蕭遙子又繼續說道：「那人的武功不但詭異難測，而且辛辣無比，很多招術都是罕聞罕見之學，身法飄忽，捉摸不定。在四派高手圍襲之中仍然靈動自如，但最爲驚人的，還是她的耐戰之力，當時四派高手，共有一十二人在場，最初動手之人，是少林派的大智禪師……」

大方禪師接道：「大智乃老衲師兄，可憐他已身殉其戰了！」

蕭遙子淡淡一笑，接道：「不足十回合，大智禪師，已被對方詭異的武學，迫得沒有了還手之力，繼而各大門派中人相繼出手。老朽是最後出手的一人，本想藉機瞧出她的武功路子，哪知瞧了良久工夫，竟然是瞧不出一個所以然來。「當時十一大高手，都已出手，但仍然沒法子勝得，而且反被她詭異的武功，迫得團團亂轉，險象環生。老朽眼看群友越來處境越險，只得揮劍上前參戰，那時動手相搏，不過一個時辰左右……」

大方禪師低喧了一聲佛號，道：「此等武功實在是駭人聽聞！」

蕭遙子似是講出了興致，不待人問，繼續說道：「老朽出手之後，逐漸扳回劣勢，情勢已穩，各人都以所學絕技求勝。一時之間，刀光劍影，打得花樣百出，叫人眼花撩亂，在那場搏鬥之中，老朽親自看到了少林派武功的精奇博大。大智禪師，雖然已身殞其戰，但他的英勇留給了參與那場慘烈之戰的四大門派中高手，無比的懷慕……」

他黯然嘆息一聲，接道：「當時在場之人，大都未發覺老朽是誰，但卻無法瞞得大智禪師的一雙神目。他故意移動位置，擠到老朽身側，低聲叫出了我的名字，但因在場之人，都迫出全力迎戰，未能聽到……」

此事關係著大智禪師的生死經過，是以少林僧眾個個凝神靜聽。

蕭遙子瞧了大方禪師一眼，繼續說道：「大智既是看出了我的真正面目，老朽只好點頭承認，大智一面加強攻勢，一面低聲和我商量。

「他想拚出全力，把我退出留下的空隙補上，要我騰出手來，想法挑去她臉上的蒙面黑紗，瞧瞧她廬山真面目。

「但老朽已從對方劍勢之中，瞧出此舉得手不易，因爲雙方動手迄今，對方劍勢一直靈活如龍，攻勢猛銳，毫無遲滯、破綻，如想挑開蒙面黑紗，勢非大費一番手腳……」

大方禪師突然插嘴問道：「這麼說來，老前輩是沒有答應了？」

蕭遙子仰臉長笑道：「爲了此事，使少林、武當之間，幾乎造成一場誤會，此既不能責怪那些傳話之人，也沒法說出何人之錯。大師這次不肯柬邀我們武當中人，想必是舊恨未消？」

大方禪師低喧了一聲佛號，道：「江湖上傳言沸騰，老衲甚難裁奪，加上老衲師兄重傷之後，強提真氣，趕回寺中，只說出別向武當尋仇，人就氣絕而死，陰錯陽差，般般湊巧……」

逍遙子道：「這也難怪，當時老朽和大智相議之言，可能爲崑崙派中天印道長聽到一點，

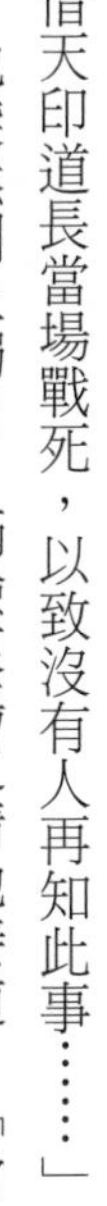
可惜天印道長當場戰死，以致沒有人再知此事……」

他突然閉上獨目，滿臉哀傷之情地接道：「當時我對大智禪師的提議，尚未答應，忽見他手中禪杖突然一緊，劃起強勁的嘯風之聲，幻化出漫天杖影，把對方矯若游龍的劍光，壓縮了不少。當時情形，老朽已無法再多考慮，只好抽劍而退，大智禪師大發神威，鐵禪杖縱送橫擊，有如出海蛟龍一般。少林派被譽爲領袖武林的主派，武功果是不凡！」

大方禪師道：「哪裡，老前輩一代絕才，武功驚世……」

忽然想到他傷去一目之事，下面的頌讚之言，不好再接下去，倏而住口不言。

蕭遙子苦笑一下，接道：「老朽退守一側之後，暗自運氣調息，在大智禪師一輪猛攻之後，揮劍凌空擊去。

「這一劍雖然劃破她蒙面黑紗，但卻被反手一招詭異難測的劍招，刺傷一目，老朽身受重創之後，已無能揮劍再戰。

「那妖婦卻趁勢運劍反攻，天印道長首先遭難，被她劍穿前胸而亡，大智緊接著身受巨創，中了她一劍一指。

「老朽原想運氣調息一陣之後，裹傷再戰。哪知局勢突然惡化到不容老朽再度出手，大勢已去。天印一死，大智重創，老朽傷目，所餘之人，亦都戰得筋疲力盡。

「但聞慘叫之聲，連續響起，片刻之間，被她連續傷了七人，突出圍困而去，兩個傷勢沉重之人，在她衝破重圍去後，當場身死。

「連同天印道長，共有三人當場而亡，老朽和大智禪師受傷最重，另外還有峨嵋、崑崙兩派各傷一個，強敵既遁，追又乏力，只好各自散去，那場慘烈之戰的經過情形大致如此……」

大方禪師嘆道：「數十年來，我們少林和貴派，一直未能融洽相處，大都因此事結成了一段誤會，眼下事過境遷，舊事不必重提，老衲這就即刻派遣快足，重邀貴派中人，參與這場大會。」

蕭遙子道：「那倒不必，敝派之中，雖未得禪師相邀之函，但卻已收到冥嶽中『招魂之宴』的相邀之箋，屆時敝派掌門人，自會率領派中高手，赴約『絕命谷』中！」

忽聽一人大聲叫道：「冥嶽嶽主，以梭代柬，邀請天下有名之人，共赴招魂之宴，谷名絕命，宴名招魂，但聽這四字，已不難知她用心。此行自是難免一場慘烈絕倫的拚鬥，對手雖強，但我方已群集天下高手，未必就真的打她不過，最爲可怕的還是對方施下暗算，酒中下毒，菜中放藥，叫人防不勝防……」

群豪轉頭望去，只見那說話之人，年約六旬以上，胸前髯髮飄飄，此人正是一掌鎮三湘伍宗漢。

伍宗漢的目光掠了方兆南、陳玄霜兩人一眼，然後又繼續接道：「還有一件防不勝防的可怕之事，那就是咱們不知對方的虛實，但卻被對方派人混入了咱們大會之中……」

十五　舊恨新仇

伍宗漢此言一出，全場爲之震動。

驚得蕭遙子獨目一瞪，突然放射出逼人的神光，迅快地從偏殿中所有的客人臉上掃過。

主持大會的少林方丈大方禪師，似是甚爲激動，身軀微微抖動了一下，側面向身側二位小沙彌低聲說道：「去請你四位護法師兄。」

那小沙彌合掌應了聲，迅快地向外奔去。

大方禪師低喧了一聲佛號，道：「伍大俠既知奸細是誰，不妨請當面指出……」

伍宗漢緩緩舉起手，指著方兆南和陳玄霜，緩慢異常地說道：「諸位之中，哪一個認得這兩位？」

一筆翻天葛天鵬突然站了起來，道：「伍兄不可隨便含血噴人，這兩位在下認識！」

袖手樵隱史謀遁緩緩把目光投注在一筆翻天身上，冷笑一陣，但並沒有開口說話。

葛天鵬看全場中人的眼光，盡都投注在自己身上，重重地咳了一聲，接道：「兄弟和這位方兄，是在九宮山中相遇，那時他的授業恩師正臥病在一處山洞之中……」

他對方兆南所知有限，除了這一般相遇的經過之外，不知如何再接下去。

大方禪師微微一點頭，道：「葛兄請坐，老衲有幾句話，想和這兩位施主談一談。」

方兆南心知葛天鵬縱有相護之心，但卻無相護之能，緩緩站起身來，說道：「老禪師有話儘管請說，在下洗耳恭聽。」

大方禪師垂目合掌，冷冷問道：「恕老衲失禮，請問小施主的師承門派？」

方兆南微一沉忖，道：「在下授業恩師姓周，名佩！」

他答覆地十分簡短，說完就自動坐下去。

大方禪師輕輕地重複了一句：「周佩？」接道：「令師沒參與這場大會嗎？」他顯然不知周佩其人。

天風道長突然起身接道：「周佩乃江南道上四大名劍之一，在下曾和他有過數面之緣。」

大方禪師又問道：「周大俠沒有來嗎？」

天風道長心中雖然明知未來，但仍然轉臉四下瞧了一陣，答道：「沒有。」

大方禪師道：「道兄請坐。」

天風道長依言坐了下去。

大方禪師又轉臉望著方兆南道：「小施主連闖本寺後山中三道攔截，劍術超絕，可都是追隨令師學得的嗎？」

方兆南心中暗暗忖道：「他這般盤問下去，不知要問到幾時，在眾目睽睽之下，實叫人太難忍受。」

當下長長吸一口氣，冷然說道：「在下所學，十分博雜，除了恩師所授劍術之外，另有奇遇，但老禪師儘管放心，在下決非冥嶽中派來之人。相反的，和冥嶽中人，還結有一段血海之仇，此次不揣冒昧，參與大會，也正想藉機報仇……」

忽聽一陣步履之聲，四個身披袈裟大漢，手握兵刃的和尙，魚貫進了偏殿。

方兆南突然提高聲音，站起身子說道：「在下師門和冥嶽結仇之事，抱犢崗史老前輩知道一點內情，老禪師如若不信，儘管問他，在下言盡於此，老禪師如若不信，那也是無法之事。」

大方禪師緩緩把目光移到袖手樵隱臉上，問道：「史兄既知內情，尙望不吝賜教，老衲洗耳恭聽。」

袖手樵隱動也不動一下，目注屋頂，冷冷說道：「在下素來不和武林同道往來，約在三月之前，此人身懷我索恩金錢，找上了在下隱居的抱犢崗。在他之前，還有一個女孩，當日之夜，果有人追蹤他到了抱犢崗……」

他說話似是十分吃力，聲音愈說愈低，說到了追蹤他到了抱犢崗幾個字時，已是低難繼聞。

大方禪師知他乃出了名的冷怪人，如再出口問他，只怕反而惹他發怒。

他微微一皺長眉，目注方兆南，道：「老衲怎敢相疑施主？不過卻極慕小施主的超絕劍術，眼下所聚之人，不是各大門派中一等高手，就是江湖上甚負時譽的武師。老衲之意，想請小施主當著天下這多高人之面，展露一下劍術，使我等得一睹絕技。」

方兆南暗暗想道：「此刻我縱然藉詞推托，只怕也無法推掉，眼下既成了騎虎難下之勢，倒不加爽爽快快地答應下來。」

心念一轉，重又緩緩站起身來，道：「老禪師既然吩咐下來，晚輩敢不遵命，不過晚輩也有一個不情之求，不知老禪師可否答應？」

大方禪師道：「只要在情理之內，老衲無不應允！」

方兆南微微一笑，伸手指著伍宗漢道：「晚輩想請這位伍老前輩和在下過招！」

大方禪師微微一怔，道：「這個，得問伍大俠了！」

室中目光大都轉投到伍宗漢臉上。在這等眾目睽睽之下，伍宗漢心中縱然怯敵，也無法說出不字來。

他只好站起身來，說道：「承蒙你這般看得起老朽，老朽自是奉陪！」緩緩走出座位。

大方禪師突然高聲說道：「彼此過手餵招，只是切磋武學的性質，任何一方，均不得出手傷人！」

方兆南回眸對陳玄霜笑道：「不論我勝敗如何，妳千萬不可出手。」

陳玄霜猶豫了一陣，笑道：「你是一定可以勝他，還會用得著我出手？」

方兆南身子一側，大步走入偏殿正中。

這時，那四個身披紅色袈裟的和尚，一齊向前移步，環守四周，那樣子大概是防備方兆南藉機逃走。

一掌震三湘伍宗漢，緩緩站起身子，走了過來。

他目光轉動掃掠全場，一面高聲說道：「眼下之人，聚集了南七北六一十三省精英，兄弟有一件不明之事，想諸位定然有人知道。當今之世，除了冥嶽之外，還有哪一位施用『七巧梭』暗器？」

全場一片嚴肅，但卻無一人接口說話。

伍宗漢略一停頓之後，接道：「但眼下之人，卻有一位身懷七巧梭，老朽雖不敢肯定指人

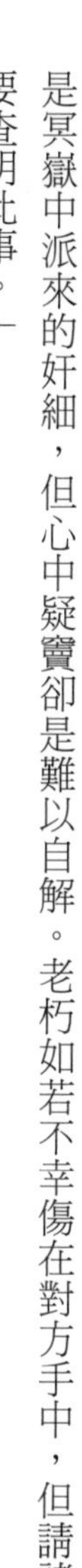

是冥嶽中派來的奸細，但心中疑竇卻是難以自解。老朽如若不幸傷在對方手中，但請諸位務必要查明此事。」

他這幾句話，既似自言自語，又似告訴場中所有之人。

方兆南心中暗暗想道：「他雖沒有指明我是冥嶽派來的奸細，但全場中人，心中都知道他說的是我，眼下情勢，縱有蘇秦的善辯之才，只怕也難以說得清楚。眼下之策，只有先憑武功勝了幾人之後，再設法解說。」

當下翻腕拔出背上長劍，朗朗一笑，說道：「各位老前輩中，有不少曾和冥嶽中人有過動手經驗，或能從晚輩劍招、掌法之中，瞧出一點來路……」

他微微一頓之後，目注伍宗漢說道：「老前輩憑藉一支斷梭，就指說晚輩是冥嶽之中派來臥底之人，未免也太過武斷。想來老前輩早已試過冥嶽門下武功，定可從晚輩劍招掌法之中指出破綻，快請亮出兵刃來吧！」

伍宗漢冷笑一聲，道：「老夫就憑這一雙肉掌，接你幾招試試！」

方兆南一領長劍，身子疾轉半周，說道：「老前輩既不肯用兵刃和晚輩動手，那就請當先賜招。」

其實伍宗漢被人尊稱一掌震三湘，不但在掌法之上有著特殊的造詣，而且練有鐵沙掌，竹葉手兩種掌上功夫，一硬一軟，剛柔互濟。生平之中，甚少遇有敵手。

一筆翻天葛天鵬心惦方兆南救命之思，高聲叫道：「伍大俠以掌法馳名江湖，難有敵手，方兄儘管用兵刃出手……」

伍宗漢暗提真氣，冷冷說道：「老朽年過七旬，生平未用過兵刃和人動手，閣下儘管先行出手。」

方兆南道：「恭敬不如從命！」

起手一招「天馬行空」，長劍揮舞之間，精芒電射擊出。

伍宗漢想不到對方出手一擊，劍勢竟然如此迅速，心中微生驚駭，疾退一步，右手劈出一股強凌的掌力，拂擊劍勢，左掌虛飄飄地還擊一招。

方兆南一劍擊出之後，身子立時隨劍而起，他近月連番驚遇強敵，對敵甚是謹慎，對方還擊一招，雖然看出虛弱無力，但仍然不敢硬接。

身隨劍勢一轉，讓避開去，雙足一落實地，立時揮劍搶攻過去。

他自得那駝背老人傳授武功之後，劍術一道，已兼得各大劍派之中精華。忽而用一招華山的絕學，忽而又用出一招崑崙派的絕技。

看去劍光不若整套劍法施將出來那般完整綿密，無懈可擊，但攻勢卻是銳利異常，片刻工夫，伍宗漢已被方兆南博雜奇奧的劍勢，迫得滿頭大汗。

激戰之中，忽聞方兆南長嘯而起，長劍盤空一揮，一片精芒罩下。

大方禪師高喧一聲佛號，道：「好一招『天網羅雀』！」

餘音未絕，劍光忽歛，方兆南捧劍倒退五步而立。

一掌震三湘伍宗漢，滿面羞愧之色，拱手說道：「閣下劍法卓絕，老朽不是敵手……」轉身疾向偏殿門外奔去。

大方禪師伸臂一擋，勸道：「勝敗乃江湖常見之事，伍大俠何苦這般認真？」

他功力深厚，這伸臂一攔，有如一道鐵壁，伍宗漢難以向前衝行一步。

忽見袖手樵隱一皺眉頭，瞪了方兆南一眼，滿臉驚異之色，他素不喜說話，心中雖有千言萬語，但也不願開口。

大方禪師緩緩把目光移到方兆南的臉上，說道：「小施主可否把身懷『七巧梭』，取出與老衲一瞧？」

方兆南回頭對陳玄霜道：「把那半截斷梭拿給他們看看吧！」

陳玄霜秀眉微皺，站起身子，探手入懷，摸出一截斷梭，交到方兆南手中。

方兆南把半截斷梭，托在掌心之上，說道：「這半截斷梭，是否『七巧梭』，晚輩不敢肯定，諸位請過目一瞧……」

他話還未說完，已連續響起了四、五個聲音接道：「不錯！不錯！」

方兆南緩緩將斷梭收回，正待交還陳玄霜，突聽大方禪師說道：「小施主請把斷梭給老衲一瞧。」

方兆南猶豫一下，但終於手托斷梭走了過去。

他伸出托梭右掌說道：「這斷梭是一位老前輩的遺物，我們還要從這斷梭之上，收回一些舊物，老前輩要看可以，但看過之後，必須賜還晚輩。」

他如說這斷梭是冥嶽嶽主邀他赴會的請柬，立時可免去所有之人的疑心。

但他這般地據實相告，只聽得全場之高手，連蕭遙子那等人物，也不禁獨目閃光，投注斷梭之上。

大方禪師白眉聳動，雙目神光閃閃地望了方兆南手心托的斷梭一眼，說道：「小施主既然擔心老衲不還斷梭，那就請收起來吧！」

他微微一頓之後，接道：「這斷梭的來處，卻望小施主詳細說明，以解天下英雄疑心。」

方兆南暗暗忖道：「眼下情形，十分凶險，如若一言錯出，立時將引起一場風波。」

他生性堅毅，愈是遇上大的危險，心中愈是沉著，當下收好斷梭，笑道：「此梭來歷，晚輩也不太清楚……」

他回頭望了陳玄霜一眼，接道：「師妹請把陳老前輩事跡，據實說出來吧，可消除在場之人的心中疑慮，免得引起誤會！」

他想眼下之人，大都是江湖上極負盛名的高人，或有人知得駝背老人的隱密。

要知方兆南聰明異常，他早已從這斷梭之上，聯想到那駝背老人可能和冥嶽中人有著什麼牽纏。

但又不好追問於她，縱然追問，也因陳玄霜年級紀小，無法說得清清楚楚。

如今天下高手齊集於此，其中大都是年過花甲的老人，目睹江湖數十年一切演變，陳玄霜只要能說出一點蛛絲馬跡，就不難被人憶起舊事。

那駝背老人熟知天下各門各派武功，自非無名之輩。

陳玄霜近月來和方兆南東奔西走，日夕伴守，早已把他看成世間唯一的親人，一縷柔情，早繫郎身，對他之言，從來順服。

當下走了過去，問道：「師兄，你要我說些什麼呢？」

她對自己身世，一片茫然，除了駝背重傷的祖父之外，連自己的父母，也未見過一面，要她說出祖父之事，實覺無從說起。

方兆南轉頭望去，只見她臉上一片柔順，不覺心中暗生愧疚之感，忖道：「她這般誠摯對

我，我卻對她動起心機。」

方兆南輕輕嘆息一聲，說道：「隨便說吧，妳知道多少，就說多少，如若他們不肯相信，那也是無可奈何之事！」

陳玄霜秀目轉動，掃掠了群豪一眼，依偎在方兆南身邊，說道：「這斷梭是我爺爺臨死留下之物，他要我們用這斷梭找一個人，討回一柄寶劍……」

她初次面對這多人，莊莊重重說話，只覺數十道眼光，齊齊在她粉頰之上轉來轉去，心中甚是不安，說了兩句，倏而住口。

雖是兩句簡簡單單的話，但其中卻是已包含了無窮秘密，只聽得全場之人，個個雙目圓睜，精神一振。

大方禪師突然伸出手來，說道：「小施主可否再將那斷梭取出，借給老衲一看。」

方兆南依言取出斷梭，遞了過去。

大方禪師接在手中，仔細一瞧，只見那小巧銀梭折斷之外，痕跡陳舊，果非近數月中折斷。

一面把斷梭交到方兆南的手中，一面高聲說道：「依老衲察看所得，此梭折斷痕跡，恐已在數年之上了。」

此言似是自言自語，又似在對群豪解釋。

忽見蕭遙子緩緩站起身子，向前走了兩步，目注陳玄霜問道：「敢問姑娘高姓芳名？」

陳玄霜瞧了方兆南一眼答道：「我叫陳玄霜。」

蕭遙子仰面自語說道：「陳玄霜！陳玄霜！」

思索了半晌，又問道：「不知姑娘可否把令尊的大名說出來？」

陳玄霜輕輕一皺眉後，搖搖頭，說道：「我連父母都未曾見過，如何會知道父親的名字？」

蕭遙子怔了一怔，嘆道：「請恕老朽饒舌，姑娘既然難憶父母之事，不知教養姑娘長大的是……」

陳玄霜柔目微微一閉，兩行清淚順腮而下，幽幽答道：「我跟在爺爺身邊長大的。」

蕭遙子沉聲問道：「姑娘既是追隨爺爺長大，那定知道爺爺的名字了，不知他老人家如何稱呼？」

哪知陳玄霜仍然輕搖螓首，答道：「爺爺除了教我讀書寫字，學習武功之外，連我父母之事，都未說過，自然不會告訴我他的名字了。」

這幾句簡單的答話，使會場諸人都爲之側然，紛紛輕聲嘆息。

蕭遙子獨目閃閃，投注到方兆南臉上問道：「小兄弟和這位陳姑娘既然以師兄妹相稱，想必知道她一些往事？」

方兆南正待回答，陳玄霜已搶先答道：「我都不知道自己的家世，我師兄自然是更不知道了。你們問他不是白費話嗎？」

全場所有人，以蕭遙子的盛名最大，地位最尊，自他開口之後，就沒有人再和他搶著問話了。

只聽他輕輕地咳了兩聲，說道：「姑娘既不知道自己的身世，但總該記得令祖的面貌吧！」

陳玄霜似是對蕭遙子這等盤究根柢的問話，已感不耐，回頭望了方兆南一眼，道：「這人問東問西，問起來沒有個完，要不要告訴他們？」

方兆南微微一笑，道：「蕭老前輩乃是武當派中名宿，師妹如果知道，儘管說出就是！」其實他心中亦是想知道此事，只不過不便相問而已。

陳玄霜似在回憶往事，仰臉思索了一陣，說道：「當我記事，祖父已經是很蒼老了，他又有著很重的傷勢，每日之中有一大半時間，都在沉沉熟睡之中。醒來之後，就忙著教我武功，讀書寫字，從沒有時間和我說別的事情，我不知道他受了什麼傷，但看去似是很重。」

蕭遙子似聽得十分入神，看她住口不言，立時接著問道：「我想問令祖形貌、年齡，不知姑娘是否願說？」

陳玄霜道：「我爺爺年紀多大，我不知道，大約總在八十以上，白髯過胸，身體瘦弱。」

蕭遙子沉思不言，半晌才冷冷問道：「姑娘說的話，都是句句真實嗎？」

陳玄霜道：「我既答應對你說了，幹嘛騙你！」

蕭遙子獨眼橫掃了在場所有之人一眼，突然向後退兩步，緩緩舉手，摸住了劍把，冷冷問道：「你們師兄妹間，哪個人的武功高些？」

這曾經揚名一時，被人推崇爲一代劍聖的蕭遙子，手摸劍把之後，群豪立時紛紛後退，只有大方禪師和袖手樵隱史謀遁，仍然站在原處未動。

方兆南回頭對陳玄霜道：「師妹暫請退下休息，讓我先行領教一下，如果打他不過時，妳再出手。」

當下一挺手中長劍，迎了上去。

蕭遙子橫劍當胸，冷冷說道：「這比武之事，生死攸關，開不得玩笑！」

方兆南一舉長劍，領起劍訣，大聲說道：「老前輩儘管出手，晚輩死而無怨。」

蕭遙子道：「老朽在江湖闖蕩時間不長，甚少出手攻敵，小兄弟請先出手吧！」

方兆南不再客氣，長劍微微抖動了一下，當胸刺去。

蕭遙子舉起手中長劍，隨手一揮。

立時寒光電奔，閃起一道銀虹，擊在方兆南長劍之上。

方兆南只覺手腕一振，長劍幾乎要脫手飛去，趕忙一吸氣，向後退了三步。

蕭遙子若無其事般，又舉手刺出一劍，左腳大跨一步，劍勢隨著推了過去。

此招看似平凡，其實妙在那左腳這時向前的跨步，劍隨身進，極不易防。

方兆南只覺蕭遙子隨手一擊之中，無窮潛力逼人，不知不覺之中全神凝集，大喝一聲，欺身攻上。

手中寶劍揮舞之間，幻化出三片寒芒，劍光流動，分擊蕭遙子「玄機」、「將台」、「期門」三大要穴。

蕭遙子微微一笑，道：「好一招『火樹銀花』！」

手中長劍驀地向那劍影之中刺去，劍尖顫動，灑出一片銀芒，指襲方兆南握劍右腕。

他劍勢雖然後發，但去勢卻比方兆南快迅許多，迫得方兆南收劍向後躍退。

蕭遙子並不藉勢搶攻，橫劍而立，微笑道：「小兄弟這一劍『火樹銀花』，竅訣雖然不錯，只是功力稍嫌不足，出手之勢，也不夠迅快，加之前後劍招不能呼應，雖然是一劍絕學，但威力卻已減少了很多。」

方兆南暗暗忖道：「那駝背老人傳授我劍招之時，沒有一套完整的劍法，自是無法使劍招前後呼應。」

他凝神思索了一陣，突然又欺身攻上，長劍左刺右掃，連綿擊出四劍，這四劍不但迅快絕倫，而且前後呼應，凌厲之中，一氣貫穿。

蕭遙子這次已不似破解上次那招「火樹銀花」一般容易了，只見他凝神靜立，長劍疾轉，在身前劃出一道銀虹，方兆南擊出四劍，盡被他劍光封開。

方兆南四劍無功，立時向後疾退五步，長劍緩緩伸出，封住門戶，蓄勢待敵。

哪知蕭遙子仍不搶攻，橫劍而立，點頭笑道：「這四招乃峨嵋派凌風十八劍中連環四絕，在江湖之中素有追魂奪命之稱，如小兄弟功力、火候，能夠配合得上，老朽決難接得下來。」言詞之中，大有讚賞之意。

在場的武林高人誰也想不到，這位二十左右的少年，竟然兼通天下各大劍派武學，都不禁心生震駭，聳然動容。

方兆南凝神思索了一陣，突然又欺身而起，當胸直刺過去。

這一劍看去似是平常，但被武林譽爲劍聖的蕭遙子，卻突然疾退了兩步，長劍忽然疾掄反擊，灑出朵朵銀花。

方兆南看這一劍來勢猛惡，不敢封架，收劍向後躍退。

蕭遙子一劍逼退了方兆南，點頭讚道：「好一招『一柱擎天』！此乃華山派不傳之秘，不知小兄弟從哪裡學得？」

方兆南此刻，才真正覺得自己的武功，確已大爲精進，當著天下高人之面，受到這般稱

讚，心中甚感歡愉。

方兆南微微一笑，道：「老前輩這般過獎，晚輩如何敢當！」

蕭遙子接道：「現在老朽要攻你幾劍試試！」

說打就打，餘音未絕，人已欺身而上，長劍揮舞之間，灑出一片劍花，當頭罩下！

方兆南大大地吃了一驚，只覺對方攻來的劍勢，有如千百支寶劍，同時由四面八方攻來，叫人無從出手招架。

心頭一急，突然想到那駝背老人所授一招「迷雲鎖日」，當下疾舉長劍，在頭頂之上一陣搖動，劃出一片護身劍光，左腳斜上半步，身隨劍轉。

但聞一陣金鐵相觸的鏘鏘之聲，突然脫出劍光圍困。

只聽蕭遙子口中咦了一聲，右臂振處，重又疾攻而上。

這次來勢，強厲絕倫，已毫無相惜之意，不但劍招綿密，而且劍上內力，也一劍強過一劍。

但聞森森劍氣之中，響起了絲絲破空之聲。

片刻之間，已把方兆南困入劍光之下。

陳玄霜眼看心上情郎，漸無還手之力，不禁大急，嬌叱一聲，縱身直撲過去。

大方禪師左手一揮，四個護法僧人，齊喧一聲佛號，一字排開，擋住了陳玄霜的去路。

陳玄霜心急方兆南的安危，恨不得立刻出手相助，四僧橫阻去路，無疑火上加油。

她一語不發，兩手齊出，左掌右指，分向當先兩僧攻去，出手毒辣無比，掌指襲擊之處，都是致命要穴。

兩僧被她迅快的內力攻勢，迫得各自向後退了一步，各自劈出一掌，並未還擊。

原來四僧都是少林寺僧侶中甚有地位之人，不願和一個女孩子家動手，是以不肯還擊。

陳玄霜迫退兩僧之後，立時靜站原地，凝神待敵。

見四僧不肯出手搶攻，嬌軀一側，重又猛撲過去。

要知這偏殿之中，無法施展輕功，掠躍四僧而過，陳玄霜如想衝入場中，幫助方兆南，勢必要衝過四僧攔截不可。

她在急怒之下，出手攻勢，招招都是致人死地之學，但見掌指交錯，漫天而來，雖是分襲四人，仍然攻勢銳利，迫得四僧各自全力自保。

四僧功力深厚，劈出掌力，又全是陽剛之勁，剎那間掌風呼呼，滿室勁力激盪。

陳玄霜初攻幾招，尚不覺出什麼，四僧運掌封掌，足可自保，但激戰到十幾回合後，陳玄霜逐漸放手搶攻，掌力指風，也愈來愈強。

四位少林寺護法高僧，竟然被她迫得走馬燈般團團亂轉，爲求自保，不得不放手還攻。

大方禪師只看得暗皺眉頭，忖道：「想不到這年紀輕輕的女娃兒，竟也有這等武功，如果少林寺四大護法僧人，打不過一個少女，傳言到江湖之上，那可是一件大大的羞辱之事。」

但自己以少林寺方丈之尊，勢難親自出手對付一個女子。

就這一瞬的工夫，四僧已被迫得險象環生，無力還手。

突聞一聲大叫，滿室劍氣，忽然斂消。

眾豪定神瞧去，只見方兆南滿頭大汗，臉色蒼白地抱劍站在一側，蕭遙子卻躍落偏殿，但見他神色自若，毫無困倦之容，實叫人難以分辨出他們誰勝誰敗。

這突然的變化，使陳玄霜和四僧激烈的搏鬥，也隨著停了下來。

忽見方兆南身子晃了兩晃，向後退了幾步，噴出一口鮮血。

陳玄霜只覺芳心一震，顧不得眾目睽睽，嬌喝一聲：「南哥哥！」疾撲過去，玉腕疾伸，扶住了方兆南搖搖欲倒的身軀，低聲問道：「你受了傷嗎？」

方兆南微微一笑，道：「不要緊，我只是接架他強勁劍勢，自已用力過度，等一會兒就會好了。」

陳玄霜看他說話神情，十分清醒，心中略覺放心。

抬頭看去，只見蕭遙子手橫寶劍，緩步走入場中，神情十分凝重。

全場中人都爲之靜穆下來，目光盯在蕭遙子的臉上，屏息凝神，靜觀變化。

陳玄霜右腕一伸，迅快地奪下方兆南手上的寶劍，橫劍擋在方兆南的身前。

蕭遙子在相距四尺外，停下了腳步，獨目中神光閃閃，投注在陳玄霜臉上，說道：「女英雄請退開一步，我有話要對那位小兄弟說。」

陳玄霜道：「給我說也是一樣。」

方兆南突然向左面橫跨兩步，抱拳說：「老前輩有何教言，但請吩咐，晚輩洗耳恭聽！」

蕭遙子道：「小兄弟剛才迫退老夫的劍招，不知是何人傳授？」

方兆南凝目沉息了一陣，道：「晚輩身受老前輩的劍風迫壓，已難支持，匆忙中攻出一劍……」

蕭遙子道：「不錯，老朽從小兄弟劍招之中瞧出了很多可疑之處，數十年前，力搏冥嶽嶽主的詭異劍掌，重現於今日的英雄大會之上……」

此言一出，群情激動，偏殿上，立時起了一陣輕微騷動，紛紛低語。

方兆南茫然說道：「什麼？我出手劍招之中，和冥嶽門下的劍學當真相同嗎？」

蕭遙子提高了聲音，說道：「現在傳梭作柬，邀請天下英雄，赴會絕命谷招魂宴的冥嶽嶽主，是否就是當年施用『七巧梭』的妖婦，老朽在未見她之前，不敢妄測……」

偏殿上，突然地靜肅下來，幾十道目光，齊齊投注在蕭遙子和方兆南的身上。

現在邀請天下英雄，赴會絕命谷招魂宴的冥嶽嶽主，是否是當年施用「七巧梭」殺人無數、凶名滿江湖的無名魔女，實是在場所有之人的關心事。

這一個在群豪心中的隱秘，都期望能早日揭穿，是以聽得蕭遙子大叫之言，全都靜肅下來。

蕭遙子獨目環掃了眾豪一眼，緩緩接道：「老朽由小兄弟出手劍招之中，瞧出可疑之處，立時全力運劍迫攻。小兄弟劍招雖然奇奧，但功力和老朽相差甚遠，被迫之下，奇學突出……」他突然停下口來，獨目中暴出奇異的神光，臉上肌肉微微顫抖，心中似甚激動。

方兆南茫然問道：「那一招劍式有什麼不對嗎？」

蕭遙子道：「老朽這隻左眼，就是傷在那一招之下，是以我對那一式劍招，記得特別清楚，數十年來，老朽潛居深山，一直苦心思解，破解那一招劍式的武功，原想已有破解之能，哪知小兄弟劍招出手之後，老朽仍然無能封架。」

方兆南心中暗暗忖道：「那駝背老人教我這招劍法之時曾經說過，只要是我能把這一招劍法學得純熟，天下能夠接得這招劍法之人，絕無僅有。看來此言不虛了，可惜這式變化神奇的劍法，我只學會一半。」

蕭遙子看他一直沉吟不語，突然提高了聲音道：「老朽獨居人跡罕至的深山之中數十年，嘔吞心血，思解不出破解這式劍招。天下也沒有第二個人，會此劍招，小兄弟如不能說出何人所授，老朽也難免心中犯疑了。」

方兆南突然一整臉色，反問道：「老前輩能確定那傷你左目之人，是位女子嗎？」

此言問得大是意外，全場之人，都聽得爲之一呆。

蕭遙子正容答道：「老朽決無看錯之理！」

方兆南沉吟了一陣，突然抬起頭來，目光緩緩掃掠過群雄，最後投瞥在陳玄霜的臉上說道：「師妹，陳老前輩受傷之事，妳一點也未聽他老人家說過嗎？」

陳玄霜搖搖頭，道：「沒有，我記事之時，爺爺就是那個樣子，除了隔些時日，出外尋找一點藥物回來之外，一直很少離開過他的臥室。」

方兆南輕輕嘆息一聲，又道：「師妹請仔細想想，在這十幾年中，就沒有人去看過他老人家嗎？」

陳玄霜凝目思索了良久，道：「好像是有一個，不過，那時候我還很小，爺爺在臥房中和他相見，我還隱隱記得那人是個瞎子。在我所有的記憶之中，那個人是爺爺唯一接見的客人，不過只有那一次，以後，就未見那人去過。」

方兆南回頭瞧了蕭遙子一眼，又向陳玄霜問道：「妳再仔細地想想看，他們談過些什麼話，就是一句半句也好。」

陳玄霜緩緩地搖頭答過：「那時，我大概只有十歲，如果那人不是個瞎子，我也許還記不起來了。他在爺爺臥房，停了有半天時間，我一直沒有進過房去。平日爺爺一清醒，就逼著我

練習武功，只有那半天允許我在外面玩耍，直到那人離開了爺爺的臥室，爺爺才叫我回去。」

方兆南沉思了一陣，又道：「除了那個瞎子之外，再沒有人去過嗎？」

陳玄霜斬釘截鐵地說道：「沒有，在我記憶之中，爺爺只有那一次訪客。」

方兆南低沉地嘆息一聲，道：「師妹，那天我在店中見到那兩個穴道被點的大漢，是什麼人？」

他本不想當著天下英雄之面，這等喋喋不休地向陳玄霜追問，但爲眼前情勢所迫，不得不這般反覆追問，再者也可藉機會迫使玄霜想起一些往事。

因他已從蕭遙子的問話之中，發覺了一件極大的隱秘，那就是駝背老人傳授自己的武功，和昔年縱橫江湖，身懷「七巧梭」之人的武功一樣。

陳玄霜忽然微微一笑，道：「你還記得那件事嗎？」

方兆南道：「是啊，那兩人是被什麼人點中穴道？」

陳玄霜道：「是我呀，不過這件事和我爺爺毫無關係，那兩個人太不老實了，他們在門頭上欺辱我，才被我點了穴道，爺爺根本就不知道這件事，在爺爺還未清醒之前，我就把他們放了……」

她忽然微現不安地說道：「那時間，我也騙了你啦！告訴你爺爺不在家，趕集去了，其實爺爺是在家的，只是他傷勢正在發作的時候……」

忽見一個和尚匆匆地奔了進來，合掌躬身在大方禪師面前不知說了什麼，但幾句話後，立時又退了出去。

這一個突然的事故變化分散不少人的心神，大都把目光投到大方禪師的身上。因爲大都猜

想到那和尚匆匆地奔來，請示掌門方丈，定然是發生了了十分重大之事。

大方禪師目光橫掃了全場一眼後問道：「諸位之中，哪一位認識知機子言陵甫？」

天風道長突然插嘴接道：「此人在下見過，不過，他早已神智迷亂，有些瘋了。」

大方禪師低聲道：「阿彌陀佛，道兄之言可有根據嗎？」

天風道長說道：「我們數人親眼目睹，絕錯不了。」

神刀羅昆接道：「老朽也是目睹之人。」

方兆南心中驀然一驚，暗自忖道：「此人不知是否還記得我，如果他瘋瘋癲癲，當著天下英雄之面，向我討取『血池圖』來，那可是一件極大的麻煩之事。如果此圖不在身上也還罷了，萬一被他大喊大叫地喊了出來，引起天下英雄疑心，只怕又要引起一場鬥爭……」

只見大方禪師回頭望了身側的兩個弟子一眼，緩緩說道：「傳諭出去，知會達摩院選派兩人帶他進來。」

那兩個小沙彌躬身領命而去。

蕭遙子突然望著天風道長，問道：「這位知機子言陵甫，可是被江湖稱為神醫，自喻為羅玄弟子的言陵甫嗎？」

天風道長正待開口，神刀羅昆已搶先接道：「不錯，不錯，正是此人。」

蕭遙子忽然似想起來一件甚為重大之事，說道：「幾位既然和他相識，可知傳言確實嗎？」

神刀羅昆拂髯沉吟了半晌，道：「此事倒很難說，依據傳言，言陵甫確實和羅玄有過相遇之事，但羅玄其人，有如霧中神龍一般，呼之欲出，傳說事跡甚多。

「但如深入追究，誰也沒法說出個所以然來，似乎羅玄其人其事，都是聽由傳說而來，言陵甫也許是真見過羅玄的唯一之人，也許是假借身爲羅玄弟子之名，以求聞達江湖。

「果然，他自己傳出，醫術得羅玄相授，立時傳揚江湖，博得神醫之譽，但他沒有想到盛名累人，每日登門求醫之人，絡繹不絕，這才迫得他遷到九宮山中，以避煩擾……」

此人甚愛說話，而且確也博聞廣見，一開口，就沒有給別人插嘴的機會。

蕭遙子重重地咳了一聲，打斷了羅昆未完之言，問道：「兄台久居江南，不知是否聽過『血池圖』的傳說？」

羅昆拂髯大笑，道：「在場之人，恐都已聽到過『血池圖』的傳說，但此物有如羅玄其人般，傳說歸傳說，但見過『血池圖』的人，只怕當今武林之中，還難找得出來……」

他似是自知失言，微微一頓之後，又道：「不知哪位見過那『血池圖』？」

方兆南心頭微微一跳，別過頭去，他怕自己無法控制心中的激動情緒，被人瞧出破綻，轉過臉去，以避開羅昆的視線。

這一句話，果然問得全場爲之一呆，無人接口說話。

足足過了有一盞熱茶工夫之久，羅昆正待再說下去，忽聽袖手樵隱輕輕地咳了一聲，緩緩站起身子。

偏殿中所有的人，一齊轉過頭去，目光凝注在他的臉上。

只見他站起身子後，伸了一個懶腰，重又坐了下去。

此人冷怪之名，早已傳遍武林，誰也不願碰他的釘子。他站起重又坐下，也無人追問於他。

蕭遙子皺皺眉頭，對大方禪師說道：「老朽有幾句話，想請教大師。」

大方禪師合掌說道：「蕭老前輩，有話但請吩咐。」

蕭遙子道：「不敢，不敢，大師這般稱呼老朽，叫我如何敢當，我和令師兄相處甚洽，咱們該平輩論交。」

大方禪師道：「恭敬不如從命，蕭兄有何高見，貧僧洗耳恭聽。」

蕭遙子道：「這次英雄大會，旨在對付冥嶽中人，挽救武林浩劫，造福天下蒼生，凡是應邀參與此會之人，都該敵愾同仇，生死與共，知無不言，言無不盡，在座中人，既有知那『血池圖』隱秘之人，不知肯不肯說將出來？」

袖手樵隱目光轉到蕭遙子身上，冷冷說道：「蕭兄指桑罵槐，可是說的在下嗎？」

蕭遙子沉吟了一陣，道：「老朽之意，是想我等各把胸中所知隱密，說將出來，彼此印證，或能找出所謂冥嶽嶽主一點蛛絲馬跡，也好多一分獲勝之力。」

袖手樵隱冷冷接道：「老夫生平不說沒有根據之言、臆測之詞。」

他因知蕭遙子的名頭甚大，故而已在言詞之中，客氣不少。

蕭遙子輕輕地哼了一聲，正待開口，忽見兩個身軀修偉的和尙，帶領著一個身著長衫，手扶竹杖的老叟，緩步走了進來。

所有之人的目光，都投注在那手扶竹杖的老人身上，但卻沒有人和那手扶竹杖的老人點頭招呼。

因為在場之人，除了方兆南之外，誰也無法肯定地認出，這老人就是譽滿江湖的神醫，知機子言陵甫。

那手扶竹杖的老人，踏入這偏殿之後，目光緩緩地掠著群雄臉上掃過，當他目光掃射到了方兆南時，突然停了下來，臉色嚴肅，一語不發。

方兆南被他瞧得心神爲之一震，只道他已認出了自己，如若他當著天下英雄之面，提出自己身懷「血池圖」一事，立時將引起一場混亂。

言陵甫一直把目光停留在方兆南臉上的奇異舉動，逐漸地引起了群雄的注意，每人的臉色，都逐漸轉變得嚴肅起來。

方兆南回頭瞧了陳玄霜一眼，低低叫了一聲師妹。

陳玄霜也瞧出了這局面，愈來對兩人愈是不利，緩移嬌軀，走到方兆南身邊說道：「南哥哥，我們走吧！」

她雖聰明絕倫，但江湖的經驗閱歷太少，心中想到之事，毫無顧忌地講了出來。

方兆南心中大感不安，陳玄霜率直地說出要走之事，無疑告訴了別人，兩人已有逃走之心，只覺手中汗水汩汩而出，心中緊張至極，但他又必須竭盡所能地保持著外形的鎮靜。

他回頭瞧了陳玄霜一眼，淡淡一笑，道：「妳心裡怕了嗎？」

這一句話答得恰當無比，不但避開了正題，而且又激起陳玄霜強烈的好勝之心。

只聽她十分堅決地答道：「我不怕，他們一齊出手，對付我們，我也不怕！」

方兆南故做輕鬆地伸出左手，輕輕地在她秀肩上拍了兩下。

他心中緊張無比，想借這輕鬆地拍撫陳玄霜，舒散一下心中的緊張。

但他卻忽略了，陳玄霜還是個黃花少女，在眾目相注之下，這舉動將使她張慌失措。

須知那時代的禮教十分嚴厲，男女授受不親，武林中人雖然隨便一點，但這等放蕩的舉動，立時引起了在場群豪側目。

方兆南警覺到自己動作失措，迅快地收回左手，轉眼望去，只見陳玄霜粉頰上，已泛起兩片羞紅，呆呆地站著。其實，她芳心中正在千迴百轉地想著這件事情……

只見她臉上羞紅漸退，嘴角間綻開出微微的笑意，兩道清澈的眼神，緩緩地轉投到方兆南臉上，歡愉洋溢，如花盛放。

原來，她在一瞬之間，對自己生命中一件大事，迅快地做了決定……

她早已把方兆南視做世間唯一的親人，對他在眾目相注之下的舉動，自作了一番解釋。

她暗忖道：「他在眾目之下，對我這般親熱，自然早已把我當做親人，男女之間最爲親近的，自然是夫婦了，我實在很笨啊！他心中早就對我很愛了，我怎麼一點也感覺不到呢？」

一股羞喜，泛上了心頭，但洋溢的喜氣，沖淡了她少女的嬌羞。

常常有很多大事，在偶然境遇的微妙影響下，作了決定，陳玄霜正是如此。

她清澈的眼神中，放射出情愛的光輝，低婉地說道：「南哥哥，咱們兩個和這樣多的高手相搏，打不過他們也不算丟人之事。」

她想鼓勵方兆南的勇氣，但一時之間，卻又想不出適當的措詞。

忽見言陵甫流現茫然之色，長長地嘆息一聲，大叫道：「『血池圖』、『血池圖』……」仰面一跤，向地上摔去。

大方禪師白眉一揚，低聲叫道：「阿彌陀佛！」雙肩微晃，直欺過去。

佛號未落，人已到了言陵甫的身旁，左臂一伸，快捷無倫地抓住了言陵甫向地上摔倒的身子，微一用力，提了起來。

十六　同生共死

這意外的變故，使在場之人都爲之心頭震動。

蕭遙子緩步走了過去，伸手抓住了言陵甫的左腕，右手食中二指輕輕地按在他脈門之上。足足有一盞熱茶工夫之久，才放了他的左腕，嘆息一聲，說道：「此人脈息怎地這等微弱呢？」

大方禪師慌忙接口說道：「蕭兄深諳醫理，看這位言兄還有救嗎？」

蕭遙子道：「他似消耗心智過多，再加上體力未能及時補養調息，致身體變得十分虛弱，不過一個身負上乘武功之人，如非遭遇到椎心刺骨的痛苦，長時間的折磨，決不會變成這種樣子的。」

神刀羅昆突然插嘴說道：「近月之中，江南道上，盛傳『血池圖』出現之事，傳言中，知機子言陵甫又是手繪『血池圖』羅玄的唯一傳人。江湖黑道上總瓢把子笑面一梟袁九逵，曾率屬下趕赴九宮山中，老朽和天風道長，也因此事而去，行至途中，曾遇此人，那時他亂髮披散，衣服襤褸，言語、行動也有些瘋瘋癲癲……」

他雖極力想把相遇言陵甫的事情，說得更清楚些，但他所知有限，話至此處，已無法再接下去。

他回頭注視方兆南接道：「小兄弟想必比老朽知道更多，可否把所見所經之事，說將出來？」

方兆南心知此事難再隱瞞，如不據實說出，勢將招致天下英雄疑心，只好把自己數月來的經歷刪繁從簡的說了一遍，但卻把有關「血池圖」之事，隱瞞起來。

他這番話中，一半謊言，加上了一半真實，而且出言又十分謹慎，居然未被人聽出破綻。

在他述說經歷往事的當兒，蕭遙子潛運內力，推拿了言陵甫幾處要穴。

他功力深厚，真氣充沛，言陵甫立時覺得一股熱流，循經脈直攻內腑，催動行血，睜眼瞧著蕭遙子，掙脫被握的手腕，自行盤膝而坐，閉目調息。

偏殿上暫時恢復了沉寂，但每個人的心情都無法真正安靜下來，一種潛在緊張，瀰漫偏殿，似乎都在等待著言陵甫的清醒。

只有方兆南暗暗地祈禱，別讓言陵甫的神智恢復，只要言陵甫能夠憶起往事，幾句輕描淡寫的言語，立時將使他和陳玄霜變成眾矢之的。

大方禪師輕聲吩咐隨侍在身側的小沙彌，送上美酒素齋，然後合掌當胸，說道：「諸位想已覺腹中饑餓，先請就座，酒菜即可送上，只是山野僻峰，無美物奉客，簡慢之處，尚望各位海涵。」

四個護法和尚，不待吩咐，自行移開桌椅，重又擺好。

原來幾人剛才動手之時，桌椅都已移開。

大方禪師合掌肅客入座，群豪紛紛就座，蕭遙子大步走了過來，在方兆南對面坐下。

群豪不過剛剛坐好，素齋美酒已然連番送上。

大方禪師坐了主位，捧起桌上酒杯，說道：「貧僧幼小受戒，生平之中滴酒未進，今日破例奉敬各位一杯，爲我千百武林同道，和天下蒼生請命，但願我佛相信，貧僧願捨肉身布施冥嶽，早完劫約……」

這幾句說得大慈大悲，群豪無不深受感動，連袖手樵隱那等冷怪之人，也不覺地舉起手中酒杯，一飲而盡。

忽見盤坐地上運氣調息的知機子言陵甫，突然站起身子，側身擠入席位之上，抓起筷子，自動地大吃大喝起來。

群豪眼看他一副狼吞虎嚥的饞相，無不大感奇怪，紛紛轉頭望去。

久未說話的蕭遙子，忽然插嘴說道：「老朽亦曾聽過羅玄其人的傳說，可惜眼下之人，無一能指證這傳說是真是假，如果確有羅玄其人，那施用『七巧梭』的妖婦，極可能和羅玄有著淵源。」

方兆南忍不住站了起來，正想說出周佩被害經過，和「血池圖」的隱秘，話到口邊之時，忽然又忍了下去。

他暗忖道：「此等重大之事，如何可以隨便說將出來，在場之人，只怕有不少知道『血池圖』的隱秘，一語錯出，紛爭即起。」

心念轉動，一語未發，又緩緩坐了下去。

蕭遙子接續說道：「昔年老朽和四大門派高人，敗在那妖婦手中之時，老朽曾留心她出手的劍勢，忽而華山秘學，忽而崑崙絕招，似乎那一套劍術之中，融合天下各大劍派絕學，和剛才那位小兄弟，出手劍招，大同小異，只是那妖婦比他的功力深厚，變化更爲詭辣一些……」

獨目閃閃，投注到方兆南的臉上。

在場之人全都隨著蕭遙子的目光望去，凝注在方兆南的身上。

方兆南回頭望了陳玄霜一眼，只見她一臉茫然之色，兩道清澈的眼神，也向自己望來。

蕭遙子咳一聲，接道：「尤以剛才這位小兄弟迫退老朽的劍招，和那妖婦傷我左目的劍招，完全是一樣，如果現下的冥嶽嶽主就是當年施用『七巧梭』的妖婦，定然和這位小兄弟有著關係。至低限度，武學上一脈相承。」

陳玄霜輕拉了一下方兆南的衣袖，低聲問道：「南哥哥，你剛用來對敵的劍招，可都是我爺爺傳授你的嗎？」

方兆南臉色凝重，點點頭，道：「不錯，剛才我出手劍招，都是陳老前輩所授。」

陳玄霜凝目尋思片刻，又道：「那我爺爺難道和那施用『七巧梭』的妖婦，又有著什麼關連嗎？」

群豪聽她隨口也罵妖婦，不覺一齊轉眼向她望去。

方兆南站起身來，說道：「蕭老前輩相疑之心，自是難怪。晚輩不敢說出手劍招之中和冥嶽中武功相關，但也不敢說無關。」

他回眸望了陳玄霜一眼，接道：「但晚輩剛才出手的劍招，確是這位陳姑娘的祖父，陳老前輩所傳授，那位可憐的老人，雖身負絕世武功，但卻受了沉重的內傷。在場諸位，都是望重一時的大俠，見聞廣博，閱歷豐富，只要有人能知道陳老前輩的來歷，就不難了解其中隱秘。」

大方禪師合掌說道：「這位小施主說得不錯。」

蕭遙子道：「只可惜咱們這些人中，無一人確認當前這怪老人是否真是名滿武林的神醫，知機子言陵甫，因爲舉世之中，只有他一個見過羅玄。」

方兆南目光投注那呆坐老人身上，注視了一陣，緩緩地說道：「此人正是知機子言陵甫，絕沒有錯。不過……」

席間突然一陣紛紛低論，打斷了方兆南未完之言。

大方禪師沉聲喝道：「小施主再仔細瞧瞧，他是不是言陵甫？」

數十道目光，又移轉至方兆南的臉上，似是都在期待著答案。

方兆南正容答道：「一點不錯，此人就是知機子言陵甫，晚輩在月前曾在九宮山寒水潭浮閣之上，和他晤談甚久，記憶清新，絕錯不了，不過他已是瘋癲之人，只怕已難憶述往事了。」

突然心中一動，暗忖道：「看他形態，瘋癲之症，並未痊癒，不知何人替他改換的衣服，送他到此，一個瘋瘋癲癲之人，決不會自己找上這明月嶂來。」

這時，全場中人，都爲方兆南驚人之言，和他高強的武功所震懾，對他已無輕視之心，只覺這少年古怪甚多，充滿著神秘。

大方禪師見他話未說完，突然住口不言，凝目若有所思，忍不住問道：「施主既然認得此人，尚望暢所能言，如若能因此而查出那冥嶽嶽主的來歷，找出制她之策，爲天下武林同道免除一場劫難，功德無量。」

方兆南抱拳說道：「晚輩忽然想起一件事，尚得大師費心一查。」

大方禪師道：「小施主但請吩咐，老衲無不盡力而爲！」

方兆南目注言陵甫，說道：「此人瘋癲之症未癒，如何能獨自找上這明月嶂來，而且來得不早不晚，筵席已開，碗筷未動之時？」

大方禪師聽得微微一怔，正待吩咐隨侍身側的小沙彌去查詢此事。

方兆南搶先說道：「如果無人送他來此，此人這瘋癲之症，就大有文章，如若有人送他來此，那送來之人就是一條極好的線索。」

大方禪師道：「小施主高見，老衲甚是佩服。」

當下低聲吩咐了身側的小沙彌幾句，那小沙彌立時向外奔去。

方兆南緩緩坐了下去，群豪都安靜地坐在原位之上。

原來群豪聽得方兆南一番話，都覺得甚有見地，也只有此法，可以測出言陵甫究竟是真瘋，還是故意裝作，都急於早知結果，靜坐相待。

不大工夫，只見那小沙彌帶了一個身穿破褂，滿臉污灰，頭戴氈帽的小童走了進來，那小童身後，又緊隨兩個身背戒刀的高大和尚。

那小童衣著雖然褸破，但膽子卻是很大，在數十道冷電般的目光環注之下，竟毫無畏怯之感，緩步從容，直入殿中。

大方禪師白眉微聳，說道：「小兄弟請過來兩步，老衲有幾句話問你。」

那褸衣童子看去不過十五、六歲的年紀，但神態沉著，儼然像老走江湖之人，只見他微一頷首，直向大方禪師身側走去。

大方禪師是何等人物，看著褸衣小童從容神情，不禁動了疑心。

大方禪師暗忖道：「這娃兒目如寒星，氣度不凡，怎地會穿了這樣一身破爛衣服，難道其

中還有什麼鬼謀不成？」當下暗中運氣護身。

那褸衣小童直走到大方禪師身前兩、三尺處，才停下來，目光緩掠了偏殿中群豪一眼，垂手而立。

大方禪師直待他站了半盞熱茶工夫之久，才微微一笑，指著言陵甫問道：「小施主可認識此人嗎？」

那褸衣村童連點了兩、三次頭，卻是不發一言。

大方禪師皺起了眉頭，沉吟了一陣，又問道：「你既然帶他來此，可知道他的姓名嗎？」

這次那褸衣村童卻連連搖起頭來。

大方禪師提高了聲音道：「你怎麼不說話，難道是啞子不成？」

那褸衣村童反手指指自己嘴巴，又把頭搖了幾搖。

大方禪師長長嘆息一聲，道：「老衲只是不願出手傷害於你而已，像你這般裝啞賣傻，豈能騙得過老衲雙目？」

那褸衣村童仍是一言不發，而泰然自若，似是根本沒有聽到大方禪師之言。

他乃一派掌門之人，身分十分崇高，不願對一個十五、六歲的孩子出手，雖然看出了很多破綻，但卻拿他沒有辦法。

九星追魂侯振方突然起來說道：「大師自恃身分，不願對一個孩子出手，那就交給在下來問好了。」

大方禪師道：「侯兄問他，最好不過，此子一臉聰明之相，不似聾啞之人，還得侯兄多多費心。」

侯振方笑道：「凡是啞巴，定然要有些耳聾，此人聽話清晰，如何會是個聾子，分明是假裝無疑。」

他微微一頓，舉手擊在桌案之上，大聲喝道：「過來！」

那褸衣村童滿臉不屑之色，瞧了他兩眼，但卻依言走了過來。

侯振方久在江湖之上走動，見聞極是廣博，自己聲色俱厲，他仍然觀若無睹，細步從容，姍姍而來，不覺心中一動。

侯振方暗忖道：「一個十五、六歲的孩子，哪裡能夠這樣沉得住氣，此中恐怕大有文章。」

侯振方暗生戒備之心，待他相距三、四尺時，突然大聲喝道：「站住。」

那褸衣村童兩道清澈如水的目光，怔怔地瞧著他，毫無半點驚懼之情。

侯振方冷笑一聲，說道：「小娃兒，睜眼看看，眼下之人，都是些何等人物，豈能讓你裝啞賣傻地蒙混過去……」

他微微一頓後，又道：「你如不肯說實話，今天有得你的苦頭好吃！」

那褸衣村童目光由方兆南臉上，轉到陳玄霜臉上，再移目望回去，一直在兩人臉上轉來轉去，似是根本沒有聽到侯振方喝問之言。

侯振方大力震怒，右手疾伸而出，猛向那褸衣村童手腕之上抓去。

那褸衣村童看他右手將要抓到自己手腕之時，突然向旁邊一閃，滑溜無比地閃向一側，從從容容，避開他一招擒拿手法。

侯振方出手一抓，不但迅快絕倫，而且暗藏幾個變化，縱然是一般江湖武師，也不易閃避

得過。

而那小童卻輕輕一閃避過，兩道目光，仍然盯在方兆南的臉上，行若無事，靈動至極。

方兆南心中忽生懷疑，暗道：「怎麼這小童老是盯著我看？」

定神瞧去，只覺他目光中含蘊著甚多情意，似是在哪裡見過？

那小童看方兆南回眸相望，若有所思，忽然展顏一笑，露出兩排整整齊齊的牙齒。

方兆南只覺他笑容甚是熟悉，心中大生奇怪之感。

他暗忖道：「難道我真的和他相識不成？」

忽見蕭遙子大步離開座位，走了過來，笑道：「小兄弟好靈快的身法……」

那褸衣村童突然一晃雙肩，身子倏然向一側疾閃去四、五尺，避開蕭遙子的擒拿之勢。

全場之人，都已看出這褸衣村童不是平常之人了，以蕭遙子那等深厚的功力，竟是無法抓得住他，不自覺都站起了身子，準備攔截。

原來大家都覺出這是一條最爲有力的線索，不但可以從這褸衣村童身上查問出現在大會上的言陵甫是真是假？說不定還會從這個小童身上追出冥嶽的下落出來。

群豪並無人提出此事相商，但卻同有此感，是以偏殿中大部分的人，都站了起來。

只有袖手樵隱史謀遁仍然端端正正地坐在原位不動，但他兩道目光，卻是盯在那褸衣村童身上，瞧來瞧去。

只見人影穿插閃動，剎那之間，已組成嚴密無比的合圍之勢，把那滿臉油污的褸衣村童圍在中間。

此等情勢，縱然是久在江湖之上走動的高手，也不禁要暗生驚駭之情，但那褸衣村童，卻

仍然視若無睹，神情自若地站在群豪重重圍困之下。

九星追魂侯振方突然向前欺進一步，低聲喝道：「小娃兒，再要裝啞賣傻，可有你的苦頭吃了！」

喝叫之間，右手疾伸而出，猛向那褸衣村童右肩之上抓去。

那褸衣村童忽然一挺身子，腳不見移步，腿不見屈膝，身子卻疾向前面飛去，直向方兆南防守的部位衝去。

群豪都已親目見他力鬥蕭遙子的武功，知他本領高強，這褸衣村童向他防守的方位衝去，無疑自尋死路。

方兆南看對方來勢猛疾，低喝一聲：「回去！」

右手一招「推波助瀾」，平推過去。

但見那褸衣村童展顏一笑，滿是油污的左手，忽地疾拂而出，疾向方兆南右腕上抓去。

這一招出手奇快，方兆南一念輕敵，再想閃避時，已自不及，只見對方黑污的手掌，疾快如電光石火一般，拂中右手。

不禁心中一駭，暗道：「此人出手這等迅快，內勁定然不小，這一招被他拂中，右腕勢必要受重傷。」

他心中雖然想到，但卻無法閃避對方突來的詭異襲擊，只覺右腕一熱，手指被人輕輕一握，待他運力反擊之時，對方已迅快地飄向一側，落在四尺之外。

那褸衣村童，在輕握方兆南右手之時，雙肩同時搖動，衣袂飄飄，人影幢幢，擋住了偏殿中左右和身後大部份人的視線。

他動作又迅靈絕倫，別人只當他被方兆南運力反擊的內勁，彈震開去，卻未想到他一握方兆南右手之時，自行飄退一側。

陳玄霜和方兆南並肩而立，看得較爲清晰，但她江湖閱歷欠缺，一時之間，想不出個中原因，只道自己眼睛看花，也未出口相詢。

方兆南看自己右手之上，微沾的油污，不禁一呆，暗道：「這一拂之勢，他明可以傷了我的右腕，不知何故，卻是手下留情。」

凝目望去，只見那褸衣村童臉上似笑非笑，也正脈脈相注，眉梢眼角，情意無限，心中大感奇怪，不自覺地多瞧了幾眼。

只見那秀美的輪廓，似曾相識，嬌小玲瓏的身軀，好像在哪裡見過，但一時之間卻又想它不起。

忽聽追風鵰伍宗義大喝一聲，呼的一掌，直向那褸衣村童劈去。

掌勢出手，忽然想到自己身分，豈可暗算一個十幾歲的村童，趕忙大喝一聲，喝聲出口，掌勢已到，強凌的破空勁氣，震飄起對方的衣袂。

就在掌風近身的剎那之間，忽見那褸衣村童身軀隨著掌風飄起，向後飛去，姿態曼妙，隨風而舞，恍如仙子凌波。

方兆南心中突然一動，暗道：「這褸衣村童難道是她裝扮不成？」

只覺臉上一熱，回頭向陳玄霜瞧了一眼。

忽聽神刀羅昆大聲叫道：「小娃兒如若再不肯說出實話，可別怪我們以大欺小了！」舉手一拳，直搗過去。

他自覺這把年紀，出手對付一個小小村童，雖然明知對方武功高強，只怕勝過自己，但仍覺有些不好意思，先自解自嘲般地說了幾句，才打出一拳。

原來神刀羅昆除了愛說話外，心地甚是慈善，頗有豪俠之氣，自覺以數十個馳譽武林的高手，對付一個小小村童，實有失武林公道。

那褸衣村童正向後飄飛的身子，突然中止下來，略一停頓，倏然向上升去，直待將要頂撞屋頂之上，才又冉冉落著實地。

這等絕世輕功，只看得全場高手都爲之一呆，半晌之後，少林寺主持方丈大方禪師才合掌喧了一聲佛號，道：「好一招『佛步蓮台』！」

陳玄霜緩步走到方兆南身側，低聲說道：「南哥哥，這褸衣村童，剛才用的輕身武功，我也會。」

方兆南正在用心思索那褸衣村童之事，斷斷續續聽得兩句，根本沒有聽懂她說的什麼，轉臉一笑，迷迷糊糊地嗯了一聲。

陳玄霜涉世未深，也未注意到方兆南的神情，看他回頭望著自己一笑，也不禁嫣然一笑。轉臉望去，只見那滿臉油污的村童，仍然睜著一雙又大又圓的星目，盯住在方兆南的身上，不禁大感奇怪。

陳玄霜問道：「南哥哥，他認識你嗎?爲什麼他老是瞪著眼睛瞧你呢?」

方兆南還未及答話，袖手樵隱已走近身側，舉手一把，抓了過去，方兆南驟不及防，被他一下子扣住了手腕。

陳玄霜大喝一聲，左手疾出，食中二指，分向袖手樵隱雙目點去，口中嬌聲喝道：「放手！」

她出手奇快，一閃而至，兩縷尖風，直襲過去。

她在情急之下，運勁極猛，以袖手樵隱那等武功也不禁爲之心生驚駭，一提真氣，向旁側疾退兩步。

陳玄霜一擊落空，立時隨勢而上，掌指齊擊，倏忽間連攻四招。

這四招迅快、詭異，著著指向袖手樵隱的要害大穴。

袖手樵隱雖然身懷獨步天下的「七星遁形」絕技，但因右手緊扣著方兆南的手腕，轉身極是不便，無法運用自如，閃避稍慢。

他被陳玄霜指尖掃中右肩，但覺右臂經脈一麻，扣制方兆南手腕的五指，忽然一鬆，方兆南立時掙脫了去，疾向旁側躍開三尺。

方兆南掙脫之後，袖手樵隱轉動大見靈活，身子一閃施出「七星遁形」身法，倏忽之間，已脫開陳玄霜掌指綿密的攻勢。

陳玄霜掌指擊空，怕對方借勢反襲，嬌軀疾向後面一仰，人已退出三尺。

方兆南舒展了一下筋骨，拱手說道：「史老前輩乃武林中甚有地位之人，這等一語不發地突然施襲，不覺得有失身分嗎？」

袖手樵隱脫開陳玄霜掌指攻襲之勢後，覺得右肩被拂中之處，隱隱作痛，趕忙暗中運氣調息，心中暗暗驚道：「這小小女娃兒，竟有這等功力！」

他正在運氣調息傷勢之時，不便開口說話，對方兆南相詢之言，無法答覆，只能回過頭來，冷冷地望了方兆南一眼。

在場之人，大都是久走江湖的老手，個個見聞廣博，都已瞧出那褸衣村童和方兆南似是相識，人人心中動了懷疑。

大方禪師低聲吩咐相隨身側的一個小沙彌幾句，那小沙彌匆匆領命而去。

蕭遙子忽然向前欺進幾步，逼到褸衣村童身前說道：「真的言陵甫哪裡去了？」

此言問得大是突兀，饒是那褸衣村童機警絕倫，也不禁為之一呆，張口欲言。

但他究是絕頂聰明之人，一張嘴巴，立時閉上，未出一點聲音。

蕭遙子是何等人物，早已瞧出破綻，當下一笑，道：「小兄弟不聾不啞，身懷絕技，而且面目娟秀，縱然塗上油污，穿上褸衣，也難掩遮得住真正面目。」

那褸衣村童，明澈的雙目微一轉動，掃掠了群豪一眼，緩緩閉上眼睛，仍然不言不語。

大方禪師白眉一聳，大步走到呆坐在席位上的老人身前，合掌說道：「施主可是名滿武林的神醫言陵甫嗎？」

那呆坐在席位上的老人，轉過頭來，望了大方禪師一眼，一臉茫然神情。

大方禪師暗暗嘆道：「此人倒非裝作，不是被人點了穴道，就是被什麼歹毒的內功或藥物所傷，如能把他救了過來，或可由他口中得悉個中隱密，此人如真是知機子言陵甫，自然會真相大白，了然全部經過，縱然不是，也可救個無辜受害之人。」

立時暗運功力，大喝一聲，一掌向那老人「天靈穴」上拍去。

這一掌出手奇快，那老人又呆呆板板，不知閃避，一掌正擊在「天靈穴」上。

大方禪師左手疾伸，疾如電光石火一般，抓住了那向後倒去的老人，拖了起來，右手疾快地在他胸前「玄機」要穴之上一按，飄身而退。

這不過是一剎那的工夫，群豪定神看去，只見那長衫老人手中仍然握著竹杖，端端正正地坐在椅子之上。

大方禪師靜站一側，頂門之上，微現汗水。

原來大方禪師相救言陵甫這招武功，乃少林派中極上乘的心法「羅漢傳燈」。

歷代之中，除了掌門方丈，連達摩院主持，監院首席長老之外，不傳他人，連少林門下身分極高的弟子，都不知有此武功。

偏殿中鴉雀無聲，數十道目光一齊投注在那長衫老人身上。

那褸衣村童卻趁群豪精神分散旁顧之時，突然揚手一彈，一點白影，直向方兆南飛了過去。

他彈出的勁道，全用的陰柔之力，絲毫不帶破空之聲。

方兆南伸手接到，覺得軟綿綿的，似是一團白絹，當下背過身去，打開一瞧，只見上面寫道：「我縫在言陵甫衣襟上的『血池圖』不見了。」下面署名：「妾雪」。

這充滿著柔情蜜意的最後兩字，映入了方兆南的眼瞼，卻似巨雷震耳一般，只看得方兆南心頭大生震駭。

方兆南暗暗忖道：「寒水潭對月締盟之事，早成過去，她這般署名稱妾，難道還十分認真不成？」

忽聞陳玄霜的嬌婉聲音道：「南哥哥，給我看看好嗎？」

舉世之間，方兆南已是她最爲關心之人，群豪都把目光投注在言陵甫身上之時，只有她還留心著方兆南的舉動。

見他瞧過那褸衣村童彈來之白絹後，呆呆出神的模樣，心中大是關懷。

方兆南暗道：「我如不把手中白絹給她瞧瞧，定然要引起她很多猜測。」略一忖思，舉手遞了過去。

陳玄霜盈盈一笑，伸手接去，手指還未和那白絹相觸，橫裡忽然疾伸過一支手來，一把抓住白絹。

方兆南及時警覺，趕忙把手向後一縮，但那橫裡伸來之手，動作迅快絕倫，橫裡一抄，已把那白絹搶在手中，雙方各自抓了一半，用力一扯，但聞嚓的一聲，白絹被撕成兩片。

方兆南目光一掃，手中剩下的一半白絹，只餘下「血池圖」，和「妾雪」兩個字的一半。

陳玄霜怒聲罵道：「老樵子，搶人家的東西，要不要臉？」舉手一掌直劈過去。

袖手樵隱冷哼一聲，左手一招「陰雲封月」，劃起一股凌厲的掌風，擋住了陳玄霜的攻勢，右手卻把扯得的一片白絹放入懷中。

陳玄霜被他一招「陰雲封月」，迫得向後退了一步，心中甚是氣惱。

她暗道：「我如不要看南哥哥手中白絹，這老樵夫也不致藉機搶奪，扯去了一半，我如不能把他搶去的一片白絹奪了回來，南哥哥心中恐怕將記恨於我。」

想到氣惱之處，油生拚命之心，暗提真氣，疾向袖手樵隱衝去。

在場群豪都爲陳玄霜喝罵之聲驚動，一齊轉過頭來。

袖手樵隱雖然不知陳玄霜「生死玄關」已通，「玄天氣功」已達爐火純青之境，但見她疾向自己撲來，猛惡異常，形同拚命一般。

袖手樵隱，當下施展出「七星遁形」身法，身子閃了兩閃，讓開了陳玄霜驚霆迅雷般的撲

擊之勢。

陳玄霜只見袖手樵隱身子一閃，迅快無比地避開了自己撲擊之勢，間不容髮，心中亦是暗自震駭。

趕忙一沉丹田之氣，向前疾衝的身子，陡然停了下來，暗中卻把全身真力，運集在右掌之上，蓄勢待發。

袖手樵隱閃避開陳玄霜的疾撲之勢，身子剛剛停好，忽見眼前人影一閃，那褸衣村童突然欺了過來，而且來勢奇快。

待他驚覺之時，那褸衣村童已到身邊，左掌劈臉擊去，力道勁猛，帶一股凌厲的嘯風之聲。

方兆南迅快地把手中餘下的一片白絹，放入懷中，縱身躍落到陳玄霜身側，低聲說道：「霜妹，此人難纏得很，且不可貿然出手。」

陳玄霜年紀幼小，生平之中，很少和人動手，再見袖手樵隱閃避自己的身法，迅快奇奧，不可捉摸，只道方兆南擔心自己打人不過，勸她不要出手，心中大顯感激。

陳玄霜輕輕嘆息一聲，回頭說道：「他搶去了你手中白絹，我如不能把它奪回來，你心中不恨我嗎？」

說話之時，緊顰著兩條秀眉，臉上滿是愧疚之色。

方兆南微微一笑，道：「別想得太多啦！我怎麼會恨妳呢？」

陳玄霜嫣然一笑，道：「那我就放心啦！」

兩人談話之間，袖手樵隱已和那褸衣村童打了起來，掌來足往，打得激烈異常。

群豪之中都知袖手樵隱史謀遁的武功，在當今江湖之上，是數一數二的高手，尤以「七星遁形」身法更是冠絕武林，天下各大門派的奇奧輕功，無出其右。

以少林派在武林中的地位，掌門人身分的尊崇，也對他青睞有加，在傳柬相請天下英雄聚會泰山之時，特地派人士邀請於他。

以他在江湖上的聲譽身分，能在他手下走個十招八招，已該名列武林高手，但那褸衣村童和袖手樵隱力拚了二、三十招，仍然未分勝負。

只看得在場群豪個個心生震駭，暗道：「怎地今日這三個年輕男女，竟都是身懷絕技之人呢？」

只見袖手樵隱臉色愈來愈是凝重，出腳落掌，變得十分緩慢，似是一招都經過一番尋思。那褸衣村童的攻勢，也不似初動手時，攻得那般凌厲，但攻出的掌指招術，卻是愈來愈詭異狠辣。

忽聽言陵甫大聲喝道：「『血池圖』、『血池圖』……」

霍然站了起來，直向袖手樵隱和褸衣村童衝去。

九星追魂侯振方橫身一攔，說道：「站住！」

言陵甫突然舉手一杖，擊了下去，出手威勢奇大，帶起了輕微的嘯風之聲。

侯振方想不到他一言不發，出手就打，疾向旁側一閃，讓過杖勢。

十七 抽絲剝繭

言陵甫雖然一擊不中，但卻把九星追魂侯振方逼到一側，直衝入場中，竹杖一舉，橫向袖手樵隱掃去，出手凌厲無比。

袖手樵隱正和那褸衣村童鬥到緊要之處，當著天下高手之面，以他的聲譽身分，不願施展出「七星遁形」身法閃避對方攻勢，想憑藉深厚的內力，和奇奧拳勢，勝得對方。

哪知事情大出了他意料之外，對方不但拳掌招術奇奧，而且功力竟也似十分深厚。

雙方既成了騎虎難下之勢，只有各出全力而拚，拳掌綿綿不絕地紛紛擊向各人要害。

袖手樵隱雖然覺出一股勁風橫襲過來，但那褸衣村童雙掌也正一左一右的合攻過來。左掌發得陽剛之勁，力道破空生嘯，右手卻發得陰柔之力，虛飄飄地毫無力道。

袖手樵隱前後受敵，但他心知當前的褸衣村童，武功高強，非同小可，只要中了他一掌一腳，勢必重傷當場。

雖然明知背後有人施襲，但卻不敢分心旁顧，雙掌合一，平胸向前推去，待雙臂伸直，兩掌忽然分開，掌心向外，分接那褸衣村童的雙掌，暗中運氣於背，硬接那襲來的杖勢。

忽聽一人冷笑說道：「言大俠乃名重江湖的一代神醫，豈可暗中施襲！」

一隻手疾伸過來，將那橫向袖手樵隱擊去的竹杖抓去，此人出手奇快，話出口，人已把言

陵甫擊出的竹杖抓住。

轉頭看去，只見那出手之人，正是被譽爲「一代劍聖」的蕭遙子。

但聞「砰！」的一聲，雙方掌力接實，那褸衣村童被震得向後連退了三步，袖手樵隱也被震得身軀搖了幾搖。

兩人這一招硬打，似是都出了全力，一時之間，誰也沒有再攻之力，各自靜站在原地，運氣調息。

言陵甫瘋癲之症未癒，被人一把抓住竹杖，呆在當地，似是不知如何應付這突來之局，呆了好半晌，才想到運力奪杖。

但蕭遙子功力深厚，抓到竹杖有如鐵鑄一般牢靠，言陵甫兩次運力奪杖，不但未奪得竹杖，而且連蕭遙子的身軀，也未帶動分毫。

言陵甫連續奪了兩次，未能奪得竹杖，突然一鬆雙手，大喝一聲：「『血池圖』……」猛向袖手樵隱撲了過去。

此舉大出了蕭遙子意料之外，想伸手攔阻之時，已自不及。

袖手樵隱和那褸衣村童，拚了一掌，彼此之間，耗去真力甚多，正在運氣調息之時，突覺一股急風，由旁側衝了過來。

他真氣剛在全身運轉，受此一擾，不禁大怒冷笑一聲，罵道：「自己找死，怪不得老夫手辣！」

立時施展「七星遁形」身法，疾向旁側閃開三尺，反手一掌拍了出去。

言陵甫神志尚未復常，渾渾噩噩，但武功仍在，衝去之勢，甚是快速，哪知掌勢出手，忽然不見了袖手樵隱的人蹤。

他全力向前衝擊，一時之間，收勢不住，直向對面的方兆南身上撞去。袖手樵隱拍出的一掌，正好向他背心之上落去，這一掌是含怒擊出，威勢非同小可，如若被他掌勢擊中，言陵甫勢非重傷在當場不可。

忽聽方兆南大聲喝道：「老前輩手下留情！」縱身一躍，直撲過去。

袖手樵隱聽得他大喝之聲，不覺掌勢一緩，就這一緩之勢，方兆南已自撲到，放過了知機子言陵甫，攔住了袖手樵隱。

如以史謀遁武功而論，縱有方兆南出手相救，言陵甫也難逃一掌之危。但他看清楚施襲之人，是被群豪疑認的知機子言陵甫時，心中忽然一動，暗道：「言陵甫名滿天下，我如把他傷在掌下，只怕要引起公憤。」心中已生猶豫，再聽得方兆南一聲大喝，不自覺地掌勢一緩。

方兆南抱拳說道：「多謝老前輩賞臉。」

袖手樵隱冷哼一聲，道：「你可是要替他出頭？」

方兆南笑道：「晚輩怎敢和老前輩動手，不過，此人神志混亂不清，雖然功力還未失去，但是瘋瘋癲癲，出手毫無章法，以老前輩的聲譽，殺了他也得不償失。」

袖手樵隱怒道：「他暗中向我施襲，如若我一時閃避不及，傷在他的手中，那我又該找誰說話？」

方兆南笑道：「史老前輩武功高強，豈能傷在別人的手中？」

這兩句話聽在袖手樵隱耳中，心中大感受用，胸頭怒火，登時消了一半，但仍然冷冷地說道：「老夫素不願和人說笑。」

忽聽陳玄霜嬌叱一聲，身軀一晃，欺了過來，說道：「誰又要和你說笑話，南哥哥不要理他！」

方兆南已認出那褸衣村童，是梅絳雪扮裝而成，看她眉目神態間款款深情，似是對那日寒水潭對月締盟之事，十分認真一般。

不管事情經過的情形如何，自己曾和她立下誓言，總算是有了夫妻之名，如若她認真起來，那可是甚大麻煩。

一時之間，心念千迴百轉，不知如何自處。

言陵甫神志混亂，逃過了一掌之危，自己尚不自知，直向偏殿外面衝去。

大方禪師左手一擺，立時有幾個和尚縱了過去，一字排開，擋住了去路。

言陵甫心中迷迷糊糊，一見有人攔住去路，舉手一拳擊出。

幾個阻攔去路的和尚，採用聯手阻敵之策，言陵甫只要向外一衝，幾人立時聯合出手，把他迫退，但並未欺進搶攻。

這幾個和尚，都是少林寺達摩院中高手，每人身懷一、兩種絕學，配合施將出來，威勢甚是驚人。

言陵甫衝了一陣，闖不出去，回頭又向大方禪師防守的方向衝去。

大方禪師低聲吟道：「阿彌陀佛！」雙掌一合，平胸推出。

一股極是強猛的暗勁，撞了過來，言陵甫揮掌一接，立時被震得向後退了三步。

那褸衣村童經過了一陣調息之後，身體似已復元，突然一晃雙肩，直向袖手樵隱欺去。

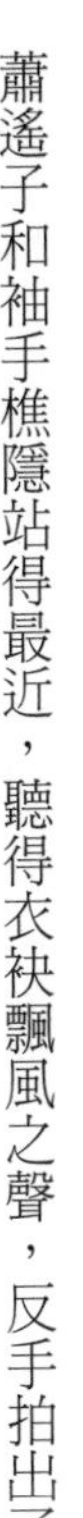

蕭遙子和袖手樵隱站得最近，聽得衣袂飄風之聲，反手拍出了一掌。

那褸衣村童看蕭遙子拍出的一掌，勢道異常勁猛，不願硬接，身軀一閃，讓到一側。

大方禪師突然舉手一揮，高聲說道：「諸位暫請安靜片刻，聽老衲說幾句話。」

群豪雖都是一方雄主、大俠、孤傲不群之人，但對少林方丈，都還存著幾分敬畏，見他有了怒意，果然靜了下來。

大方禪師目光緩緩掃了群豪一遍，沉聲說道：「各位肯賞老衲薄面，趕來泰山，爲天下蒼生效命，此乃大仁大慈之事，敬望各位捐棄門戶之見，誠心一意，共謀消弭浩劫……」

他微一頓後，又道：「我們少林寺一脈，自達摩師祖手創以來，雖然迭經變故、凶險，幸賴歷代長老協力同心，共謀度過重重難關……」

他輕輕地嘆息一聲，接道：「不過，此次面臨之事，乃是我武林同道的一次空前浩劫，非一人之死活，一派之興衰可比，因此老衲敬望各位，捐棄門戶之見，和私人之間的恩恩怨怨，合力同心，共謀大局。」

這幾句話說得誠誠懇懇，全場之人，都聽得聳然動容，俯首無言。

但見大方禪師走近袖手樵隱身側，合掌說道：「史兄聲譽隆高，威震宇內，老衲慕名已久了。」

袖手樵隱面對著少林派掌門之人，也不敢太失禮儀，微一頷首說道：「好說，好說！老禪師有什麼吩咐，但請說出就是。」

大方禪師道：「老衲斗膽乞請史兄把那奪得的半截白絹，賜借一觀。」

袖手樵隱冷冷說道：「這個嘛……」

蕭遙子臉色一變，接道：「史兄既然肯來參加英雄大會，就該一心一意，坦誠相見，要知眼下之勢，並非鬥強逞能，爭取個人榮辱地位，而是一次禍福與共，生死同命的大決鬥。

「不是老朽長他人志氣，滅咱們自己的威風，昔年四大門派，聯合派遣的高手，都是各大門派中當時的精英之選，但在追殺那妖婦一戰之中，大都身受重創，傷亡逾半。

「如果眼下的冥嶽嶽主，真是昔年以『七巧梭』馳名江湖的妖婦，聯合天下高手，能否是她敵手，還很難預料，如果彼此再不能誠心合作，禍福同當，其敗無疑。

「那不但有負大方禪師一番苦心，而且老朽可以斷言，今後武林之中，必將掀起一場空前絕後的大屠殺，血雨腥風，滿地哀鴻，無一門一派可以獨存於江湖之上。」

這番話語重心長，而又是出自被譽爲一代劍聖的蕭遙子之口，在場群豪個個聽得感動異常，齊齊把目光投注袖手樵隱身上，神色間怒容隱現。

袖手樵隱輕輕地咳了一聲，緩緩從懷中取出奪得一半的白絹，交到大方禪師手中。

大方禪師展開白絹一瞧，只見上面寫道：「我縫在言陵甫衣襟的……」下面還有兩字，但已被撕去了一半，一時之間，也看不出寫的什麼。

他緩緩抬起頭來，瞧了那身著長衫，手握竹杖的老人一眼，心中暗忖道：「看來這人真的是言陵甫了！」

忖思之間，人卻已緩步向方兆南身側走了過去，緩緩伸出左手，說道：「請把另一半白絹，賜借老衲看看！」

方兆南心中大生爲難之感，暗道：「我如不拿出餘下的白絹，必將引起天下英雄的公憤，『血池圖』現在我身上存放，把這白絹借給他瞧瞧，原無所謂，但又怕她心中不樂。」不覺抬

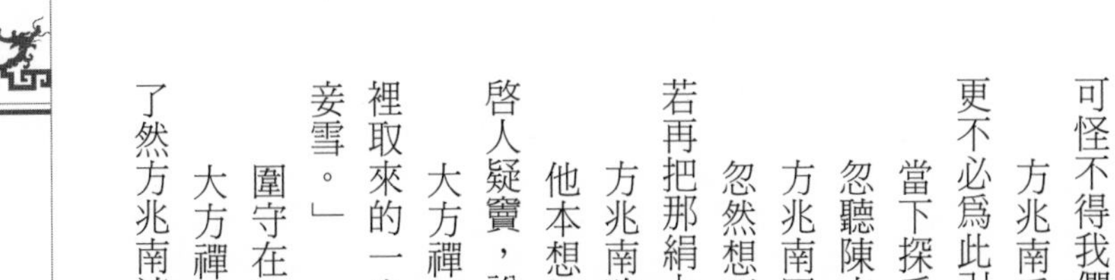

頭向那褸衣村童望去。

蕭遙子忽地向前欺進了兩步，冷冷問道：「大駕究係何人？快請說出，如再藉詞掩飾，那可怪不得我們群起相攻了。」

方兆南看褸衣村童神色間一片冷漠，心中暗暗忖道：「看來她倒是毫無不願之意，我自是更不必爲此引起群豪誤會。」

當下探手入懷，取出那扯下的一半白絹。

忽聽陳玄霜嬌聲叫道：「南哥哥，別給他們！」

方兆南回頭說道：「不要緊，這白絹也沒有什麼見不得天日之事，給他們瞧瞧也無妨。」忽然想到那白絹之上，「妾雪」兩字的署名，不覺微一猶豫，但他已將白絹取在手中，如若再把那絹上「妾雪」兩字署名毀去，定然要引起群豪猜忌。

方兆南略一沉思，說道：「大師乃有道高僧，在下相信得過……」伸手把白絹遞了過去。

他本想把那白絹上「妾雪」兩字的署名解說清楚，但轉念一想，此等情形無疑掩耳盜鈴，啓人疑竇，說了一半，倏然而住。

大方禪師聽得莫名其妙，又不好出口盤問，一皺兩條白眉，伸手接過白絹，把袖手樵隱那裡取來的一半，拼了上去一看，只見上面寫道：「我縫在言陵甫衣襟上的『血池圖』不見了，妾雪。」

圍守在四周的群豪，有不少移動身軀，探頭來瞧了，想看看那白絹上寫的什麼。

大方禪師乃一代武學宗派的掌門之才，心思何等機敏，一瞧那「妾雪」兩字的署名，立時了然方兆南適才言中之意，低喧了一聲：「阿彌陀佛！」

迅快地又合上手中的白絹，回頭對袖手樵隱說道：「史兄奪得之物，老衲代你奉還原主了！」把手中兩片白絹，一齊向方兆南遞了過去。

方兆南接過白絹，躬身說道：「大師果然是一派武學大宗師的風度，在下佩服至極。」

大方禪師冷然一笑，道：「老衲很少在江湖之上走動，對『血池圖』傳聞之事，了解不多，想請小施主一解個中隱密。」

方兆南暗暗忖道：「我把絹帕交給大方禪師看過，梅絳雪心中定甚惱恨於我，如果再洩露她『血池圖』的隱密，只怕立時要反目成仇。」

一時之間，想不出適當措詞回答，愕然怔在當地。

轉頭望去，只見那褸衣村童，靜靜而立，神情之間，既無惱怒之意，也無歡愉之情，冷冷漠漠，叫人難以猜想她心中所想之事。

偏殿中一片靜肅，鴉雀無聲，但人人臉上都如罩著一層寒霜般，冷冷的眼光，齊齊盯在方兆南的身上。

要知「血池圖」乃天下英雄關心之物，所以，大方禪師一提起，無不覺得心頭一沉，每個人心中，都在打著自己的算盤，對方兆南的言行，更是處處留心。

方兆南也覺得情勢已陷入最緊張的關頭，自己的言行，稍有差錯，不但會影響大局，且將立時分出敵友。

心中千迴百轉，想不出如何處理這微妙的局面，情勢在沉默中延展，充滿了無比的緊張。

忽聽伍宗義高聲說道：「眼下局勢已然十分明顯，這小子即使不是冥嶽中人，亦必和冥嶽中人，有著關係，兄弟雖然未知原因問在，但推想總是和那『血池圖』傳言有關，現下，『血

池圖』既在此地出現，老禪師更不該把它拱手送人。」

他說話之時，目光一直盯在方兆南手上的兩片白絹之上，大有出手搶奪之意。

原來他把方兆南手中兩片白絹，誤認作了「血池圖」了。

大方禪師搖頭笑道：「這位小兄弟手中的白絹，老衲已經過目，並不是傳言中的『血池圖』，如果是『血池圖』，老衲怎敢作主奉還？」

伍宗義聽得怔了一怔，默然不言。

方兆南目光緩緩掃掠群豪而過，但見人人蓄勢戒備，情勢已成劍拔弩張之狀，心知不說話已非了局。

故做鎮靜地微微一笑，對大方禪師說道：「晚輩已再三說明，不但和冥嶽中人沒有絲毫關係，而且還和他們有著不共戴天之仇。家師滿門被誅，迫得我師妹逃到抱犢崗朝陽坪，托護史老前輩的門下，大師如若不信，不妨問問史老前輩！」

大方禪師回頭望著袖手樵隱問道：「史兄此事可是當真嗎？」

袖手樵隱冷冷說道：「老朽歸隱之前，曾以五枚『索恩金錢』還清欠債，凡是持錢之人，老朽均將答應他一件請求之事，至於那人來歷出身，從不詢問，只要『索恩金錢』不是僞造之物就行。」

大方禪師合掌說道：「天下武林同道，有誰不知史兄之名，如若有人思慕史兄大名，竭於一見，求領教益，只要謀得一枚索恩金錢，就可如願以償了。」

袖手樵隱道：「老朽只辨認那『索恩金錢』真僞，素不問金錢來歷如何！」

大方禪師只覺此人性情太過乖張，不通情理，不覺有些怒意，肅容說道：「史兄欠人恩

債，賜錢於人，備作索恩之用，老衲甚是敬服。但如因那『索恩金錢』送了性命，史兄卻袖手不問，那就不叫『索恩金錢』……」

忽聽一人插口說道：「既然如此，史兄的『索恩金錢』，何不改叫『索命金錢』倒卻名副其實了。」

轉頭看去，只見那說話之人，年約六旬左右，身穿淡青長袍，胸垂花白長髯，方臉環目，威武之中，流現出一派忠厚。

袖手樵隱怒道：「他連一枚小小的『索恩金錢』也不能保守得住，那個人就是被人殺了，也不值得惋惜。」

那青袍花白長髯的老人，似是也被袖手樵隱幾句話，激起了怒火，臉色一變說道：「兄弟久聞史兄乃當今武林同道之中，最不通情理之人，今日一見，果是不錯。」

袖手樵隱冷笑一聲，道：「這還要你說嗎？老夫素來不喜和人多說廢話，你如不大服氣，儘管劃出道來。」

那老人大怒道：「別人怕袖手樵隱，我卻不怕……」說著大步直衝過來。

大方禪師突然向前走了兩步，攔在兩人之前，說道：「兩位請看在老衲份上，各自退讓一步。」

那老人對大方禪師似甚尊重，果然依言停下腳步。

大方禪師輕輕嘆息一聲，望了袖手樵隱一眼說道：「史兄退隱江湖已久，這位張兄也很少在江湖之上走動，我來替兩位引見一下……」他微微一頓，笑道：「兩位雖然沒有見過，但只怕早已彼此聞名了，這位張兄，就是以三劍一筆馳譽中原的張鳳閣張大俠。」

此言一出，群豪都不禁轉臉向那青袍老人望去。

此人十年之前，曾經名滿大江南北，中原武林道上的人物，更是個個對他尊仰，但卻很少人見過他真正面目。

因他生性忠厚，看不慣江湖上的險詐，羞與江湖同道交往，特地製了一個猴頭面具，戴在臉上。

凡是和人動手之時，必先把面具戴上，然後再行出手，行俠中原，濟困扶危，不知打敗了多少綠林高手。

但卻很少人見過他廬山真面目，和他攀談過三句話，他行事似是只求心安理得，不求聞達於世。

但他武功高強，用的兵刃，又極特殊，張鳳閣三個字知道的人不多，但三劍一筆之名，卻是盛傳在大江南北的江湖道上。

他生性仁厚，雖對極惡之人，也不願施下辣手，是以，敗在他手下的人雖多，但卻無一人受到劍傷。

有很多敗在他手下的人，不但對他毫無記恨之心，反而對他甚是敬佩，千方百計地尋訪於他，終難獲得一見。

其實他經常在江湖之上走動，只是無人認識罷了，眼下群豪，都聽過三劍一筆之名，但卻未見過其人，故而聽得大方禪師一說，無不轉目相望。

大方禪師擔心兩人心中氣怒未平，再引起口角爭執，不待兩人開口，又搶先說道：「兩位都是老衲專程邀請之人，旨在借重大力，消弭這場空前武林浩劫。深望各位能夠和衷共濟，別爲意氣鬧成不開之局，使老衲左右爲難。」

袖手樵隱冷哼一聲，別過頭去。

三劍一筆張鳳閣卻微微一笑，道：「兄弟承蒙邀約，未能爲禪師分解憂慮，反增困擾甚多，在下心中甚感不安。」

蕭遙子緩步走了出來，說道：「眼下重要之事，首爲澄清目前混亂之局……」目光轉動，掃掠了方兆南、陳玄霜和那褸衣村童一眼，接道：「老朽幾經忖思，覺得這位方兄適才劍招，和昔年那施用『七巧梭』的妖婦劍學，毫無不同之處。這褸衣村童，形跡更是可疑，老朽雖不敢斷言他是冥嶽之中派來的人，但咱們卻不能不作這等猜想。」

此情此景，方兆南縱然機智絕倫，深具辯才，也覺得無話可說，心中暗道：「眼下處境，危險萬分，一個處理不對，立時將引起群豪圍攻，眼下之人，都是當今江湖上出類拔萃的高手，不管受誰一擊，不死也得重傷。」

想到爲難之處，不覺轉頭向陳玄霜和褸衣村童望去。

只見那褸衣村童，神色自若，靜靜地站在當地，似是根本沒有聽到群豪計議之言，竟然對濟濟一堂的武林高手，視若無睹。

陳玄霜卻是凝神運氣，蓄勢戒備，隨時準備出手。

大方禪師突然轉過頭來，滿臉莊嚴之色，目注方兆南，說道：「小施主胸中分明隱藏著甚多隱密，不知何以不肯坦然說出，實叫老衲不解？」

方兆南目光環掃了眾豪一眼，說道：「不錯，晚輩心中是藏著甚多隱密，但這些隱密，和諸位都是無關之事，我已答應過人，我不洩露。」

大方禪師道：「小施主如不能坦然說出胸中隱密，老衲也難有力相護。」

陳玄霜突然一側嬌軀，擋在方兆南身前說道：「你這般追根問柢的，就偏不告訴你又怎麼樣？」

大方禪師沉聲說道：「此事關係著千百位武林同道生死，非同小可，老衲並無和兩位鬥氣之意，還望兩位三思。」

方兆南輕輕一扯陳玄霜衣袖，低聲說道：「老禪師德高望重，師妹不可這等失禮。」

陳玄霜先是一怔，繼而嫣然一笑，退到方兆南的身後。

大方禪師悵然一嘆說道：「小施主剛才已聽得蕭老前輩說過，昔年江湖間流傳『七巧梭』的往事，一枚小小的銀梭，竟哄傳爲人人驚魂的死亡標幟，可算是曠古絕今的武林怪聞。

「如今『七巧梭』重現江湖，而且以梭作柬，邀盡天下知名高人，赴會絕命谷招魂之宴，小施主年紀幼小，未能親睹那『七巧梭』在武林中造成驚恐的局面，傷亡在那梭下的武林同道，屈指難數，看這次『七朽梭』重現江湖的情形，只怕殺劫較以往尤慘。

「小施主如若是冥嶽中人，老衲自是不便相強你背叛師門，如果小施主不是冥嶽中人，甚望坦誠相見，爲我千百武林同道謀命。」

這番話聽來十分婉和，但方兆南聰明過人，已聽出這幾句話中明白說出，非友即敵的最後勸告。

如果自己再不把胸中隱密坦然說出，對方即把自己視做冥嶽中派來臥底的人，一時之間，大感爲難。

正在忖思之間，忽聽偏殿外面響起一陣步履聲，一人大步而入。

方兆南一見來人，立時抱拳長揖，說道：「張師伯來得正好，弟子正遭人疑為冥嶽中派來臥底之人，師伯請代弟子作主。」

來人大約有五十以上，眉宇間隱隱現出倦意，正是江南四劍之一的張一平。

他一入偏殿之門，目光就投注在那褸衣村童身上，聽得方兆南說完話，才轉過頭來說道：「江南武林之中，有誰不知你是周佩的弟子……」

方兆南接道：「弟子已再三向諸位老前輩解說此事，但卻始終難以獲信。」

忽然想到自己和周蕙瑛陷入那山腹石洞之時，他還在朝陽坪養息傷勢，也不知他以重傷未癒之軀，如何逃出了冥嶽中人的毒手？

心中在想，口中卻不自覺地加了一句，道：「師伯的傷勢，可已全好了嗎？」

張一平一面點頭作答，一面緩步走到方兆南身側，目光投注在陳玄霜身上問道：「這女娃兒是誰？」

兩人同時逃過了一次大難，相見之後，本該彼此親切相詢別後經過之情才對，哪知張一平神情之間，卻是一片冷漠。

方兆南心中暗感奇怪，但仍然畢恭畢敬地答道：「這位陳姑娘，對弟子有過救命之恩，我們已認做了兄妹。」

張一平冷冷一笑，道：「你有了這樣漂亮的師妹，那就難怪你忘記了另外一位師妹了。」

方兆南聽得怔了一怔，道：「師伯此言，弟子甚是不解……」

張一平接道：「這有什麼難解，遇得這位師妹，忘了那位師妹，也不是什麼稀奇之事，只可笑我那義弟，誤把你認做真誠的君子，不但把一身本領傾囊相授，而且臨死之前，還遺書

要我和垂釣逸翁林清嘯作主，把他膝下唯一的女兒，相許於你，只怪他有眼無珠，錯看了人……」

方兆南愈聽愈覺不對，急急接口說道：「師伯有什麼教誨之處，但請明白相示，弟子無不遵從，這等曲轉之言，實叫弟子一時間，難以想得清楚。」

張一平似是亦覺出自己幾句話，說得太過慌急，使人費解，臉色稍見緩和，說道：「這麼說來，你倒是還記得你那周師妹了？」

方兆南淒然嘆道：「師門不幸，慘遭滅家之禍，唯一逃出毒手的師妹，又遭了俞罌花那妖婦的毒手，弟子已親手將她屍骨葬在朝陽坪下，一處山谷之中。」

俞罌花，乃江湖上一代妖姬，在場之人，無不久聞其名，熟知其事，一聽方兆南忽然提起此人，都不禁為之心頭一震，凝神靜聽。

只見蕭遙子獨目中神光閃閃，逼近方兆南兩步，問道：「她還活在世上嗎？你在哪裡見到了她……」

忽然想到自己這等急急追問的神情，只怕要引起天下英雄的猜測，趕忙住口不言。

方兆南微一沉吟，道：「老前輩可認識玉骨妖姬俞罌花嗎？」

蕭遙子心中雖甚不願答覆此事，但口中，卻不自主地說道：「何只認識？就是她屍化白骨，我也認得出來……」

只覺心中一陣激動，衝口說了出來，待他驚覺不該說時，已自說出大半。

張一平突然接口說道：「俞老前輩生平之中，有功有過，武林對她的為人，迄未做論定，一個年輕孩子，豈可隨便出口傷人。」

言詞之間，竟是對玉骨妖姬，甚爲恭敬。

大方禪師低聲喧了一聲佛號，道：「俞罌花目下生死未知，自是難以對她做最後定論。」

但見蕭遙子身軀微微顫動了一下，望著方兆南道：「俞罌花還活在世上嗎？」

方兆南道：「死了……」

蕭遙子似是甚感震驚，呆了一呆，又問道：「她幾時死的？屍骨現在何處？」

方兆南聽他問話之中，充滿著關懷之意，心中暗暗忖道：「那山腹石洞之中的怪嫗，雖有諸多跡象是玉骨妖姬俞罌花，但到底未聽她親口說過身世，究竟是與不是，還難作定。」一時間猶豫難答。

蕭遙子大聲說道：「我問她屍骨現在何處，你是聽到沒有？」

方兆南看他情急之狀，故作鎮靜地說道：「那人究竟是不是玉骨妖姬，晚輩目下還難有肯定，只是相疑罷了！」

蕭遙子究竟是定力深厚之人，雖在極度的激動之中，仍可勉強保持著鎮靜，當下不再說話，暗中運氣調息，使神情逐漸復常。

群豪都誤認了蕭遙子和玉骨妖姬之間，有著什麼過節，也無人開口追問。

方兆南看他不再追問，自是樂得不說，回頭望著張一平道：「師伯別後可好？」

張一平道：「別後之事，雖只短短數月，但說來話長，咱們等會兒再說吧！」

也不待方兆南回答，又回頭對大方禪師說道：「此人確實是周佩門下弟子，不但和冥嶽之中沒有一點淵源，而且還有著一段血海深仇，此點，老朽可以作證。」

大方禪師道：「人心難測，事態無常，這位小施主雖是出身周佩門下，但已和張大俠分手

了有數月之久，難保在這分手數月之中，沒有其他的變化……」

他心中已對方兆南猜疑甚深，對張一平之言，不敢相信。

方兆南道：「老禪師不肯相信，那也是無可奈何之事……」

大方禪師突然提高了聲音說道：「那女扮男童之人是誰，縱然故作聾啞，但也難以欺騙得過老衲的雙目。」

此言一出，在場群豪都爲之一呆，齊齊轉臉向那褸衣村童望去。

方兆南暗暗忖道：「梅絳雪女扮男裝之事，這老和尚已然從她短簡之上看到，只怕她心中定然要惱恨於我。」

這是一種很奇怪的感覺，在他心中，雖然明明覺得那夜對月締盟之事，並非出自心願，而爲環境所迫，屈己下從。但潛在意識之中，又不自主地承認梅絳雪是自己的妻子，他心中並沒有很明確地想到，只是一種隱隱的感覺而已，這感覺使他猶豫惶惑，無以自主。

那褸衣村童似是已看透了方兆南的尷尬之情，忽地嫣然一笑，對大方禪師說道：「哼！你還不是從那短簡之中，看出了我是女扮男裝，如是早就看出，爲什麼早不講呢？」

她裝了半天聾啞，此刻突然說起話來，自是前功盡棄。

袖手樵隱冷冷地接道：「老夫初見妳時，已瞧出妳是冥嶽中那穿白衣的女娃兒……」

梅絳雪舉起衣袖，在臉上一抹，登時抹去了滿臉油污，露出雪白艷紅的本來面目，冷冷地說道：「老樵子就是愛說大話，你既然早看出來了，爲什麼不早說呢?專放馬後炮……」

袖手樵隱怒道：「老夫就是要看妳這女娃兒要做何等之事，故意不揭穿妳罷了!」

大方禪師道：「史兄，這位女施主當真是冥嶽中的人嗎？」

袖手樵隱道：「不錯，她不但是冥嶽中人，而且還是自稱冥嶽嶽主的親傳弟子。」

梅絳雪吃了一驚，暗暗忖道：「這老樵子怎地知道？」

心中雖想開口相詢，但又怕被人頂撞回來，她雖從小在異常恐怖的環境之中長大，耳濡目染盡是血腥殘酷之事，養成一副冷若冰霜，滿不在乎的性格。

但她潛在的一點善良人性並未完全消失，而且她究竟還是十八、九歲的少女，對人對事，都還存著好奇之念。

是以聽得袖手樵隱說出自己是冥嶽嶽主的親傳弟子之後，心中甚感驚奇。

大方禪師肅容說道：「此事關係重大，萬望史兄勿作兒戲視之。」

袖手樵隱生性冷僻，也不禁為之氣憤，當下答道：「在下之言，決錯不了，老禪師但請放心。」

方兆南目睹大方禪師的莊嚴神情，亦不禁為之心折，心中雖想替梅絳雪掩遮幾句，或是用話示意她早些逃走，竟自難以講出口來。

大方禪師合掌當胸，圓睜著雙目問道：「不知史兄何以得知，此女是冥嶽嶽主的親傳弟子？」

袖手樵隱似已被大方禪師追問得有些不耐煩，抬頭望著屋頂，冷冷說道：「昔年四派高手，聯手追剿那施用『七巧梭』的妖婦，哄傳江湖上驚天動地之事。

「但我史某人卻單人匹馬，和那妖婦苦戰了一夜之久，雖然傷在她手中，但卻未得過一臂助力，自始至終憑仗我史某個人之力。

「這女娃兒剛才和我動手時，和那昔年妖婦武功路子完全相同，這女娃兒年不過二十，所

用武功，又和妖婦路子完全一樣，自是那妖婦親自傳授無疑……」

他心中對梅絳雪的武功，雖甚敬佩，但卻不肯出口讚揚，倏而住口不言。

大方禪師霍然轉過身去，目注梅絳雪說道：「女施主既然敢來，自是不該再隱密身分，這位史大俠說的可對嗎？」

梅絳雪緩緩舉起右手，解開胸前鈕扣，當眾脫下上衣。

偏殿中人，大都是在江湖上有著甚高身分，看她當眾寬衣解帶，都不好意思瞪著眼看。

大方禪師低喧了一聲：「阿彌陀佛！」首先別過頭去，群豪隨著轉臉旁顧，只有陳玄霜瞪著一雙星目，凝神相注。

梅絳雪動作迅快，眨眼間，脫去了一身襤褸村童的衣著，打開挽在頭上的男髻，抹去臉上油泥，鬆了挽繫在身上的衣袂，片刻間恢復了本來的面目。

但見一個亭亭玉立、長髮披肩的白衣美艷少女，滿臉冷漠之情，站在偏殿正中，一面舉手理著長髮，一面淡然說道：「對了怎麼樣，不對又怎麼樣？」

她在數十個高手重重圍困之下，竟然氣定神閒，毫無驚懼之情。

大方禪師微微一笑，說道：「女施主膽氣過人，世所罕見，老衲十分敬佩，目下之人，大都是令師傳梭所邀，赴會絕命谷招魂之宴，但老衲遍查天下名山大澤，始終未能找出冥嶽所在，不知女施主可否一指去路？」

梅絳雪冷然說道：「絕命之谷，招魂之宴，愁雲慘霧，有去無還，我瞧你們還是別去得好。」

這幾句話，說得毫無內容，虛無縹緲，眾豪雖都是久歷江湖的老手，也聽得莫名其妙。

蕭遙子冷笑一聲，道：「姑娘之言，實叫人難以索解，如再不肯坦然相告，那只有屈留芳駕，為我們帶路了。」

梅絳雪仍然一臉冷漠，不喜不怒地淡然說道：「你們一定要去送死，但請放心等待，屆時自會有人來接引你們……」

她略一沉忖，又道：「絕命無地，招魂有方，你們還有兩個月時間好活……」

忽聽偏殿側角一人大聲喝道：「鬼丫頭故作驚人之言，老夫就不信世界上，真有這等邪怪之事！」

眾豪回頭望去，只見那發話之人，身著一襲千瘡百孔的破布長衫，身子奇矮，不足三尺，坐在偏殿一角，如非他開口說話，誰也不會注意在那殿角之中，還坐著這麼一位怪人。

梅絳雪看他長耳垂肩，雙目半閉半睜，塌鼻子，短眉毛，既矮又胖，長像十分醜怪，忽地啓唇一笑，道：「你也要去赴那招魂宴嗎？」

那奇矮之人冷冷說道：「老夫生平最厭看女人的笑容，妳說話儘管說話，再要啓唇微笑，可別怪老夫不教而殺。」

梅絳雪道：「我偏要笑給你瞧瞧，看你怎麼樣？」

她手拂長髮，嬌軀側轉，輕啓櫻唇，嫣然一笑。

她人本生得艷麗絕世，只是平常一臉冷漠神情，看上去尚無什麼動人處，此刻啓唇微笑，頓覺神情大變，如花盛開，撩人綺念。

只聽那奇矮老人冷哼，右手微微一揚，梅絳雪笑容突然一斂，一連向後退了數步。

蕭遙子大聲叫道：「無影神拳？」

那矮胖之人不理蕭遙子，身子一晃，向前欺進了五尺，右手微微一揮，梅絳雪立時又向後退去。

她在後退之前，身子顯然先自顫動一下，似是受人重重一擊。

那矮胖之人，滿臉殺機，緩步向前逼了過來。

這時，梅絳雪腳步，已是浮動不穩，身子也似搖搖欲倒，玉容慘白，嘴角之間流出了血來。

只要那奇矮之人，再發出一記無影神拳，梅絳雪非得被震斃當場不可。

但她生性倔強，雖在生死攸關之間，也不肯流露半點求饒神情，又退了四、五步，停下身子。

方兆南眼看她慘淡容色，和嘴角緩緩滴下的鮮血，心中忽生不忍之情，暗暗忖道：「不管事情真僞，我們總算有了夫妻之名，何況她還對我有過數番相救之恩，自是不便坐視不管。」

當下暗中提聚真氣，準備出手相救。

只見那矮胖老人，又緩緩舉起手來，向前推去。

此人出手拳勢，十分怪異，既不聞有嘯空拳風，也不見他如何用力，只稍微一揮手，即似有暗勁擊出，能夠看到的，只有那中拳之人身軀的震動。

方兆南早已蓄勢待發，一見他舉起手來，立時大喝一聲，向前衝去，右掌隨著向前衝奔的身子推出。

這一招正是那駝背老人傳授的「佛法無邊」，勁急的擊勢中，暗藏著精奧絕倫的變化。

那奇矮之人，自恃功力絕世，如何會把方兆南看在眼中，冷笑一聲，揮臂格去。

哪知方兆南擊來的掌勢突然向下一沉，手腕轉了兩轉，已把那奇矮老人的右臂逼到一側，掌心直擊前胸。

這變化精奇難測，在場眾豪都看得呆了一呆。

方兆南掌勢雖然按中那奇矮老人前胸，但含蓄在掌心中的勁力，並未吐出，低聲說道：「老前輩請看在晚輩面上，手下留情。」

那矮胖之老人，面色大變，任方兆南右掌按在前胸之上，既不退避，也不再還手。

矮胖老人冷冷答道：「老夫和人動手，素有規格自律，凡是能夠勝我之人，老夫就答應他一件相求之事，以你那點微末功力，就是拳掌再精奇些，也難傷得老夫。但你既能把掌勢逼在我前胸之上，實屬難能可貴，老夫甘願認輸，在我生平之中，能夠勝我的，你算是第二個人。」

方兆南收回掌勢，說道：「晚輩別無相求，只請老前輩放了那白衣姑娘。」

矮胖老人說道：「勝我一次，老夫只能答應他一次相求之事，我如答應放了她去，咱們算是恩債兩清，你可不許後悔？」

方兆南道：「君子之言，豈可反悔？」

矮胖老人探手入懷，摸出一個玉瓶，倒出一粒白色丹藥，目注梅絳雪說道：「妳連中了我兩記無影神拳，內腑已被震傷，吃下這粒丸藥方可無事。」

梅絳雪冷然說道：「誰要吃你的丹藥？」

矮胖老人怒道：「不吃，妳就別想再活過三個月。」

梅絳雪道：「死了又有什麼打緊？」

轉身向偏殿外面走去。

一掌震三湘伍宗漢、九星追魂侯振方，正站在偏殿門口，一見梅絳雪向外走去，立時橫移兩步，並肩擋在門口，攔住了去路。

方兆南知她受傷甚重，決難衝得過兩人攔擊，立時縱身向前躍去。

忽見一掌震三湘伍宗漢悶哼一聲，陡地向旁側直退過去。

耳際之間響起那矮胖老人的冷笑之聲，說道：「哪個敢攔著她的去路，就試試老夫的無影神拳！」

方兆南已落到梅絳雪的身邊，但見一掌震三湘伍宗漢無緣無故向後疾退，讓到一側，已知是那矮胖老人出手相助，低聲對梅絳雪說道：「姑娘快請離開這是非之地。」

梅絳雪輕輕嘆息一聲，滿臉幽怨之色，欲言又止。

忽見一條人影，疾躍過來，扶住搖搖欲倒的伍宗漢，急聲說道：「你傷的重嗎？」

方兆南看來人長得與伍宗漢形貌極是相像，而且年齡、衣著也都差不多，如果不留心，極容易把兩人看成一人，細看來人，正是在抱犢崗朝陽坪相遇的追風鶥伍宗義。

他和伍宗漢本是一母所生，形貌又長得極爲相似，只是伍宗漢年齡長了幾歲，看上去較爲蒼老些。

兄弟兩人，一個坐鎮三湘，領袖三湘六澤中武林人物，追風鶥伍宗義卻是在江湖之上走動，兄弟關心，一見哥哥受傷，立時躍奔了過來相扶。

大方禪師忽然上前兩步，望著那矮胖老人說道：「老前輩可是譽滿江湖的『無影神拳』？」

那矮胖老人忽然轉過頭來，說道：「此事十分奇怪，那人既不像早有存心，也不似決意恩仇。」

他故意和方兆南扯談適才挨打之事，不答大方禪師的問話。

大方禪師修養甚好，並不發怒，緩步走到矮胖老人面前，合掌當胸，還未來得及開口說話，那矮胖老人卻搶先說道：「要你別攔她的去路，當我是放屁嗎？」

但聞一聲悶哼，適才和一掌震三湘伍宗漢同時橫攔梅絳雪去路的九星追魂侯振方，也疾向一側退了過去，讓開一條去路。

方兆南伸手托著她的身子，道：「快些走吧！」

用力一送，把梅絳雪推出偏殿大門外三、四尺遠。

大方禪師修養再好，也有些難以忍受那奇矮老人的冷漠，突然提高聲音說道：「她既受了重傷，只怕難以走下這明月嶂了。」

言下之意，似是這明月嶂四周，早已埋伏下少林高手。

那矮胖老人冷笑一聲，道：「誰要是攔住了她，那就是活得有些不耐煩了。」

大方禪師怒道：「老衲久聞無影神拳一門武功，今日能得一見，開了不少眼界……」

那矮胖老人縱聲長笑，打斷了大方禪師未完之言，接道：「老夫久居西域，難得涉足中原，雖在邊荒之境，但卻常聽人談起中原武林濟濟多才。少林一門，更是聲威遠播，挾『達摩易筋經』和七十二種絕藝，領袖大江南北武林，老夫嚮往已久，如果今日能使我領教幾招，那是最好不過。」

大方禪師不愧一派掌門之才，那矮胖老人一番譏諷之言，並未能使這位身受武林推崇的高僧動怒，反而更爲平靜。

但見他神色之間，一片祥和，微微一笑，說道：「承蒙誇獎，愧不敢當，老衲雖得師祖慈悲，掌三十八代少林門戶，但卻自知德鮮能薄，不足以當承重任……」

那矮胖老人冷笑一聲接道：「眼下除了你們少林派中精粹的高手之外，中原武林道中所有高手，大都會集在此，不管哪一位有興出手和老夫比劃兩招，老夫都當奉陪！」

此人對打架之事，似是甚爲熱中，話中句句含意，都帶著挑鬥之意。

三劍一筆張鳳閣聽得甚是惱怒，暗道：「這人如此狂妄，竟敢藐視所有中原道上人物，如不給他一點教訓，只怕他氣焰更要高漲。」

不待大方禪師開口，便搶先說道：「在下聽人說過，當今武學之中，有一種名叫『無影神拳』的武功，據聞此拳出手之時，無風無聲，傷人於不知不覺中，而且不知對方拳勁指襲所在，極是不易躲得過去……」

那矮胖老人，冷冷說道：「你是什麼人，可有心一試老夫的『無影神拳』嗎？」

三劍一筆張鳳閣目睹他揮拳擊傷梅絳雪，和一掌震三湘伍宗漢、九星追魂侯振方後，於不知不覺之中，心頭早已想好了對敵之策。

當下探手入懷摸出一只五寸左右的短劍三把，左手取過斜揹背上的判官筆，接道：「承蒙看得起我，極願領教一下高招，不過在下這手中兵刃，也有點些微小技，如果用得不當，還望海涵。」

那矮胖老人冷然說道：「不管你施用的是什麼兵刃，只要能夠傷得老夫，我就當面認輸吧！……」

目光一轉，瞥見梅絳雪白衣飄飄，緩步而去，心中忽生不安之感。

三劍一筆張鳳閣早已暗中提聚了真氣戒備。他自隱退江湖之後，藉著那段清閒的歲月，練成了一種極上乘的內家功夫，江湖上鮮有人知道。

大方禪師博聞廣見，除了佛理精通之外，對天下各門各派的武功，都下過一番探究工夫。但他爲人虛懷若谷，除了師父之外，連他幾位師兄，都不知他武功如何。

數十年來，他又從未親自臨敵出手，少林寺幾個經院主持，也都不知他武功如何。

他眼見三劍一筆當真要和那矮胖老人動手，心中甚是驚駭，暗中運集功力，準備在必要之時，出手相救。

那矮胖老人眼看三劍一筆，舉著手中兵刃，蓄勢戒備，不肯說話，立時冷然一笑，右掌微微一揮，既不聞拳風破空之聲，又不覺暗勁激蕩之力，卻見那腳踏子午樁、左手橫筆、右手握劍的張鳳閣，似是感受極重的壓力一般，全身晃了兩晃。

十八　少林之會

側殿中之人，雖都是江湖上的一流高手，但也未見過這等奇奧的武功，個個圓睜雙目，注視著場中變化。

三劍一筆擋受了一拳之後，張鳳閣突然吐氣出聲，右腕一振，三柄短劍一齊飛出，寒光電奔，一前二後，直向那矮胖老人飛去。

一手之中，連握著三柄兵刃，已是極少見的怪事，對敵一回合不到，就把手中兵刃擲出擊敵，更是絕無僅有之事。

但見三道寒光驚霆迅雷一般，劃起金風破空輕嘯，一齊射向那老人前胸。

那矮胖老人，對那急襲過來的劍勢，竟似視若無睹一般，直待那短劍將要近身之際，右手突然一拂，一股強勁絕倫的勁力，隨手而出，三柄短劍，忽地齊向旁側的大方禪師飛去。

大方禪師高喧了一聲：「阿彌陀佛！」

寬大的僧袍衣袖一展，狂飆驟起，滿室生風，三柄短劍被他袍袖拂出的內力一擋，直向屋頂上撞去。

原來兩人拂出的內勁，勢均力敵，誰也無法把那短劍彈震得反擊回去，兩股猛勁一擠，迫得三柄短劍向空中升去。

三劍一筆張鳳閣陡然大喝一聲，右腕猛然一挫，三柄向上飛去的短劍，突然被他收了回去。

這只不過是眨眼之間的工夫。

但那矮胖老人、少林方丈、三劍一筆，都已露了一手罕見的武功，引得全場高手，個個凝神而觀。

方兆南機警過人，趁著場中高手凝神觀戰之際，身子一側疾飛出殿，躍落梅絳雪身側，低聲說道：「妳不藉此機會逃去，還等什麼？」

梅絳雪仰臉望著天上一片悠悠白雲，淡然答道：「要逃的不是我……」

方兆南輕輕地哼一聲，道：「不是妳，難道是我不成？」

梅絳雪輕舉纖纖玉指，抹去嘴角間的血跡，婉然一笑，道：「你，還有你那師妹，趁現在時間還早，你們早些走吧！我已是你的妻子啦！說的話自然不會騙你。」

這幾句話，說得甚是平靜，毫無嫉妒之意，言詞間又誠誠懇懇，但她神色之中，卻又是冷冷漠漠，看不出一點愛戀之情。

方兆南聽得怔了一怔，暗暗忖道：「此女不論遇上什麼驚心動魄的事，依然冷靜如常，縱是生死交關，她也似是不放在心上。寒水潭對月締盟之事，雖然事過境遷，難以算數，但她對我有過數番相救之恩，豈可不報，總要勸得她離開此地才好……」

正在忖思之間，梅絳雪忽又啓口說道：「你們離開此地之後，若想過太平日子，那就找座深山大澤，人跡罕到之處，埋名隱姓，從今之後，不再出江湖。最好能一帆孤舟，遠揚海外，找一座無人小島，自耕自織，過一生悠閒快樂歲月，如是雄心不死，想在武林中留下千秋萬世英名，那就去尋『血池圖』的下落。

「只有找到羅玄遺物，才能有勝得我師父的機會，我雖然是你妻子，但卻不能和你同行，因我一旦失蹤，必將引起師父、師姐們的大肆搜索。那不但會引起江湖上翻天覆地地血腥屠殺，咱們也無法逃得開他們嚴密的追索，一朝被他們找到下落，悲慘之情，實非你想像得到。

「情勢所逼，咱們今生是不能夫唱婦隨，享受那閨房之樂，但我已然是你妻子了，雖不能常侍左右，婉然承歡，替你生兒育女，相夫教子。但我將永遠為你保留得清白女兒之身，待來生再奉箕帚，此情此心，天日共鑒。」

一番話，引經據典，說得娓娓動人，情愛深重，節勵冰霜，可是她那嬌嫩的粉臉之上，仍然是冷漠如常。

這些海誓山盟，柔情萬縷的話，好像根本不是從她的口中說出一般。

方兆南本來聽得異常感動，但一瞧她那冷冰冰的神態，頓時心中一寒，暗道：「她說來如頌經書一般，毫無半點情意，我豈可信她隨口而出的鬼話！」

想得心頭火起，冷笑一聲，說道：「姑娘縱然舌粲金蓮，說得天花亂墜，但我方兆南亦將把它視作美麗的謊言。我感謝妳數番相救之情，故而不惜被天下英雄猜疑，助妳逃離此處，姑娘既是不願逃走，我也不便相強。」

轉身向偏殿之中走去。

忽聽梅絳雪自言自語地說道：「為人妻者，首要孝順公婆，順從丈夫，你縱然罵我，打我，我也不會以牙還牙。」

方兆南忍不住停下腳來，回頭望去，只見她靜靜地站在原地，神情木然。

梅絳雪的木然神情，實給人一種莫測高深的感覺。

方兆南略一猶豫，一提真氣，躍入偏殿之中。

就這片刻的工夫，偏殿形勢，已成劍拔弩張之狀。

只聽那矮胖老人低沉的一陣冷笑，目注三劍一筆張鳳閣，道：「你那點微末武功，決非老夫敵手，還是站在一邊看熱鬧吧！」

轉頭又望著大方禪師接道：「少林和尚的武功，倒非浪得虛名，但看你剛才拂袖震劍的內力，倒是真有幾年道行，老夫能遇上你和尚這等勁敵，總算不虛中原之行。」

大方禪師暗暗想道：「此人不知何時闖入了偏殿，既不聞守在寺外弟子的通報，又未見他進入偏殿，來得無聲無息，輕功實甚驚人。眼下武林，正値浩劫臨頭之際，此人身懷這等奇奧武功，如能得他相助，實足一壯聲勢，至低限度，不可和他爲敵。」

心念一轉，合掌答道：「施主武功高強，老衲自知不是敵手！」

矮胖老人怒道：「咱們還沒有動手，你怎麼知道打不過我？」

右手微微一揚，發出無影神拳。

他已連續施展數次無影神拳傷人，在場之人，都知他那手勢一揚，已把拳風發出，各人都替大方禪師捏一把汗。

但見大方禪師雙掌一合，躬身說道：「施主這無影神拳武功，實是罕聽未聞，見所未見之學，老衲怎能擋受一擊？」

其實他早已暗中運氣戒備，藉那合掌躬身之勢，已把數十年精修的佛門般若禪功，發了出

來，護住身子。

凝神旁觀的群豪，只見大方禪師寬大的僧袍，無風自動，全身起了一陣波伏，但瞬即恢復了常態。

但聞那矮胖老人，呵呵一陣大笑，道：「少林寺的武學，果非浪得虛名，老夫有幸，得一鬥威震武林掌門方丈……」

話還未完，雙手連揚了兩揚，又打出兩招無影神拳。

這等奇詭武功，全憑著先天中一口真氣，發出無聲無息的陰柔之力，直待那擊出暗勁，打中了人身之後，才生出強猛無比的彈震之力，傷人內腑。

因那暗勁事前來得毫無警兆，縱然武功絕世之人，也不能事先測知來勢，全仗事先預防，此等武功，如果用於暗襲，最是狠辣不過。

大方禪師高聲說道：「施主且慢動手，老衲還有話說。」

暗運般若禪功護身，雙腳扎地如樁，一挺前胸，硬接了那矮胖老人兩記無影神拳。

他口中雖然高聲喝請那矮胖老人住手，但心中早已想到其人驕狂無比，如不讓他吃點小虧，或是現露一點真實功夫給他瞧瞧，他決然不肯住手。

是以，運集了全身功力，想以強勁的反彈之力，給點苦頭吃吃！

但聞那矮胖老人輕哼一聲，肩頭搖了兩搖，向後退了兩步。

大方禪師卻突然矮了下去三寸，口中高喧一聲佛號，道：「施主的無影神拳，老衲已經領教，果是罕絕世間的武功，老衲自知難敵，快請住手，容老衲說幾句話，施主如若一定要打，那時再打也不遲！」

群豪仔細瞧去，只見大方禪師雙足深隱入地中三寸多深，無怪他會忽然間矮了下去三寸。

那矮胖老人，原甚狂傲自負，但自這兩拳打出之後，心中狂傲之氣突消，暗自忖道：「人傳中原武林濟濟多才，看來傳言不虛，我這無影神拳，已到兩丈內碎石斷樹境界，不但難以傷得了他，反被強猛的反震之力，震得腳下扎樁不穩。」

蕭遙子亦看得暗生敬佩，暗自讚道：「數百年少林派一直被推譽武林領袖，看將起來，實要比我們武當派高明不少，論年齡修為，這大方禪師只怕要晚我十年以上，但看他的內功、武學，只怕還強過於我。」

那矮胖老人勝人信念動搖，已不似先前那般狂傲，果然停下手來，說道：「什麼話快說出來？」

大方禪師提起深陷在地下的雙足，向前走了幾步，道：「施主萬里迢迢，由西域來到中原，可是為了與中原武林同道爭名而來的嗎？」

矮胖老人略一沉忖，道：「雖非為爭名而來，但會會武林中原高手，也是老夫此次東來心願之一。」

大方禪師道：「老衲斗膽相問，除了爭名之外，不知施主另一樁心願為何？」

那矮胖老人道：「這個恕難奉告。」

大方禪師修養工夫，雖然還未達到無嗔無念之境，但爭名嘔氣之心，早已消去，當下微微一笑，道：「老衲幼年之時，曾聽家師談過天下各門武功，有一脈最為奇奧之學，傷人於無聲無息之中，名叫『無影神拳』，老衲初聞師訓，心中已暗生敬慕，夢想有一日，能得一睹『無影神拳』的奇技……」

那矮胖老人冷哼一聲，接道：「老夫現已在此，你不妨把少林派各種絕藝，盡量施展出來，給我見識見識。」

大方禪師雖受譏諷，但卻毫無怒意，仍然滿臉笑意接道：「那時老衲年紀還輕，見識淺薄，心中確存有領教無影神拳之心，如今年已老邁，那一番雄心，早已隨著逝去的歲月消失，化作烏有。」

矮胖老人冷冷說道：「可是老夫並未隨歲月失去爭名之念，今日咱們不妨拚個勝負出來！」

偏殿之中少林僧侶，聽那矮胖老人連番頂撞掌門方丈，個個臉上現出怒容，大有蠢蠢欲動之意。

大方禪師卻是毫無嗔怪之念，哈哈大笑道：「施主挾絕技東來，準備逐鹿中原，爭霸江湖，使西域奇技，和中原武學交流，不管用心如何，但總是一件十分難得之事。如在平常之日，老衲定全力贊助其事，邀請天下豪俠，共襄盛舉，當可造成一場轟動江湖的大事，可惜施主來的時機不對，致負一片雄心！」

矮胖老人怒道：「我來得哪裡不對了，你們中原武林中人，正值泰山英雄大會，天下所有高手，盡集於此，正是千載難逢的機會……」

大方禪師接道：「不錯，這泰山大會之中，雖然未必盡集大江南北武林高手，但至少與會之人，都是武林中久負盛譽的人。但這次集會，一非以武會友，二非評論江湖是非，乃是我們中原武林同道，會商自救之策，試圖挽救一次臨頭浩劫，眼下我們自救還來不及，自是無心和施主比武爭名了！」

那矮胖老人略一沉吟，道：「你們中原武林道上自相殘殺之事，與我何干？」

方兆南突然插口說道：「老前輩東來心願，是希望能鬥鬥我們中原道上出類拔萃之人，是也不是？」

那矮胖老人被他拿話一扣，一時想不出適當措詞回答，怔了一怔，突然怒道：「剛才老夫不過一時失神被你搶了先機，而且我已答允了你一件請求之事，早已恩怨兩清，你如不服，咱們不妨再鬥上一陣試試！」

此人年紀雖然已老邁，可是火氣卻是不小，不但不肯服輸，而且對打架之事，似是興致特濃。

方兆南微微一笑，道：「老前輩言重了，晚輩適才不過一時僥倖，取巧得手，豈足為例，事實上晚輩這等功力，如何能擋得老前輩的一擊！」

那矮胖老人雖然專橫，但因久居西域，日常接觸之人，都屬彪悍。純樸的蒙回二族，心思不若漢族中人機敏，被方兆南連捧帶激，說得啞口無言，冷哼一聲，答不出話。

方兆南不容他多想，繼續說道：「眼下之人，雖都是我們中原武林道上盛名卓著一時的高手，但如嚴格說來，都不是出類拔萃的頂尖人物。」

此言一出，在場群豪個個臉色大變，一齊把目光投注到方兆南的身上。

方兆南已成竹在胸，淡淡一笑，又道：「那真正被我們中原武林同道目為武功第一之人，並未參與這次泰山英雄大會。老前輩如想在中原武林中，留下英名，只須勝得他一個人，就強似勝過我們眼下在場的所有之人！」

那矮胖老人被方兆南激得豪氣大發，哼了一聲，道：「那人現在何處？我倒非得鬥他一鬥

不可！」

方兆南道：「那人武功高強，被目為我們中原武林中第一高手，豈是輕易能夠見得到他？眼下參與這泰山英雄大會之人，都是受他函邀，參與比武之人。那場盛會距今還有兩月時光，如果老前輩心中害怕，那就早些回轉西域，別再在中原停留，如是抱了必爭盛名之心而來，就請等上兩月時光，屆時一顯身手，只要能勝得那人，那天下武功第一的榮譽，就算得了大半。」

這時，在場群豪都已聽出了方兆南的話中用心，是想藉那矮胖老人之力，抵擋冥嶽嶽主一陣，如是平時，在場所有之人，只怕無一人會同意方兆南這等示弱之言。

但眼下情勢不同，群豪一番討論之後，一致認定現下自稱冥嶽嶽主之人，就是昔年以「七巧梭」造成江湖上無比恐怖的妖婦。

那曾被視為死亡標幟的「七巧梭」，雖已在武林中消失了數十年，但那可怕的往事，仍在江湖上留著奪人魂魄的陰影。

這矮胖老人的武功，在群豪之中，也能算得數一數二的高手，如能得他臂助，實力可增強不少。

連大方禪師、蕭遙子、袖手樵隱那等身分高傲之人，也不肯出言反駁。

那矮胖老人沉吟了良久，道：「兩月時光，何等悠長，老夫如何能等得及？」

忽聽一個脆若銀鈴，但卻冷冰冰的聲音接道：「你如想早一點死，那也不是什麼難事，絕命谷中，早已備好了招魂之宴，諸位有興，盡可早些赴會！」

方兆南不用回頭，已知那說話之人是誰，不禁一皺眉頭，說道：「妳怎麼還沒有走？」

群豪一齊轉臉望去，只見那艷如桃李，冷若冰霜的白衣少女，又緩步走了進來。

她淡然答道：「我爲什麼要走？你們個個死意堅決，我就索性做點好事，早些把你們帶到絕命谷去，也是一件莫大功德。」

這等冷酷之言，出自一個美麗絕倫的少女之口，雖然目睹耳聞，也叫人難以置信。

大方禪師合掌說道：「阿彌陀佛！女施主既自認是冥嶽中人，不知可否見告那冥嶽嶽主，是否就是數十年前施用『七巧梭』的那位……」

他本想說那位妖婦，但話將出口之時，突然覺得此言不妥，倏而住口不言。

那白衣少女冷冷答道：「是與不是，無關宏旨，你們眼下要緊之事，是如何尋求出一條求生之路……」

她微微一頓之後，又道：「你們在五月五日端陽之前，趕去赴會，對你們利多害少，我已替你們想過啦！想逃過這場劫難，既非可能，只有盡量把你們本身武功，傳授給門下弟子，或是把它筆錄下來，傳給後人，免得你們全部死了之後，使得數十百種的絕技武功，同時失傳……」

大方禪師微微一笑，道：「如果我們真的要送命在那招魂宴之上，女施主這辦法倒是十分高明。」

白衣少女冷冷說道：「你們不肯信我之言，那也是沒有辦法之事。」

蕭遙子突然插口說道：「那自稱冥嶽嶽主的妖婦，可是姑娘的授業師父嗎？」

這次梅絳雪倒是大出人意料之外地點點頭，道：「不錯……」

蕭遙子道：「令師和我們無冤無仇，爲什麼卻要設下招魂宴，爲難天下英雄？」

梅絳雪道：「哼！這有什麼稀奇，把你們這般人都殺了，世間再也無人敢和她作對爲敵，天下武林盡在我冥嶽統率之下，她要做皇帝，也無人敢阻止她了。」

一向不願說話的袖手樵隱，突然插了一句，說道：「武學一道，廣博無邊，妳師父武功再好，也不能兼通天下所有武功，想一網打盡天下英雄，豈非夢想之事。」

梅絳雪不理會袖手樵隱之言，仰臉望著屋頂，思索了一陣，緩緩地說道：「也許你們把眼下各人的絕技，集於一人之身，或能和我師父對抗，不過，勝負的比數，還有一段甚大距離，以我看，你們取勝機會不大……」

她忽然淒涼一笑，道：「但如你們不赴那絕命谷中之約，自是更難逃個個被殺的劫難，我已經說給你們聽的太多了，唉！可是我知道，這些話對你們並無多大幫助。」

大方禪師合掌當胸，躬身說道：「多謝女施主指點玄機，老衲等如能逃過絕命谷中一劫，女施主善功最大……」

她由群豪之敵，陡然間變成了個個敬重之人，全場中人，都對她另眼相看。

只見她緩步走到大方禪師身側，緩緩由身上摸出一幅白絹，道：「這白絹上，是我親手繪製的圖形，把絕命谷中形勢，畫得十分清楚，你們按圖索驥，即可在端午前趕到谷中，赴會時間，愈早愈好。」

大方禪師伸出雙手接過，放入懷中，想說幾句感謝之言，但卻不知從何說起。

梅絳雪臉上仍是一片冷漠，目光緩緩轉動，掃視了群豪一眼，直對方兆南走了過去。

陳玄霜突然橫跨一步，把嬌軀偎在方兆南身上，伸出右手，緊握在方兆南手腕之上，兩隻又圓又大的眼睛，怔怔地盯在梅絳雪的臉上，神情緊張中微帶驚愕之色，生怕梅絳雪會搶走方

兆南似的。

梅絳雪目睹陳玄霜緊張神情，突然綻唇一笑，道：「妳要好好地看著他呀，別讓他被人搶跑了！」

大庭廣眾之間，眾目睽睽之下，這等玩笑之言，她竟說來像若無其事一般。

方兆南微微皺眉，道：「姑娘別說笑話。」

梅絳雪聽得怔了一怔，笑道：「你怕羞嗎？」

方兆南正待出言反駁，忽見梅絳雪右手一揚，迅快絕倫地把他背上的寶劍抽了出來，反手一劍，刺在自己左肩之上，一股鮮血，噴射出四、五尺遠。

眨眼間，滿身白衣，大都被鮮血染成了殷紅之色。

這一舉動，大出群豪意外，四周高手雲集，但卻無一人及時搶下她手中寶劍。

梅絳雪自傷左肩之後，緩緩把手中寶劍遞了過去。

方兆南接過寶劍，目睹她半身鮮血，心中甚是不忍，撩起了衣角，嗤的一聲，撕下一片衣服，走了過去，說道：「妳這又是何苦呢？」

舉起手來，要替她包裹傷勢。

梅絳雪暗中運氣，封住左肩穴道，傷口鮮血，登時停了下來，嬌軀一轉，讓避開去，說道：「你要幹什麼？」

方兆南一片好心，被她這反口一問，不覺怔在當地，呆了一呆，道：「難道妳真的不知道我是要替妳裹傷嗎？」

梅絳雪撩起自己的衣服，扯下一片衣襟，道：「用這個替我包吧！」

她說話神情之中，仍是冷冷漠漠，在眾目相注之下，方兆南頗有難以自處之感，遲疑了一下，才伸手接過她手中衣物，替她包紮傷口。

陳玄霜初時冷眼旁觀，片刻之後，也出手幫助方兆南，替她把傷口包好。

梅絳雪也不道謝，只對兩人微一點頭，轉過身，緩步向外走去。

大方禪師合掌當胸，道：「我佛有靈，相佑女施主傷勢早癒。」

慢步隨她身後，直送出偏殿，低聲說道：「女施主這苦肉計，自信能瞞過令師嗎？」

梅絳雪道：「別說我師父啦，就是連我兩位師姐，只怕也瞞不過她們！」

大方禪師道：「姑娘既知如此，又何必出此下策，多吃苦頭？」

梅絳雪突然笑道：「如你肯出手相救，不但可欺瞞過我兩位師姐，就是欺瞞過我師父，也不困難！」

大方禪師道：「老衲如能盡力，自是當全力以赴，姑娘但請吩咐。」

梅絳雪道：「久聞你們少林派中，有一種大力金剛掌，是嗎？」

大方禪師道：「不錯，這一種手法乃我們少林派七十二種絕技之一，姑娘有興學習，老衲甚願盡吐胸中所知。」

梅絳雪道：「那你就施展大力金剛掌法，打我一掌把！最好能把我的肋骨打斷兩條。」

大方禪師略一沉吟，已了然她心中之意，輕輕嘆息一聲，道：「姑娘這等捨己為人，大仁大義，將在武林中留千秋百世英名，老衲恭敬不如從命了。」

舉起右手，一掌擊在梅絳雪右肋之處。

但見梅絳雪的嬌軀，應手飛了起來，摔出去八、九尺遠跌在地上。原來她存心受傷，沒有

運氣抗拒。

大方禪師暗念一聲：「阿彌陀佛！」僧袍一拂，躍落梅絳雪身側，扶她起來，低聲問道：「傷得重嗎？」

梅絳雪臉色蒼白，淡然一笑，答非所問地說道：「言陵甫神志如果清醒過來，可追問他『血池圖』的下落，只有那『血池圖』中藏寶，才足以克制我師父武功。」

大方禪師道：「多蒙賜點玄機，老衲自當盡力一試，眼下武林高手群集，令師縱然身懷絕世武功，也未必真能把我們一鼓盡殲，姑娘傷勢不輕，是否要老衲派人護送一程？……」

梅絳雪搖頭說道：「不必啦！山下已有接迎我的人了……」

她長長地喘口氣，又道：「我那圖案之中，裡層另藏一箋，老禪師閱讀之後，當可知冥嶽中的諸多機密、殘酷之事，我要去了。」說完，忽地轉身一躍，疾奔而去。

大方禪師目睹那半身鮮血的窈窕背影消失之後，才悵然嘆息一聲，轉身回到偏殿。

經過了這次變化，偏殿中所有的人，心情都似乎變得沉重起來，個個臉色一片莊嚴肅穆，目注大方禪師。

蕭遙子低聲問道：「那姑娘走了嗎？」

大方禪師道：「走啦！」

那矮胖老人突然插嘴說道：「她和你說什麼？」

這矮胖老人已似和群豪消解了仇視之心。

大方禪師道：「她要我們提前趕赴冥嶽，在那妖婦尚未布署完好之際，先給她一個措手不

及。」

一向冷僻難測的袖手樵隱，此刻竟似陡然有了甚大改變，接口說道：「如那冥嶽嶽主，果真是昔年施用『七巧梭』的妖婦，在我看來，實不足畏！」

大方禪師道：「願聞高見。」

袖手樵隱目光緩緩掃射了偏殿群豪一眼，道：「一個人終是血肉之軀，不管她武功何等高強，內功何等精深，也難博通天下各門各派的絕學。

「我們眼下之人，雖不敢說盡聚天下武林精英，但參與此會之人，不是稱霸一方的雄主，就是久享盛譽的豪客，單打獨鬥，咱們未必是她敵手。

「但如能就咱們眼下之人中，選出幾個武功路子不同，各擅一門絕學的高手，聯手對付她，決不致打她不過。」

他凝神思索了良久，突然回頭望著大方禪師說道：「江湖之上，公認你們少林派領袖武林，不知武林同道之中，對我史某人有過什麼批評？」

大方禪師道：「史兄如是誠心相問，老衲就耳聞所得，直言奉告了！」

袖手樵隱道：「最好別替我留半點情面，縱然是罵我之言，也請據實相告！」

大方禪師道：「綜合老衲所聞，一般武林同道對史兄的評論，老衲可以一十六字相括。」

大方禪師略一沉吟，道：「一代怪傑，淡泊自甘，斬情滅性，斷義絕親。」

袖手樵隱縱聲大笑道：「前八個字，那是老禪師有意捧我，這後八個字倒是一點不錯，斬情滅性，斷義絕親，老樵子幼未盡孝父母，老未娶妻育子接我史家香煙。只有好惡之念，沒有是非之心，獨來獨往，無親無友，從未爲人間做一點令人懷念思慕之事。」

袖手樵隱嘆道：「老樵子大半生來，一直冥頑不靈，斬情滅性，我行我素，適才目睹那小女娃兒，自傷肌體，大義凜然的舉動，忽然激蕩起大半生從未覺醒過的一點仁慈之心。唉！那女娃兒外貌冷漠，如冰如霜，和老樵子頗有相似之處，但她內心的仁慈善良，卻和老樵子不分是非的怪僻舉動，大相徑庭，想來實是叫人慚愧！」

大方禪師回頭吩咐身側的小沙彌，撤去殘席，重整杯筷，招呼群豪落座，盛宴再開。

首先端起酒杯，目注袖手樵隱，說道：「史兄大變初衷，願為挽救這次武林浩劫獻身，老衲萬分感動，此杯水酒略表我一片敬意。」

一餐酒飯匆匆用畢，話題又轉到冥嶽嶽主之事。

蕭遙子首先對大方禪師說道：「老朽適才暗中忖思了良久，覺得那白衣少女來得太過突然，咱們雖然不把她當敵人看，但也不可毫無防她之心。」

大方禪師道：「蕭老前輩說得也是，害人之心不可有，防人之心不可無……」

忽見那矮胖老人站起身來，說道：「我不能常守此地，你們幾時至冥嶽中去，老夫願最先向那自稱冥嶽嶽主討教幾招絕學。不過，老夫難在此地停留過久，如若在十天之內，仍難以動身，那就請恕在下不能奉陪了。」

大方禪師暗暗忖道：「此人武功，超群拔萃，尤以無影神拳，乃見所未見的絕技，最適宜在暗中對付敵人，無論如何，也得想法子把他留下。」

心念一轉，微笑說道：「施主但請放心，大概不需十日，就要請施主赴宴絕命谷中了。」

那矮胖老人縱聲長笑說道：「絕命谷，倒是少聞未見之事，單是這點，已引起老夫趕趕熱鬧的興趣了。」

大方禪師聽他真的留了下來，心中甚是高興，袖手樵隱的突然轉變，使整個混亂的局勢，也有了甚大的變化。

群豪之間，彼此存在的舊嫌，也都似消去了一般，這情景頓使群豪鬥志高漲。

大方禪師回頭望著袖手樵隱說道：「剛才史兄談起聯手對付那妖婦之事，不知是否解說一遍，以開老衲茅塞。」

袖手樵隱微微一笑，說道：「說來也不是什麼真實本領，老樵子之意，就眼下高人之中，選出六人，連同老樵子，共為七人。由我先把『七星遁形』身法，傳給六位，然後以『七星遁形』的變化，和那冥嶽嶽主動手……」

大方禪師道：「老衲久聞『七星遁形』身法，乃武林之中一大奧秘之學，史兄肯於破例相授，實在難得。」

袖手樵隱輕輕一拂顎下的鬍鬚，笑道：「當今武林之世，雖然大都知道老樵子這『七星遁形』的身法，是以閃避敵人襲擊之學，卻不知除了避敵襲擊，還可攻敵。只要熟悉身法變化，七人輪番強攻，前後兩側，互相救應掩護，攻敵之人，只管猛攻，不必分心於防敵還擊。應選六人之中，最好能各具威勢奇大的獨特武功，七人一體，各用所長，縱然強敵武功過人，也不足懼！」

群豪彼此之間，相互望了一陣，仍是無人接口。

大方禪師暗唸一聲：「阿彌陀佛！」大聲接道：「老衲斗膽相請，葛施主、伍氏昆仲和張兄、侯兄、天風道友及史兄七人，並研那『七星遁形』的變化，不知諸位有何高見？」

一筆翻天葛天鵬，和大方禪師有過數面之緣。心中暗道：「我如不肯挺身而出，替老和尚

解圍，只怕這僵局甚難打開。」

葛天鵬首先站起身來，道：「老禪師以佛門清修之身，為我武林同道千百生靈奔忙，在下恭敬不如從命了。」

九星追魂侯振方，接口說道：「葛兄說得不錯，兄弟亦願為我武林臨頭大劫一盡心力。」

大方禪師轉臉望了伍氏兄弟一眼，神色間滿是焦慮之情。

一掌震三湘伍宗漢、追風鵰伍宗義相互瞧了一眼，雙雙起身道：「我們兄弟，恭領大師之命。」

天風道長和三劍一筆張鳳閣，也同時站起來，道：「史兄的『七星遁形』身法，早已名傾天下，我等得學奇技，甚感榮幸。」

大方禪師暗暗鬆了一口氣，回頭對袖手樵隱說道：「不知史兄的『七星遁形』陣勢，幾時可以演練純熟？」

袖手樵隱微微一笑，道：「此等之學，很難說出一定時限，如想窮通變化，十年之功不多，但如只求配合克敵，七日工夫，大概可以勉強夠了。」

大方禪師突然站起身來，說道：「寺院之中，早已為諸位備好了宿歇之處，諸位遠道來此，想來已甚疲倦，先請歇宿一宵，明日再請各位，共商大事。」

說完話，舉手向窗外一招，七、八個眉清目秀的小沙彌應手入室，分頭帶路，把群豪送到宿歇之處。

方兆南和陳玄霜被一位小沙彌帶到一座幽靜的院落之中，合掌說道：「這院中東西兩房，

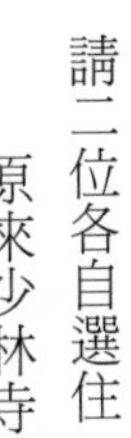

請二位各自選住一室。」

原來少林寺清規森嚴，嵩山本寺之中，當有不准婦人女子入寺的規矩，這東嶽明月嶂上分院，雖不如本院那等門禁森嚴，但也不准男女同室而宿。

陳玄霜一顆芳心，早屬情郎，而且對男女間事，還有些恍恍忽忽地不太了解，加上自幼在孤寂的環境中長大，俗凡之禮，羞怩之感，也較一般少女來得淡漠。

聽完小沙彌的話之後，先是一怔，繼而嫣然一笑，瞧了方兆南一眼，道：「這小和尚多管閒事！」

方兆南卻被那小沙彌幾句話，說得滿臉通紅，有如火燒一般。

陳玄霜看他臉上滿泛紅暈，呆呆出神，也不知他心中是怒是喜，伸出手來，抓住他左腕問道：「南哥哥，你在想什麼？」

方兆南正覺情愁幽幽，難以排遣，聽她一問，不禁嘆息一聲，說道：「咱們這等相處下去，實在也非了局……」

陳玄霜道：「是啊！咱們把幾件事情辦完之後，就找處景色宜人的地方住下，我這幾日來，都在想著這件事情……」

一陣山風吹來，拂起她垂在額前的秀髮，但見她臉上泛現著從未有過的羞喜，緩緩地把頭低下去。

方兆南微感心頭一凜，道：「這幾日妳在想什麼？」

陣玄霜半閉星目，慢悠悠地抬起頭來，說道：「你真的不知道嗎？」

她此時情態，羞中帶喜，言來委婉忸怩，風韻嬌媚撩人。

方兆南看了一眼，不敢再瞧了，慌忙別過頭去，說道：「我怎會知道妳心中想的事呢？」

陳玄霜宛然一笑，道：「你呀！你有時聰明過人，有時卻是很笨很笨，我在想我爺爺說的話呀！」

方兆南暗暗忖道：「那老人待我情義如山，半月時光，把我培養成武林中第一流的高手，單憑此點，我也不能虧待他留在這人世間的唯一骨肉。」

他當下說道：「你想到陳老前輩說的什麼話了？」

陳玄霜道：「爺爺說一個女孩子，常在江湖之上闖蕩，以清白女兒之身，混跡江湖之上，終非了局，當時我聽不入耳，現在想來，實是一點不錯。」

方兆南輕輕地哦了一聲，道：「江湖上奸詐無比，風險重重，女兒之身，實不宜在江湖之上闖蕩。」

陳玄霜道：「唉！現在我後悔自己爲什麼要學這一身武功了，如果我不會武功，和一般女孩子一樣，就可以安心在家庭中，相夫教子，洗衣煮飯了。」

方兆南心頭微微一凜，笑道：「一個人的際遇不同，此等之事，就不能一概而論了！師妹不是平常之人，生活遭遇，都非平常之人可比。」

陳玄霜笑道：「我怎麼了，還不是和別的女孩子一般模樣嗎？」

緩緩向方兆南身上偎去，眉角眼梢之間，嬌羞盈盈，似喜非喜。

方兆南本想推開她偎上身來的嬌軀，但見她慢慢地雙目閉了起來，似是心中甚有把握，方兆南決然不會把她推開一般。

方兆南心頭一動，暗暗忖道：「她眼下孤苦伶仃，茫無所依，把我看成了她世上唯一的親

近之人，我此刻如要把她推開，只怕要大傷她的芳心。」

心念一轉，微微說道：「咱們這幾日來，一直沒有好好地休息過，剛才又和人動手相搏，想來師妹定然很倦了。」

伸出右手，扶住她偎來之嬌軀，輕輕地移放在自己的右肩之上。

陳玄霜突然睜開雙目，說道：「南哥哥，剛才那白衣少女，是你的什麼人？你好像認識很多女孩子？」

方兆南想不到她突然會有這一問，頓時怔了一怔，笑道：「我在九宮山中，和她有過數面之緣，因而相識。」

陳玄霜道：「她待你很好嗎？」

方兆南道：「她對我有過救命之恩！」

陳玄霜忽然轉過臉來，眨了眨眼睛，問道：「她爲什麼要救你？」

方兆南又被她問得呆了呆，一時間想不出適當的措詞答覆，愣在當地。

陳玄霜忽地嫣然一笑，道：「我得謝謝她啦！要不是她救了你，只怕咱們也遇不見了。」

方兆南聽她自慰之言，心中既覺感動，又生畏懼，暗自想道：「此女幼隨祖父長大，老人家雖然武功絕世，但生性卻極冷僻，只怕難以兼顧教養。看她近日的言行舉動，愛恨之念，十分強烈，大有非友即敵之勢，似是甚少中庸之道……」

陳玄霜看他一直低頭沉思，不言不語，心中忽生不安之感，低聲問道：「南哥哥，我是不是說錯了什麼話？」

方兆南道：「沒有！」

陳玄霜道：「那你爲什麼不講話呢？」

方兆南笑道：「我在想該說些什麼才好！」

陳玄霜正待接口，忽聽一聲重重咳嗽之聲。

轉頭望去，只見兩個面目清秀的小沙彌，每人手中托著一個茶盤，分別送至兩座廂房中，退了出來。

陳玄霜望著兩人背影出了跨院，笑道：「這和尚廟裡好多規矩。」

說著緩向左邊一室走去。

方兆南目注她步入室內，才轉身進了右面一座靜室，但見明窗淨几，布設十分簡雅，靠壁一座松木榻上，早已放好被褥，窗前竹几上放著一把瓷壺，一個茶杯。

方兆南不覺啞然一笑，暗道：「這些和尚們，也未免太小心了，不准男女同室，講一聲也就是了，連茶杯，也只送來一個。如是有人相訪，連個敬客的茶杯，也沒有。」

心中忖思之間，人已到了竹几前面，隨手端起茶壺，倒在杯中喝了兩口，緩步登榻閉目而坐，運氣調息。

氣血運行全身一周，精神已好轉甚多，和衣仰臥下去，細想數月之中際遇。

只覺如夢如幻，詭奇神秘，充滿了緊張。

心念一動，只覺千百事端紛至沓來。

他想到那死去的駝背老人……

十九　絳雪盟誓

方兆南想到那死去的駝背老人，自己身負絕世武功，爲什麼難治療自身的傷勢，使老邁之軀，忍受數十年的痛苦。

以他那傷病老邁之人，爲什麼還要千辛萬苦地去九宮山中，尋找那「血池圖」的下落？

他似是身負著血海深仇，但又怕人發現了隱身之處，爲什麼不肯把家世，告訴他唯一的骨血，但卻又替她安排了很多奇怪的後事。

要她憑藉一枚斷梭，到黑龍潭畔，討回舊物龍舌劍。

陳玄霜的父母何在？

縱然是死了，也該將葬身之處，告訴他們的女兒啊？……

他想到適才和蕭遙子比劍時所用的那一招「巧奪造化」，硬被蕭遙子指爲昔年以「七巧梭」作標幟，縱橫江湖的妖婦的獨門絕學。

那威力不可思議的一劍，似乎使蕭遙子的豪壯性格，有了甚大的轉變，如果他說得不錯，那可憐的老人定然有著不可告人的苦衷。

他想起了風華絕代，但卻冷如冰霜的梅絳雪，對月締盟，東嶽濺血，想起了袖手樵隱史謀遁，行年八十，方悔悟了以往之錯。

那可憐的一代俠醫言陵甫，無緣無故，身受牽累，只落得瘋瘋癲癲……

但覺思緒如潮，他數月來所經歷的諸般怪事，一一從腦際閃過，一瀉千裡，難以遏止。

正在想得出神之際，忽聽一聲「阿彌陀佛！」起自榻前。

定神看去，只見一個小沙彌合掌站在兩尺之外。

他只顧想著數月來經歷的諸般情事，竟然不知那小沙彌何時到了身側，當下挺身而起，說道：「小師父有事嗎？」

那小沙彌欠身答道：「家師請小施主方丈寺中相見，有事請教！」

方兆南道：「有勞小師父去叫陳姑娘一聲……」

那小沙彌低聲答道：「家師只請施主一人。」

方兆南一怔道：「指名請我一個人嗎？」

那小沙彌恭恭敬敬地答道：「施主放心，小僧已追隨師父身側四易寒暑，從未聽錯過一句話。」

方兆南疑念大動，暗道：「難道他們對我疑心，想把我和霜師妹分開，以減實力，然後分頭動手？」

心中雖然懷疑，但外形卻仍然保持著鎮靜，淡淡一笑，道：「你今年幾歲了？」

小沙彌人甚機敏，似是早已看出方兆南心中的憂慮，微微一笑，道：「小僧今年虛度一十五歲，施主但請放心，家師胸懷仁慈，做事光明正大，施主只管請去，決不會有什麼不利施主的行動。」

方兆南被他當面點破胸中隱密，反覺有些不好意思，暗道：「江湖之上，少林派威名甚盛，他以少林方丈之尊，諒也不致施用這等下流手段來暗算我們，縱然明知暗藏埋伏，我也不能示弱於他。」

當下舉步向外走去。

那小沙彌搶前一步，走在方兆南前邊帶路，出了跨院，沿著一條白石鋪成的通道，直向前面走去。

轉過了兩座屋角，到了一處高聳的經樓前面。

那小沙彌一合掌，退到旁側說道：「家師在室內等候，小僧無命不能擅自入內，施主一人請吧！」

方兆南看著經樓兩扇黑漆大門，半掩半開，難見室中景物，微一猶豫，側臉望著那小沙彌笑道：「在下雖然不是佛門弟子，但還不致於對寺院中的清規一無所知，貴寺方丈寺建在『藏經樓』中倒是未聞未見之事。」

那小沙彌臉一紅，道：「小僧口急失言，施主請勿放在心上，此處東嶽分院，並非嵩山本院，家師住這『藏經樓』上。」

方兆南暗暗忖道：「這話也是不錯，傳聞『藏經樓』乃禪林寺院中極為重要的地方，嵩山本院的方丈，在少林一派中，身分最是尊崇，住在『藏經樓』上，也不算什麼稀奇之事……」

正在忖思之間，那兩扇半掩半閉的黑漆大門突然大開。

兩個三旬左右，背插戒刀的和尚，並肩而出，一齊合掌說道：「敝方丈已候駕多時了。」說完，各自向後退了一步，躬身讓客。

方兆南微一點頭，大步直向室中走去。

走了五、六步，到了一座側門和樓梯交接之處，不覺猶豫起來，暗道：「這藏經樓乃寺院中甚爲重要之處，我如擅自亂闖，走錯了地方，只怕不好。」

心中一生猶豫，停住了腳步。

但聞一聲低沉的佛號，耳際間響起大方禪師朗朗的笑聲，道：「方施主少年老成，實叫老衲敬慕。」

語聲甫落，側門大開，大方禪師合掌微笑，當門而立。

方兆南看側門之內，一片黝黑，心中暗暗忖道：「這寺院之中，本是正大莊嚴之處，不知怎地竟然築造了這等密室？」

當下正容說道：「老禪師召喚在下，不知有何吩咐？」

大方禪師乃一代武學宗師之才，目光何等銳利，早已看穿了方兆南心中疑慮。

於是微笑說道：「小施主看到我們這藏經樓，築建得門戶重重，想必對此起了疑心，此中原因，容老衲慢慢奉告，快請入內稍坐，老衲有事請教。」

說完一側身子，讓開一條路來。

方兆南一挺胸，大步向前走去，他目力本異常人，雖在黝暗之中，仍可見物，彎彎曲曲轉過了六、七個彎子，才見眼前一亮。

只見那一所大廳之上，端坐著一代劍聖蕭遙子，他旁側，坐著手握竹杖的言陵甫。

此人瘋癲之症，似仍未癒，端坐在木椅上，呆呆地出神，方兆南大步入廳，他連頭也沒有

轉動一下。

一處廳角中，放置了一座金鼎，鼎中香煙裊裊，滿室幽香。

大廳中除了蕭遙子和言陵甫外，再無其他之人。

大方禪師搶前一步，說道：「小施主連日奔走趕路，老衲本來不該再相驚擾，實因有幾件難以了然之事，不得不請方施主來。」

一面說話，一面肅客入座。

方兆南還了禮，就座說道：「不知大師有何吩咐，在下如能相告，決不隱瞞。」

大方禪師道：「老衲相問之言，或有不近人情之處，不過，此事非一、二人生死之事，乃武林中的空前浩劫，尚望小施主能夠顧全大局，盡答所知。」

方兆南道：「老禪師請問吧！」

大方禪師看他始終不肯答應知無不言，輕輕嘆息一聲說道：「這位手握竹杖的老人，可是真的言陵甫嗎？」

方兆南道：「不錯，晚輩曾在九宮山寒水潭浮閣之上，和他暢談甚久，決不至認錯了人。」

大方禪師說道：「方施主可否把相遇言陵甫經過的詳細情形，告訴老衲？」

方兆南略一沉思，道：「好吧！」

當下把相遇言陵甫的諸般經過，盡說出來。

大方禪師微微一笑，道：「施主暢言所知，老衲甚爲感激。」

方兆南道：「不敢，不敢，不知大師還有什麼相詢之言？」

蕭遙子突然插口說道：「那自傷左臂的白衣少女，是否真是冥嶽中人？」

方兆南道：「據晚輩所知，她確是冥嶽嶽主的親傳弟子！」

大方禪師突然低喧一聲阿彌陀佛，閉上了雙目說道：「老衲本不該再以小人之心相疑，實因此事太過重大，不得不再問幾句，那自傷左臂的白衣少女，不知和小施主如何稱呼？」

方兆南暗道：「她那絹帕之上，自寫妾雪之名，已爲大方禪師所見，如果我故作神秘，諱莫如深，只有招致他們懷疑，倒不如坦然說出的好。」

心念一轉，說道：「大師想是見她絹帕上的署名，心中有疑，其實此事說將起來，甚覺可笑，直叫人難以啓齒。」

大方禪師道：「老衲無意之中睹人私簡，對此心甚不安……」

方兆南微微一笑，接道：「那也不必，她不過動了一時好奇之念，自言以身相許，其實冥嶽中人，淫亂之風，早已不成禁律，豈能和她認真！」

大方禪師微閉雙目，肅容說道：「婦人女子貞德之名，重於生死性命，豈可隨口污蔑，據老衲所見，那白衣少女容貌端正，不涉輕浮，施主且莫以罪名加入！」

方兆南微笑道：「三媒六證，一無所有，幾句有口無心相許之言，如何能夠當真？」

忽見蕭遙子誠誠正正地說道：「父母之命，媒妁之言，乃俗世兒女之見，我們武林中人，一諾千金，永無更改，那自是另當別論！」

方兆南聽得微微一愕，暗道：「奇怪呀，怎麼這兩位德高望重，名滿武林的高人，對人間小兒女燕婉之私，都是別具見地，而且言來莊莊肅肅，誠誠正正……」

大方禪師忽然合掌一笑，道：「老衲五歲入寺，九歲剃度，十一歲幸選爲上一代掌門人座

前親傳弟子，對人間兒女之憎愛分明，燕婉之私，從未涉獵。本不便多於饒舌，但因此舉牽扯了我武林大劫，故而老衲不得不多此一問，她用情真假，對我們關係至大。」

方兆南一皺眉頭，道：「恕晚輩愚拙，難觀老禪師話中含意。」

大方禪師緩緩由懷中取出一幅白絹，攤在案上，說道：「這幅白絹，是那位姑娘留下的圖案，圖案上的箋簡，道盡冥獄中諸多殘酷之事，施主先請過目一遍再說。」

方兆南低頭望去，只見一座山谷之中，植滿了花樹，但那花朵的形狀，卻是生平從未見過，在那花樹圍繞之中，有一片草坪，中間寫著一十六個娟秀小字，道：「絕命之谷，招魂之宴，凡與此會，有來無還。」

四周都是聳立的山壁，除此之外，再無其他的布設。

方兆南看了許久，看不出有什麼凶險之處，忍不住問道：「老禪師博學多才，可看出圖案中有什麼可疑之處嗎？」

大方禪師搖頭嘆道：「老衲初時，還以爲那花樹有什麼古怪，依照什麼奇門八卦、五行生剋之類布成了奇陣，特請蕭老前輩共同研討。

「哪知反覆研究良久，始終找不出一點可疑跡象，倒是那花朵的形狀，引起老衲之疑，我自幼在少林內院之中長大，家師又甚喜花木，少林寺中，雖不致羅盡了天下奇花異草，但各種花木，我大都見過，縱然沒有見過，也聽人談過，但對此花形狀，卻是毫無記憶，

「不過依據常情，想在花樹上做出什麼手腳，不過是毒水毒箭等暗器，果是這等暗器，那就毫無可懼了！」

蕭遙子道：「老朽潛居深山大澤，對各種山花奇草見的甚多，但卻從未見過這等花朵形

式，眼下已可大致確定，冥嶽嶽主，就是昔年那施用『七巧梭』的妖婦，果真是她，決不致在這些花樹之上，做什麼手腳……」

他微一沉吟，又道：「不過這絕命谷中，除了這叢花樹之外，又毫無其他顯眼布設，這就使人大費疑猜了。」

大方禪師舉手輕輕一錯圖案，取出一封密封的白簡，交到方兆南手中，說道：「這封白簡之上，寫有留呈施主親拆之字，老衲不便擅自作主拆閱。」

方兆南接過白簡一瞧，只見上面寫道：「字呈方郎親拆」幾個大字。

不覺心頭一震，呆了一呆，才繼續向下看去，但見白簡一角，草筆疾書著：望門寒妻梅絳雪敬上。

這等恭恭正正的稱呼，字字如劍如刀，深深地刺入方兆南的心中，暗暗嘆道：「看來她對那寒水潭對月締盟之事，竟然是十分認真了。」

拆開封簡，裡面是一張素白箋，只見上面寫道：

「妾雖幼生虎狼之窟，耳濡目染，盡都是些血腥殘酷之事，但一點靈光，尚未盡混，母訓諄諄，深坎妾心，婦貞三從，言猶在耳，寒水潭面月誓盟，妾今生已為方門之人，恨妾身繁事牽繞，恐難追隨左右以侍君身，但不孝有三，無後為大，我為君借箸代籌，宜早日納妾為宜，世間男子，不乏三妻四妾，君不必為我有所遲豫……」

方兆南看得搖搖頭嘆息一聲，道：「滿紙荒唐，似是而非，一知半解，莫名所以……」

蕭遙子一皺眉頭，接道：「那函箋之上說的什麼？」

方兆南一時之間，想不出適當的措詞回答，只管搖頭嘆息。

大方禪師道：「施主且把函箋讀完，如有什麼可疑，咱們再從長計議。」

方兆南繼續向下看去：

「絕命谷中的各種布設，實非人能想像得到，妾亦不知其中奧妙，天涯路長，人生苦難，既知事不可為，又何苦要以卵擊石，與會之人，生機甚渺，私心相期，君莫隨來，妾將以一瓣馨香，為君前程祝福……」

方兆南看得心情甚是激蕩，暗自忖道：「她對我情意如許深切，我竟然一無所知。」

繼續向下看去，詞意忽轉，只見上面寫道：

「言陵甫瘋癲之症，雖然甚難醫癒，但也並非絕無恢復之望，如能使他瘋症復元，找出『血池圖』的下落，依圖尋得羅玄遺物，始可挽救狂瀾，操握勝算。

「但時光短促，端午約期轉眼即至，妾為君等代謀，不妨就與會人中，分派部分高手，隱身匿跡，設法療好言陵甫瘋癲之症，再潛往『血池』尋取羅玄遺留之物。

「但此舉必求隱密，萬一風聲略洩，則將絕此唯一生機，如若言陵甫瘋症難癒，那就不如早除去此人，免得留為家師追尋『血池圖』的線索。

「據妾所知，家師不得『血池圖』前，尚有幾分忌憚，一旦寶圖到手，舉世間再無她畏懼之事，天下武林人物必遭她辣手慘戮。」

書至此處，倏然而斷，餘音卻顯然未盡，不知何故，未再續書。

方兆南沉思了片刻，把書箋交給大方禪師，說道：「在下和梅姑娘相識經過，書中已略有所述，想不到她一時奇念，事後竟會這般認真。不過，江湖險詐，敵心難測，是真是假，甚難測斷，大師見聞廣博，主盟大局，如何作處，全憑裁決，晚輩智慮平庸，實難妄論真偽。」

大方禪師接過函箋，仔細讀了一遍，白眉微聳，說道：「據此函箋所述，似非別具用心，但此事關係重大，一時間老衲亦難驟識真僞。蕭老前輩武功智謀，均在老衲之上，或可鑒出真假，洞悉細微。」

方兆南聰明過人，如何不知大方禪師弦外之音，當下微微一笑，道：「一切悉憑大師作主。」

大方禪師把函箋交到蕭遙子手中，說道：「蕭兄請過目一觀，老衲洗耳待教。」

蕭遙子看得十分認真，字字句句，似都要用心思索一番，足足耗去了一盞熱茶工夫，才把一封箋函交還大方禪師，說道：「目下相距端午之日，還有兩月時光，如若咱們能在一月之內，尋得『血池圖』，自可分人去尋找羅玄遺物。但此望甚是渺茫，好在相距約期尚遠，不必急在一時決定，眼下要緊之事，先求醫治言陵甫瘋癲之症，他素有神醫之譽，天下名醫無其右，老朽雖然稍通醫理，但怕難挽沉疴，醫癒他瘋癲之症。」

大方禪師把函箭遞交到方兆南手中，道：「言陵甫爲失圖而瘋，只怕不是藥物所能醫得。」

轉頭望去，只見言陵甫仍然端坐不動，似是根本未聽到幾人對答之言。

蕭遙子道：「大師說得不錯，咱們先把他身上幾處重要的經脈、穴道打通，看看是否有效，再來做決定。」

大方禪師沉吟了一陣，道：「那白衣少女離去之際，曾經對我說過，如無必勝把握，最好先期赴約，或可出她師父不意。」

蕭遙子道：「赴約之事，一時間很難決定，老朽且先動手試推言陵甫幾個經脈要穴。」

大方禪師合掌對方兆南道：「有勞施主，老衲甚感愧咎，療救言陵甫之事，不敢再勞大駕，施主請回靜室休息去吧！如有需求之處，老衲再派人相請。」

方兆南站起身來，說道：「偏勞兩位老前輩了。」

轉身向外走去。

大方禪師離開座位，大步追了上去，和方兆南並肩而行，說道：「不論任何寺院，藏經之處，都修築得較爲牢固隱密，此樓初蓋之時，因爲地方太過荒涼，爲防盜匪猛獸，才把這座『藏經樓』修得門戶重重。」

方兆南笑道：「大師太過細心了，少林一派在武林之中，聲譽清高，晚輩怎敢多生疑慮。」

說話之間，人已出了「藏經樓」，大方禪師停下腳步，合掌說道：「『藏經樓』外，自有人爲施主帶路，恕老衲不遠送！」

方兆南長揖告別，退出大門，立時有一個小沙彌迎上來代爲引路，又把他送回靜院之中，合掌告退。

抬頭看去，只見院落中一株矮松下，站著一個全身黑衣的少女，倚松出神，衣袂被微風吹得輕輕地飄動著。

她似是正在想著什麼心事，那小沙彌帶著方兆南走入靜院，她竟然毫無所覺。

方兆南只瞧那熟悉的背影一眼，已知那人是誰，輕步走過去，低聲說道：「霜妹妹，妳在

想什麼？」

那黑衣少女正是陳玄霜，只見她緩緩地轉過臉來，幽幽說道：「你到哪裡去了，害得我一陣好找。」

方兆南歉然一笑，道：「大方禪師派人請我過去，相商一件事情，有勞師妹久等了，咱們這幾日一直兼程趕路，剛才又和人動手相搏，妳怎麼不好好地休息一下呢？」

陳玄霜道：「我本來要睡覺了，忽然想起了一件事，特地跑來問你，你卻早已不在了。」

方兆南道：「什麼事這等重要？」

陳玄霜道：「我忽然想起了『血池圖』的事啦！」

方兆南吃了一驚，道：「『血池圖』怎麼樣了？」

他只道身中暗藏「血池圖」的事，已被陳玄霜暗中看了出來，故而心中十分不安。

陳玄霜看他一直沉吟，又接著說道：「你見過『血池圖』嗎？」

方兆南暗暗忖道：「『血池圖』現在我身上帶著，我如據實相告與她，只怕她無意之中露了口風，但又不好欺騙她。」

忖思良久，仍是想不出適當的措詞回答，仍然不出一言。

陳玄霜忽然舉起手來，在方兆南兩眼前一晃，說道：「南哥哥，你瞧得見我的手指頭嗎？」

方兆南微微一笑，道：「師妹大可不必為我分心，快請歇息去吧！」

陳玄霜嬌笑道：「我還以為你不會說話了，我一點也不覺得疲倦，再說心中有事，也難以入夢。」

方兆南道：「什麼事害妳難以入夢？」

陳玄霜舉起手來，理理鬢邊散髮，說道：「剛才在大殿之中，聽人談起『血池圖』的事，我忽然想起了幼年之時，曾聽爺爺講起過這件事。他本來是不肯告訴我這些事的，但那次不知何故卻告訴了我這件事情，可惜我已沒法全記得了！」

方兆南本想早些回到房中，他要安靜地想想看，該如何處理自己身上的「血池圖」，此圖如果真是羅玄手繪的藏寶之圖，自然非同小可。何況此圖早已屬梅絳雪所有，還不還她，也甚為難，此事甚大，不能視同兒戲，寧可背棄信約，也不能隨便還她了事。

此時聽得陳玄霜提說此事，忍不住插口問道：「陳老前輩談些什麼？師妹可肯告訴我嗎？」

陳玄霜笑道：「你這話不是問得很傻嗎？我如不告訴你，跑來找你幹什麼？」

方兆南四下張望了一陣，暗暗忖道：「此地雖非談話之處，但寺中清規甚嚴，又不便要她到房中去談，只好席地而坐。」

方兆南笑道：「咱們就在這裡談吧！」

陳玄霜微微一笑，倚松坐下，說道：「南哥哥，咱們要不要和這些人一起到絕命谷去？」

方兆南道：「此事眼下還難決定，以後見機再說。」

陳玄霜緩緩把嬌軀偎了過來，靠在方兆南肩上說道：「爺爺告訴我『血池圖』的事情時，我大概只有十二歲，那時，他的內傷已經十分嚴重了，告訴我說他已難久留人世，除了得到『血池圖』，我當時甚覺奇怪，還以為那『血池圖』是一種難得靈藥，打破砂鍋問到底地追問下去……」

方兆南道：「不知陳老前輩說些什麼？」

陳玄霜道：「爺爺聽我追問，好像還不願告訴我，沉思良久，才對我說出那『血池圖』的故事。」

她回眸望望方兆南盈盈一笑，接道：「爺爺說那『血池圖』，是一位博通天文，胸羅玄機的前輩奇人所繪，在那圖案之中，暗示著一個隱密的所在。據爺爺說，那繪圖的老人聰明無比，只要他隨意作出一點東西，就要一個人耗去一生大部分時光去求了解，但如一旦霍然貫通了，那就一輩子受用不盡。」

方兆南道：「陳老前輩所說的奇人，可是位名叫羅玄的人嗎？」

陳玄霜搖搖頭道：「叫什麼名字，我記不起來了，我生平之中，爺爺只講過這一件事給我聽，可惜我那時年紀幼小，不知重要，沒有留心去聽。」

方兆南道：「陳老前輩沒有告訴過妳，他見過那位奇人嗎？」

陳玄霜點點頭，道：「見過的，爺爺雖然沒有告訴我他見過那位老人，但他每次說到那老人時，神情就十分莊重嚴肅，恭恭敬敬，如果他沒有見過，當然不會那樣尊敬他了。」

方兆南微微一笑，道：「這幾個月來，妳的見識增加了很多。」

陳玄霜聽他讚揚，心中似是十分快樂，輕搖粉頸，說道：「我不懂的事太多啦！但我會很用心去學，學的很能幹……」

她臉上莫名地泛上一層紅暈，嬌羞地投給方兆南多情的一瞥，接道：「就是不知道我能不能學得很好。」

言來深情款款，無限溫柔。

方兆南心中暗自忖道：「她已把我看成這世間唯一的親人了，這孤苦無依的孩子，從小寂寞中長大，和那身受內傷，困於病魔中的老祖父相處了十幾年。現在，那和她相依爲命的爺爺，又撒手而去，我如再不能好好地待她，只怕她定然要十分傷心……」

想到了同情之處，不自覺地舉起手來，輕輕抱在她秀肩上，低頭說道：「妳是很聰明的人，只要肯用心，天下沒有學不會的事情。」

陳玄霜嬌靨上泛起了十分歡愉的笑容，接道：「爺爺說那胸羅萬有的老人，不但武功絕世，文才博通古今，而且星卜醫道造詣均深。經常奔行在名山大川之中，採集各種奇藥，製成丹丸之類，替人療病，不過那受惠之人，大都不知是受他之恩，只是在暗中把藥丸送去，活人無數，以後，他卻突然歸隱了。」

方兆南道：「那老人現在還活在世上嗎？」

陳玄霜搖搖頭，道：「這我就不知道了，爺爺說，那老人不知何故，突然對塵世厭惡起來，獨自飄然遠去，世間所有之人，都不知他的去處。以後，江湖上就有了『血池圖』的傳說，當時爺爺並不相信，後來他親自看到了那『血池圖』，才知道傳言不虛……」

她輕輕地嘆息一聲，道：「這都是幾十年前的事啦！那時候，這世界上，還沒有我呢！」

方兆南聽她言詞直率，毫無顧忌之心，輕聲說道：「妳爺爺沒有取到過那『血池圖』嗎？」

陳玄霜道：「記不得啦！但我想爺爺決不會取到，如果他早取得『血池圖』，爲什麼不把自己的內傷醫好呢？」

方兆南暗道：「這話也是不錯，但他見過『血池圖』，大概是不會錯了，以他那等絕世武

功，竟然沒有把『血池圖』據為己有，看來此圖，確是經過不少大劫大難了……」

忽然又想起師父一家人來，如若師父不得此圖，也不致落得那等淒慘的下場，家破人亡……

只聽陳玄霜輕輕嘆息一聲，道：「南哥哥，我記不起啦，咱們別談這件事了！」

方兆南緩緩站起身來，笑道：「妳再慢慢地想吧！想起來了再告訴我。」

陳玄霜隨他站了起來，道：「我心中又想到了一件不解之事，不知可不可以說給你聽？」

方兆南聽得心中一震，道：「什麼事，儘管說吧！說錯了也不要緊。」

陳玄霜慢慢垂下頭去，幽幽說道：「不知道為什麼，我見你和白衣少女在一起時，心裡就覺不安。」

方兆南呆了一呆，說道：「咱們在江湖之上行走，要應付各等各樣的人，見多不怪，妳以後就會慢慢地好了！」

陳玄霜嘆道：「唉！我心中也想到了，這是件不該的事，但我見到你和那白衣少女在一起時，心中就難過的不得了，恨不得把她殺掉！」

方兆南聽得怔了一怔，道：「什麼？」

陳玄霜突然把星目眨了眨，兩滴淚水滾了下來，黯然說道：「南哥哥，我要殺了她，你心裡定然會恨我，是嗎？」

方兆南輕輕地嘆息一聲，道：「她是好人，你殺了她，那自是不應該。」

陳玄霜淒涼的一笑，道：「要是別人殺了我，你心裡難不難過？」

方兆南沉吟了一陣，道：「那自然很難過。」

陳玄霜突然一聳秀眉，正容說道：「如果有人把你殺了，你猜我難不難過？」

方兆南笑道：「這我就猜不著了！」

陳玄霜滿臉堅決之色，斬釘截鐵地說道：「我不難過。我要把殺死你的人捉來，把他慢慢地殺死，然後把你的屍體，移置到一處人跡罕到的山洞中，我守在你的屍體旁邊……」

她臉上泛現出深摯的情愛，一個字一個字地接道：「和你死在一起。」

這一句話，字字如鐵錘擊岩般，敲在方兆南的心上，還未想到該如何答覆陳玄霜，她已轉過身子，緩步向前走去。

此女愛恨之心，強烈無比，言詞之間，毫無緩和餘地，雖只在心中思想之事，但說來詞意堅決，使人毫不懷疑，她真能做得出來。

方兆南望著她緩步而去的背影，流露出無限淒涼，心想叫住她，但話到口中之時，突然又忍了下去。

他暗忖道：「我如此刻叫她回來，說幾句慰藉之言，只怕又要引起她心中誤會，不如以後再設法勸解她的好。」

但見陳玄霜慢慢移動的窈窕背影，逐漸地遠去，隱入室中不見。

方兆南輕輕嘆息一聲，回到自己室中。

他靜靜地躺在床上，想到近月來的際遇，如夢如幻，以往敬慕夢嚮的武林高人，想不到在這短短數月之中，大都見到了。

而且以自己這等藉藉無名的人物，在短短的時日中，竟和列名當代武林中第一流的高手，

同坐同食，把盞論交。

這等事情，如非身歷其境，想也難以想到……

忽然想到了張一平來，他身受重傷，留在抱犢崗朝陽坪上，不知怎地竟然也趕到了這明月嶂，參加英雄大會。

細想他適才在偏殿中對待自己的情形，好像整個人，完全變了一般，此中定有著甚大隱密……

心中愈想，愈覺其事可疑，恨不得立時去找張一平問明白，霍然站起身來，向外奔去！

只見一抹夕陽，反照過來，天色已然快近黃昏時分。

他心中突然一清，暗道：「與會之人的宿歇之所，漫無一定。除了寺中的和尚之外，只怕沒有人能夠得知，現在天色已晚，我如到處亂跑，只怕又要引起別人一番疑心。」

心回念轉，又緩緩退入室中，和衣而臥，不知不覺中沉沉睡去。

這一覺睡得甚是香甜，醒來已是深夜時分，滿室中一片黑暗，伸手難見五指。

耳際間風聲呼嘯，夾雜著滴滴答答的雨聲，天有不測風雲，不知何時竟然下起雨來了。

方兆南坐起身子，用手揉揉眼睛，摸索著下了木榻，向前走去。

他記憶之中，依壁竹几之上，放有茶水，醒來口中甚渴，直覺地向前走去。

他目力本有過人之能，略一停息，已可隱約見物，伸手取過竹几之上放的茶壺，倒了一碗，一口氣喝了下去。

入口冰冷，好睡初醒的慵睏之意登時消去，神智忽然一清。

但聞風嘯強猛，雨聲盈耳，外面的風似是甚大。

他默然靜立了一陣，正待回到木榻之上，靜坐運功，忽見一道閃光，劃空而過，不禁轉頭向外望去。

緊接著雷聲隆隆，震耳欲聾，隱約之間，似覺窗外靜院中，映現出一條人影。

心中疑念即起，緩步走了過去，輕輕打開窗子，忽覺一股冷氣，吹了進來，挾著點點雨珠打在臉上。

又一道閃光劃起，強烈耀目，借著閃光望去，果見風雨中，站著一個長髮披肩的少女。

在這等風雨交加的深夜中，戒備森嚴的寺院裡，外人縱然敢來，只怕亦難逃過少林寺和尚重重暗樁監視，勢非引起一場騷動不可，這風雨中的少女，八成是陳玄霜了。

心念一動，顧不得風雨吹打，縱身一躍，飛出窗外，雨滴如珠，吹打在身上，片刻之間衣履盡濕。

他心中雖然料定那風雨中的少女，八成是陳玄霜，但仍不敢稍鬆戒備之心，暗中運氣相護，緩步走了過去。

那長髮披肩的少女似是已警覺有人向她走去，緩緩地轉過身來。

風強雨猛，有如瀑布急瀉，站在風雨之中，宛如置身在滔滔的大河裡，兩人雖然相距不過四、五尺遠近，但方兆南仍然無法看出對方的面貌。

只聽一嬌柔的聲音，傳入耳際，道：「南哥哥，你睡醒了？」

這聲音一傳入耳，方兆南立時就認出對方是誰，急步走了過去，說道：「霜師妹嗎？這大

風雨，妳不在房中休息，跑出來做什麼？」

陳玄霜道，「我睡不著，在你窗外站了很久啦！看你好夢正甜，不忍叫醒你。」這幾句話情意深長，勝過千百句盟約誓言。

方兆南大受感動，伸手抓住她衣袖，說道：「春寒料峭，夜雨如冰，妳在風雨中，就不怕受寒生病，快走啦！有話咱們到屋裡去說。」

牽著她的纖纖玉手，直向房中走去。

方兆南出來時，從窗口中縱躍而出，那房門仍然反扣著，推了一把，沒有推開，才想起房門還扣著，微微一笑道：「我也急糊塗啦！忘了房門未開，咱們從窗口爬回去吧！」

兩人回到房中，方兆南反手把窗門關上，取過火石，點上油燈，房中驟然大亮。

方兆南的衣服，亦為雨水淋透，水珠滾滾，灑落地上。

陳玄霜忽然莊重地說道：「南哥哥，你快去坐到竹椅上。」

方兆南雖不知她用意何在，但見她說得鄭重其事，只好依言坐了下去。

陳玄霜低聲說道：「不論我做什麼事，你都別動！」

方兆南略一沉吟，笑道：「好吧！」

陳玄霜似是十分高興，嫣然一笑，道：「你要動一動，我就要生氣啦！」

陳玄霜轉過身去，走近木榻之上，取過方兆南衣服鞋襪，走了過來，蹲下身子，抬起頭來，仍甚不放心地說道：「不要騙我。」

搬起方兆南一條腿來，替他脫去濕透的鞋襪。

方兆南甚感不好意思，臉上一熱，說道：「此等之事，怎敢相勞師妹，還是我自己來吧！」

陳玄霜一面擦著他腿上的水珠，一面接道：「你答應過不動的。」

方兆南正容說道：「師妹已是婷婷少女，我也年過弱冠，咱們都已不是小孩子了，牽手言笑，已是不該，豈可在此逾越男女禮防？」霍然站了起來。

陳玄霜慢慢抬起頭來，說道：「難道你以後不想娶我嗎？」

此等之言，竟然在她口中說出，而且滿臉嚴肅，莊莊重重，似是她心中早已把方兆南看做了未來的丈夫。

方兆南聽得呆了一呆，道：「這等終身大事，豈是兒戲，既無父母之命，又無媒妁之言，如何能草草決定？」

陳玄霜仰臉思索了一陣，道：「唉！我從小就沒人好好教養我，很多事都不知道，我想到以後總歸要做你的妻子，那自然要替你舖床疊被，服侍你更衣梳洗。可是這些事，我從來沒有做過，以後做將起來，只怕難以做好，現在看到你滿身衣履盡濕，忽然想到該給你換換衣服，難道我做得不對嗎？」

她這一番話，說得情意深重，誠摯無比，自自然然，毫無牽強造作，至情至性，率直感人。

方兆南暗暗忖道：「除了她年邁重傷的祖父之外，我是她生平中第一個相識之人，也許在她心目之中，早已覺得我待她深情似海，在這茫茫人世間，是她唯一可信可托之人。

對一個情竇初開，一知半解，涉世未深的少女，如何能責以俗禮，何況我這數月之中，對她的言行舉動，也逾越禮防太多，自是難怪她生出很多奇想……

心念轉動，油生憐惜，輕輕拂著她滿是雨水的秀髮，說道：「世間有很多名教禮法，動輒加罪於人，妳以後慢慢就會知道了。雖然咱們武林中人，不太講求禮數，但也不能太過放蕩，人言可畏，名節攸關，妳快些回房去吧！換過濕衣，早些休息，不要凍病了，有話咱們明天再談。」

陳玄霜凝目尋思了片刻，說道：「唉！也許再過幾年，我就不會這樣的傻了。」

突然舉起雙手，蒙著臉向外奔去。

方兆南追到門口，只見她冒著風雨，穿過靜院，向自己臥房中奔去。

他扶在門上，望著那消失在風雨中的背影，心底真情激蕩，幾乎忍不住要追過去。

他知道剛才的言詞態度，大傷了她的芳心，但他終於忍住了心中情感的衝動，他知道此刻如若不能克制心中的衝動，只怕以後更難和她相處……

他無心再靜坐運功調息，換去濕衣，躺在床上，腦際中思潮洶湧難以遏止。

在他腦際中泛起了一種十分奇怪的念頭，他對梅絳雪可以說毫無情意，但心靈上，卻隱隱覺得寒水潭對月締盟一事，成了他無法擺脫的枷鎖。

這是種十分微妙的感覺，那幾句被形勢迫逼出的誓言，在他心中構成了一種無法推卸的負擔，每當他和陳玄霜相處在一起時，這負擔就突然加重，使他惶惶不安……

一宵過去，天亮就有小沙彌送上了早餐。

他心中正想著心事，轉頭望了小沙彌一眼，也沒有理他，仰臉望著屋頂出神。

那小沙彌看到了方兆南換下來的濕衣，隨手拿了起來，說道：「小施主的衣服，我拿去替你洗了。」

方兆南轉身嗯了一聲，瞧也未瞧一眼。

直待過半個時辰之後，他忽然想起了身上的「血池圖」來，再找那換下的濕衣，早已不見，不禁心頭大急。

這時天色已經大亮，方兆南匆匆奔出寺院，一路找去。

他想找到那小沙彌討還濕衣，但他對那小沙彌的形貌，毫無印象，只知是那送早餐來的小沙彌取走了濕衣。

他這等茫無頭緒的問法，問來問去，也問不出個所以然來。

正當六神無主之際，突然心中一動，暗道：「我怎麼這樣笨呢？想那廚下，對送早飯的小沙彌早已經分派指定，何不到廚下去問。」

心念一轉，直向廚下奔去。

方兆南趕到廚房，只見一個五十餘歲的和尚，正在洗碗筷，除那和尚之外，廚中再無別人，想是早餐初過，主廚的和尚都已去休息了。

方兆南走上前去，抱拳一禮說道：「借問大師父！」

那和尚把手在圍裙上擦了一擦，合掌當胸說道：「施主有何見教？」

方兆南道：「今晨分送早飯的幾位小師父，不知現在何處？」

那和尚笑道：「那送飯的小沙彌，共有一十二個，不知施主問的是哪個？」

方兆南呆了一呆，道：「我問今晨向東面跨院送早飯的小師父。」

那老和尚搖搖頭，笑道：「東面共有三處跨院，不知是哪一處，而且他們又是自行分道送上，並無固定分配，除了他本人之外，只怕再也沒有人知道，施主可有什麼事嗎？」

方兆南急道：「我有一件重要的東西丟了。」

那和尚聽得怔了一怔，道：「寺中戒備森嚴，如何會丟東西。那十二個小沙彌都是由敝寺主持方丈，由少林寺嵩山本院中帶來之人，決不敢偷竊施主之物！」

方兆南接道：「不是偷竊，他們拿了我一套換下的衣服。」

那和尚躬身說道：「既然不是偷竊，那就不要緊了，如是他們拿去，自己會再送來，大概他們是拿去洗的吧！」

方兆南道：「我衣服之中，裝有東西，如果他不知道放進水中一泡，那就糟了。」

那和尚微一沉思，搖頭道：「只怕是晚了吧！洗衣之處，就在這廚房側面後院之中，那裡有一道引來的山溪，施主請到後院瞧瞧，看看能不能趕得上。」

方兆南不再和那和尚多說，當下離開廚房，直向後院奔去。

進了一道圓門，果見一個三畝大小的後院，院中種植花樹，由外面引來一道山泉，由院橫貫而過，流水徐徐，如鳴珮環。

溪邊的花樹上，曬了三十多套衣服，方兆南一眼之中，立時瞧到了自己的衣服，急步奔了上去。

花樹叢中，閃出來兩個小沙彌攔住了去路，道：「施主可是要取衣服嗎？」

兩人甚是聰明，一瞧之下，竟然猜到了方兆南是來取衣服的。

方兆南道：「不錯，我衣袋之中放著東西……」

左面一個小沙彌不等方兆南話完，已搶著接道：「施主您放心，凡有遺忘在口袋中的東西，我們都已檢查取出，好好地放起來了。衣服曬乾之後，自然會把你袋中之物，連衣服一併送上，此刻施主如若一動，反易把我們洗曬的衣服弄亂了。」

方兆南急道：「我只要瞧瞧也就是了。」

說著話一側身，向旁側那曬衣之處衝去。

兩個小沙彌也不好攔阻於他，只好隨在身後，跟了過去。

方兆南奔到自己衣服之處，仔細地摸了一遍，果然放在袋中的「血池圖」早已不在，登時臉色大變。

但他究竟是異常聰明之人，他知道自己這等大失常態的神情，不但於事無補，而且會引起更多的懷疑。

轉眼望去，只見兩個站在身側的小沙彌凝神相望，心中果似已生了疑念。

方兆南故示平靜地淡淡一笑，道：「我袋中之物，甚怕水泡，故而急急趕來，想不到諸位小師父個個心細如髮，已然替我收了起來，不知那撿出之物，放在何處？」

他這番謊言說得入情入理，竟把兩個小沙彌說得深信不疑。

小沙彌轉身用手指著花叢深處一間青石築成的房子，笑道：「所有遺忘在衣袋之物，我們都把它取了出來，存在那石房之中，而且還分派有人看守，施主既然急於找到遺忘在袋中之物，請到那石室中去看看吧！」

方兆南抱拳說道：「有勞了！」

轉頭直向那石室所在奔去。

這座石室大約有三間房子大小，方兆南趕到之時，室中早已有人，仔細一看，不禁心頭大震！

原來那站在石室中的，正是方兆南亡師好友張一平和袖手樵隱史謀遁，在他兩人身側，站著一個小沙彌，神態木然，似已被點了穴道。

方兆南定定神，抱拳對張一平和袖手樵隱一揖，還未來得及開口，張一平已搶先說道：「你來這裡幹什麼？」

神情冷峻，直似換了個人一般。

方兆南怔了一怔，答道：「弟子來找一件東西，張師伯……」

張一平冷笑一聲，接道：「找什麼？」

方兆南只覺他言詞神情之中，充滿著敵意，又不禁呆了一呆。

袖手樵隱舉手在那神態木然的小沙彌背心上拍了一掌，冷峻地望了方兆南一眼，向後退了幾步，擋在門口。

但聞那小沙彌長長吁了一口氣，睜開了眼睛，茫然地望了幾人一眼，又回頭瞧瞧松木桌上堆積之物。

袖手樵隱冷冷地說道：「什麼人點了你的穴道，這室中的東西，可有遺失嗎？」

方兆南原想這小沙彌的穴道定是兩人中的一個動手點制，但聽袖手樵隱詢問之言，才知張

一平和袖手樵隱，並非同路之人。

那小沙彌怔怔地瞧了三人一陣，搖搖頭道：「我沒有看清楚那人的形貌，這桌上之物……」

他仔細把桌上放置之物檢視了一遍，道：「好像遺失了一件圖案……」

方兆南神色突然緊張起來，不自禁地追問道：「那人高矮形貌，你一點都記不得嗎？」

小沙彌搖頭說道：「那人來得疾快如風，我覺得有異時，穴道已然被點了。」

袖手樵隱冷冷地說道：「快去稟告師父，要他快些趕來。」

張一平側目望了方兆南一眼，道：「你那師妹交給你的東西，還在不在？」

方兆南暗暗忖道：「短短數月不見，這位張師伯的爲人，似和往常已大不相同，眼下袖手樵隱也在此地，如何能將『血池圖』遺失真相，告訴他？」

正感左右爲難之際，忽聽一陣沉重的步履聲傳入耳際。

抬頭看去，只見大方禪師滿臉肅穆之色，和被譽爲一代劍聖的蕭遙子並肩而來，在兩人身後，緊跟著四個身披黃色袈裟的護法。

原來方兆南找到廚下，問那洗碗老僧之時，早已有寺中和尚，暗中報於大方禪師。

是以，袖手樵隱命那小沙彌去稟告大方禪師時，尚未動身，大方禪師已和蕭遙子，帶著四大護法趕到。

大方禪師略一打量室中情形，說道：「諸位不在室中休息，不知到這荒涼後院之中，有何要事？」

方兆南道：「晚輩來此尋找一件遺忘在衣袋中的物件。」

大方禪師低沉地說道：「找到了沒有。」

方兆南簡短地答道：「沒有。」

大方禪師一聳白眉，道：「不知施主遺失的是什麼東西？」

方兆南沉吟一陣，道：「容晚輩想上一想，再告訴老前輩吧！」

大方禪師果然有容人之量，轉臉望著張一平道：「施主雖未得老衲相邀之函，但既然闖過前山一十三道攔截，一樣是我們少林寺中嘉賓。」

張一平冷然一笑，沒有答話。

大方禪師微微一頓，又道：「施主可也是尋找遺忘在袋中之物嗎？」

張一平道：「不是，在下是來尋找一件亡友遺物。」

大方禪師低沉地喧了一聲佛號，道：「尊友遺物，不知何以會在此地？」

張一平冷然望了方兆南一眼，道：「是亡友遺物，被他忘恩負義的門下弟子，吞為己有，我已從九宮山山中，追蹤他到了此地。」

他雖未指出方兆南的姓名，但在場之人，都知他說的是方兆南，不禁一齊把目光轉投到方兆南的身上。

方兆南只聽得一股怒火，由心中直冒上來，正待反唇相譏，忽然心中一動，暗自忖道：「張師伯以往待我甚好，但這次在東嶽相見之後，卻一直視我如敵，想來其中定然有著什麼原因，他是尊長之輩，罵上幾句，也無傷大雅。」

當下又忍了下去。

大方禪師又回頭望著袖手樵隱，道：「史兄何以也來到此處？」

袖手樵隱伸手一指張一平道：「我追蹤此人而來，但仍是晚到了一步，以致那位小師父仍然被人點了穴道。」

他自昨天當著天下高手，被大方禪師說服之後，立志要以餘年，替武林後輩做一點可資思慕之事，果然把冷僻的性格，改正了不少。

大方禪師回頭對四個黃衣護法的和尚說道：「傳諭下去，查詢昨夜中各處分卡，是否發現入山可疑之人！」

四個黃衣護法，齊齊合掌當胸，說道：「敬領法諭。」一齊轉身而去。

大方禪師高聲說道：「查詢務求明確，縱然是稍見警兆，也不得隱諱不報。」

四僧齊聲說道：「弟子等遵命！」

大方禪師遣走四僧之後，又望著方兆南說道：「如果昨夜中沒有入山之人，施主遺失之物，當仍在本寺之中，但望相告遺失何物？老衲查問起來，也較方便。」

他說話神情，不但面容莊肅，而且慈眉聳立，善目中神光隱隱，顯然此事，已引起這位有道高僧的怒火。

方兆南暗暗忖道：「此刻形勢，已成欲罷不能之局，只怕要招惹出甚大麻煩，但如說將出來，亦將引起一場甚大風波。」

一時之間，不知該如何是好，說與不說，猶豫難決。

大方禪師望著方兆南，臉色十分嚴肅地說道：「小施主年紀雖輕，但花樣卻是最多，如你遺失之物，純屬私人所有，老衲追尋出來，自當原物璧還。如果那失物牽纏著天下武林同道的安危，老衲斗膽暫爲保存，話先說明，免得屆時責怪老衲不近人情！」

方兆南沉吟了一陣，道：「老禪師德高望重，晚輩心雖不願，但也不便和老禪師鬧得彼此不快。」

大方禪師氣得冷哼一聲，回頭望著張一平道：「施主到處亂闖，不知是何用心？」

張一平微微一皺眉頭，道：「佛門之中，素爲清靜之地，難道有什麼不可告人的事嗎？」

大方禪師臉色一片肅穆，眉宇之間已隱隱泛現怒意，但他仍能忍隱不發，莊嚴地說道：「嵩山少林本院，清規森嚴，天下無人不知，但也不容人擅自亂闖……軌外行動，提請眾意公決！」

蕭遙子突然插口接道：「眼下首要之事，追查那遺失之物最爲要緊，老朽之意，想請大師先問出遺失何物？」

方兆南輕輕嘆息一聲，道：「老前輩一定要問嗎？」

蕭遙子道：「如不先問出失物之名，查將起來，怎能事半功倍？」

方兆南仰首望天，遲疑一陣，緩緩地說道：「諸位老前輩，既然一定要問，晚輩就不得不說了，那遺失之物……」

心中一陣猶豫，又住口不言。

袖手樵隱大怒道：「究竟是何等之物，你這般吞吞吐吐，怎算得大丈夫行徑？」

方兆南望了袖手樵隱一眼，冷冷答道：「血池圖！」

全場中人除了張一平，都聽得怔了一怔。

蕭遙子一拂胸前長髯，道：「此話當真嗎？」

方兆南道：「一點也不假。」

大方禪師道：「那『血池圖』既然在你身上，爲什麼不早說呢？」

方兆南道：「此圖雖在我身上保存，但並非我所有。」

張一平突然接道：「這話說得倒還有點人心，圖是你師父所得，你師父既然死了，自然是他女兒所有了。」

方兆南道：「可惜我那師妹也已不在人世了。」

言下神情淒然，淚珠奪眶而出。

張一平口齒啓動，但卻欲言又止。

方兆南嘆息一聲說道：「縱然我那師妹還活在世上，這『血池圖』也不能算是她的了。」

張一平怒道：「不是她的，難道還是你的不成？」

方兆南道：「認真說將起來，這『血池圖』應該是言陵甫所有。」

大方禪師道：「此圖既該是言陵甫之物，不知何以會到你的身上？」

他忽然想到那白衣少女給方兆南的函箋之上，曾提到這事，顯然那「血池圖」存在他身上一事，不但言陵甫不知道，就是白衣少女也不知道，方兆南身懷之圖，不是明搶，就是暗偷。

方兆南道：「大師問得不錯，圖既非我有，但卻由我收藏。」

他輕輕嘆息一聲，接道：「那『血池圖』源出誰手，晚輩不知，但我師父卻爲此圖，遭了滿門被殺的慘事。家師英明過人，事先早已有備，把那『血池圖』給我師妹，帶到抱犢崗朝陽坪史老前輩之處躲避，原想借助史老前輩之力，托護翼下，哪知冥嶽中人早已暗中追隨而去……」

他回眸望了袖手樵隱一眼，接道：「史老前輩不肯出手，拖延到敵人援手趕到，一場血

戰，史老前輩雖然手殲冥嶽三煞，但可惜出手過遲，後援敵手又極凶頑。

「那時晚輩武功有限，無能相助，和師妹借史老前輩朝陽坪後山密道，逃了出來，哪知在那密洞之中，又遇到一個前輩怪人！」

大方禪師回頭望了袖手樵隱一眼，道：「史兄，這位方施主說的都對嗎？」

史謀遁點點頭道：「不錯。」

二十　絕谷風雲

方兆南微微一笑，接道：「那位前輩怪人被人在身上塗了化肌消膚的藥物，見不得日光，下半身肌膚已都化去，只剩下兩根乾枯的腿骨……

「但她竟然還未死去，而且武功仍在，把我們兩人穴道點住，由我師妹身上搜出了『血池圖』，迫我拿圖到九宮山中去找知機子言陵甫，以圖換取生肌長膚的藥物。並且留下我師妹做爲人質，晚輩只得趕到九宮山中，找到了言陵甫，以『血池圖』換得藥物，是以，那『血池圖』應該爲言陵甫所有！」

大方禪師冷然問道：「『血池圖』既被你換了藥物，不知何以竟仍在你的身上？」

方兆南道：「言陵甫得圖之後，送我離開寒水潭時，被那位梅姑娘偷入浮閣，偷竊了去……」

大方禪師道：「梅姑娘是什麼人？」

方兆南道：「就是昨日那自傷左肩的白衣少女。」

大方禪師合掌當胸，低聲說道：「阿彌陀佛！那位姑娘倒是可敬可重之人！」

方兆南接道：「言陵甫回到浮閣，發覺『血池圖』遺失不見，又把我追了回去，但再返回水上浮閣，丹爐也被毀去了，一急之下，得了瘋癲之症……」

當下把諸般經過情形，盡都說了出來，不過卻把他和梅絳雪對月締盟一事，隱了起來。

蕭遙子聽完之後，插口問道：「你說了半天，還未把那洞中的怪人姓名說出。」

方兆南道：「當時晚輩並不知她姓名，事後帶史老前輩同去，由她遺物之中，才發覺她竟是二十年前馳名江湖的女魔頭俞罌花。」

蕭遙子身子突然顫抖了一下，道：「她真的已經死了嗎？」

方兆南黯然說道：「晚輩歸去之時她已死去，連我那師妹也被她害死在洞中了，想來定是她傷重將死之前，出手殺害了我的師妹。女魔頭一生之中，做了無數淫惡之孽，臨死之前竟然還出手傷人，當真是至死不悟，她受了數年消膚化肌之若，也算是一大報應。」

蕭遙子輕輕地咳了一聲，望著袖手樵隱說道：「史兄隱居在朝陽坪有數十年之久，想來定然知道此事了……」

袖手樵隱搖頭答道：「說來慚愧得很，我在朝陽坪住了數十年，竟然不知鼎鼎大名的玉骨妖姬，和我鄰居了十幾年的歲月。」

大方禪師輕輕嘆息一聲，望著方兆南道：「唉！你心中既有著這樣多的秘密，爲什麼不早一點告訴我呢，如今寶圖遺失，找起來只怕十分不易！」

方兆南低下頭去，默然不語。

大方禪師擋在那石室門口，微閉雙目，合掌而立。

石室中陡然沉靜下來，良久不聞人聲。

張一平靜站了一陣，突然大步向外衝去，口中大喝道：「大師請站開一些，讓出去路。」

大方禪師低聲說道：「暫時屈駕一會兒，等下再走不遲。」

张一平冷笑一聲，道：「爲什麼？」舉手向大方禪師推去，出手力道甚大，推向大方禪師左肩的「肩井穴」上。

大方禪師突然睜開雙目，神光如電地瞪了張一平一眼道：「阿彌陀佛！施主要和老衲動手嗎？」

肩頭一側，讓開穴道之位，硬接了張一平推來的一掌，方兆南目注袖手樵隱，欲言又止。

蕭遙子冷哼一聲，道：「如果自信清白，那就稍等一會兒再走不遲，如再擅自動手動腳，可是自找苦吃！」

張一平一掌推在大方禪師肩上，如擊在堅鐵岩石之上，不但未能傷得對方，而且隱隱覺得對方反彈之勁，十分剛猛，不禁微微一呆。

大方禪師突然回目望著袖手樵隱問道：「史兄，這位張施主在你朝陽坪上養息好傷勢之後，自行離去的嗎？」

此言正是方兆南欲問之言，暗中凝神靜聽。

袖手樵隱思索了一陣，道：「當時我和冥嶽中後援高手打得十分激烈，此人坐在旁邊，一面療傷，一面觀戰，激戰一陣之後，來敵忽然自行撤走。此人又在我朝陽坪上留住旬日之久，傷勢大好，自行離去，不過，我當時並未問他行蹤。」

大方禪師默然不言，凝目沉思。

又過了片刻工夫，四個身披黃色袈裟的和尚，匆匆趕了回來。

相距大方禪師五步左右時，停了下來，一齊合掌躬身說道：「弟子等分頭查詢，昨夜並未

發現有人登山。」

大方禪師臉色凝重，冷笑一聲，目注張一平，道：「咱們眼下之人，以施主嫌疑最大，但老衲素不願逼人過甚，施主請三思之後，再答老衲問話。」

張一平冷冷說道：「大師這等語不擇言，不知是何用心？」

大方禪師閉上雙目不答張一平的問話，口中低誦著大悲經。

這篇經文中頌讚我佛大慈大悲，普渡眾生的宏願，聽來莊嚴肅穆，有如暮鼓晨鐘，發人猛省。

一篇經文誦完，大方禪師臉色也隨著變得異常平和，緩緩伸出手去，微笑說道：「千百武林同道，生死非同小可，施主何不一開善念拿了出來？」

張一平疾向後退了一步，道：「拿什麼？」

大方禪師道：「血池圖！」

張一平搖頭冷笑道：「大師且莫含血噴人！」

大方禪師白眉微聳，莊肅地說道：「施主若不肯拿出圖來，可莫怪老衲要失禮了。」

張一平道：「你待如何？」

大方禪師微現慍色，說道：「難道老衲就不能搜查你嗎？」

張一平舉起雙手，道：「大師如果懷疑在下，儘管搜查就是。」

大方禪師微一猶豫，回頭對四個身披黃色袈裟的和尚說道：「你們搜搜這位施主身上，舉動之間，務求仔細，但卻不得粗野。」

四僧躬身領命，一齊走向張一平身側。

張一平倒是毫不在乎，撩起衣袂，笑道：「四位大師儘管請仔細搜查。」

四個和尚一齊動手，在張一平身上搜查起來，四僧果然搜查得十分仔細，凡是可能藏物之處，全都搜到，但卻一無所見。

張一平待四僧停下手後，冷笑一聲，道：「幾位師父還要不要搜查在下的鞋襪？」

大方禪師一派掌門之尊，行事作人，一向光明正大，聽得張一平譏諷之言，不禁臉上一熱，心中暗暗忖道：「那『血池圖』關係武林中正邪存亡的大劫，非同小可，縱然日後身受武林同道非議，也不能不查個明白。」

當下暗一咬牙，說道：「張施主既然如此說，老衲恭敬不如從命。」

此言大出在場所有人的意外，四個身披袈裟的和尚更是聽得呆在當地，只覺掌門師尊此刻之言，和他平常處事作人，大不相同。

方兆南心中忽生不安之感，暗道：「不論那『血池圖』是不是張一平師伯偷竊，但他在江南武林道上，甚有名望，這脫鞋之辱，如何能夠忍得下去？」

正待出言阻止，忽聽大方禪師對四個身著黃色袈裟的和尚說道：「你們怎麼站著不動，難道沒有聽到我的令諭？」

張一平原本想譏諷大方禪師一下，哪知弄巧成拙，被武林同道敬如泰山北斗的一代高僧，竟然藉言下令，搜他鞋襪，心中好生爲難。

但話從自己口中說出，又不便推托不算，只好把鞋襪脫了下來。

張一平脫去鞋襪，高舉手中，冷冷說道：「幾位仔細看看，還有可搜之處？」

大方禪師轉臉瞧著那小沙彌，冷然說道：「客人之物，竟遭遺失，守護不力，罪無可貸，

暫記三年面壁之罰，速返嵩山本院，立交『戒持院』中執處。」

那小沙彌合掌躬身說道：「弟子謝師尊慈悲。」

大方禪師目光移到袖手樵隱身邊，說道：「史兄何以也到了此處？」

袖手樵隱聽得面泛怒意，雙眉一聳，正待發作，忽然長長吁口氣，道：「記得老樵子剛才已向大師說過了吧，我是追蹤此人而來。」

舉手一指張一平。

大方禪師又轉臉問那小沙彌道：「你到哪裡去了？」

小沙彌道：「弟子寸步未離開此地。」

大方禪師冷笑道：「既然寸步未離，何以不知守物被盜？」

小沙彌道：「弟子被人點了穴道。」

大方禪師高聲問道：「什麼人點了你穴道，難道一點都不記得嗎？」

小沙彌垂頭答道：「那人出手甚快，弟子聞得風聲，尚未來得及回頭，穴道已先受制。」

大方禪師面現爲難之色，沉吟不言。

要知這班與會之人，都是武林中甚有名望的人，不論何人均難忍受竊盜之譏。

這小沙彌既然提不出一點可資追尋的線索，但又勢難大肆搜查與會之人，只恐一個處理失當，引起自相殘殺之局。

蕭遙子、袖手樵隱似都看出了大方禪師爲難之情，齊聲說道：「大師不必爲此事憂煩，當前急務，是應付冥嶽之會，不論『血池圖』下落何處，待冥嶽之會過後再找不遲。」

大方禪師忽然微微一笑，道：「兩位高論甚是……」

張一平忽然大聲笑道：「在下可以離開此地了吧！」說罷大步向外衝去。

大方禪師右臂一橫，欲待攔阻，但不知何故，卻又突然縮了回來。

袖手樵隱冷笑一聲，揚手向張一平後背點去，一縷指風應手而去。

但見張一平身軀微微一顫，突然停了下來，回頭望了幾人一眼，加快腳步而去。

方兆南忽動故舊之情，放腿追了出去。

但覺人影一晃，袖手樵隱疾如飄風般地橫移過來，攔住去路，說道：「他已被我用混元氣功逼出的指風，隔空打傷他的太陰肺經『中委』要穴，十二個時辰之後，傷勢就要發作。就算他療救得法，也要三個月以上的時間，才能打通傷脈，那時我們已赴過冥嶽之會，生死勝敗已分，再找他也還不遲，現下放他去吧！」

方兆南輕輕嘆息一聲，黯然說道：「我不是追他。」

大方禪師目注方兆南，正容說道：「老衲有件事，想和施主商量，不知能否見允？」

方兆南道：「老禪師但請指教，只要在下力能所及，決不推諉就是。」

大方禪師道：「施主遺失『血池圖』一事，暫請保守秘密，老衲仍當暗中爲你查尋，如能找出頭緒，定當通知施主。此刻宣洩此事，只恐要引起一陣混亂，老衲自知此事，或有不合情理之處，但望施主能夠顧全大局，應允老衲之求。」

方兆南暗暗忖道：「那『血池圖』既已失去，原物追回之望，甚是渺茫，宣洩出來，亦於事無補，倒不如爽爽快快地答應了他。」

當下抱拳說道：「老禪師這等吩咐，晚輩怎敢不遵。」

大方禪師合掌笑道：「方施主這等顧識大體，老衲感激不盡，冥嶽之會，轉眼即屆，此刻寸陰如金，赴會之約，萬緒千端，均須在近日之中趕辦完成，只恐難以會前查出那『血池圖』的下落。」

他輕輕嘆息一聲，接道：「如若冥嶽之會，能夠順利過去，老衲自當下令少林門下弟子，全力追查此圖，一旦尋得，定當捷足傳告，原物奉還。」

方兆南忽然覺得這短短兩日夜時間中，自己在武林中的身分地位，已然身價大增。天下武林人物，能受素有領袖武林正大門派之稱的嵩山少林寺方丈這等尊重之人，實在寥寥可數，當下抱拳說道：「老禪師一言九鼎，晚輩這裡先拜謝了。」

大方禪師轉頭望著袖手樵隱笑道：「史兄那七星陣式，不知尚需多少時間，此次冥嶽大會之中，借仗大力處甚多，尚望……」

袖手樵隱滿臉莊肅之色，接道：「老樵子生平之中未爲武林留下令人追思懷念之事，此次冥嶽大會，乃老樵子一生之中，所作所爲第一件捨己爲人的事。大師但請放心，再有五天時間，大概可以功行圓滿了。」

大方禪師合掌笑道：「史兄時光寶貴，老衲不多打擾了。」

合掌作禮，和蕭遙子並肩而去。

方兆南趕回靜院臥室之中，陳玄霜早已在房中等候，但見她仰首望著屋頂，臉上泛現著盈盈笑意，似是心中正在想著一件十分快樂的往事。

方兆南不禁一皺眉頭，問道：「霜師妹，妳想到什麼快樂之事，這等高興？」

陳玄霜微微一笑，緩緩站起來，答非所問地說道：「你師妹活在世上之時，你們定然十分

要好，對嗎？」

這一問，大是突然，饒是方兆南機警過人，也被問得呆了一呆，沉吟半晌答道：「不錯，妳怎麼會陡然間想起這件事來？」

陳玄霜淡然一笑，道：「可惜她已經死了！」

方兆南又是一怔道：「我們把屍體埋葬在抱犢崗山腳之下，難道妳忘了不成？」

陳玄霜突然一整臉色，登時滿臉肅殺之氣，一字一字地問道：「如我在九宮山中不出手救你，你還能活到今天嗎？」

方兆南只覺得她神情之間殺機濃重，不禁心頭微生驚駭，暗忖：「她本是個不解江湖險惡的天真純潔少女，雖然愛恨之念，強異常人，但也不致這等忽喜忽怒，莫不是昨夜受了風寒，生了什麼怪病不成？」

但他口中答道：「不錯，如不是霜師妹出手相救，我早已埋骨在九宮山中。」

陳玄霜冷冷接道：「我爺爺傳你武功，使你在短短十餘日中身集大成，列身武林中第一流高手，對你之恩，大是不大？」

方兆南道：「陳老前輩授藝之恩，重若山嶽，我終生一世，也難忘記！」

陳玄霜目光凝注在方兆南臉上，瞧了一陣，突然流下兩行淚水，幽幽說道：「這些都是過去之事，提也沒有用了。」

方兆南親目看到了知機子言陵甫寶圖被竊，丹爐被毀後，氣急而瘋的情形，想來餘悸猶存，對眼下陳玄霜忽喜忽怒之形，大感擔心。

當下拉著她一雙柔掌，低聲說道：「霜師妹，我哪裡不對了？」

陳玄霜呆了一呆，反而吶吶地說不出話來，半晌之後，才黯然說道：「我昨宵想了一夜，終被我想了出來……」

方兆南奇道：「妳想出來了什麼？」

陳玄霜道：「我想到昨天在大殿之中見到的那白衣少女，長得太好看了。」

方兆南如何聽不出弦外之音，心中微微一跳一怔，正待開口，陳玄霜又搶先問道：「她對你很好是嗎？」

方兆南暗暗忖道：「她此刻心情在激動之時，千萬不可再傷她之心。」當下笑道：「我們雖有過數面之緣……」

陳玄霜接道：「所以你就不肯要我了，早知這樣，在九宮山中我就不救你了，先讓別人把你殺掉，我再把他們殺了替你報仇。」

方兆南心頭一凜，暗道：「她生性如此偏激，日後常在一起，倒是甚難應付……」

只聽陳玄霜長長嘆息一聲，道：「日後我再遇上那白衣少女之時，非用寶劍在她臉上劃上幾道血口不成，看她還好不好看！」

方兆南本想頂她幾句，忽然想起昨宵之中對她實在過份冷漠，也難怪她會這等傷心，不禁生出憐惜之情。

但一時之間，又想不出慰藉之言，沉吟一陣，嘆道：「眼下武林之中，一片殺機，天下高手，都爲著冥嶽之會，拋棄了個人恩怨。咱們既然參與了泰山之會，是必要隨群豪赴會冥嶽，此去生死難卜，哪裡還能顧到兒女私情，我縱然願和師妹長相守，只怕也難如願。」

陳玄霜涉世未深，哪裡知道這一番話是他情急之下，隨口說出之言，略一沉忖，展顏笑

道：「我爺爺曾經告訴過我甚多武功，其中有一套劍法，威力甚是強大。但必須兩人合用才行，咱們快些把這套劍法練習，赴會冥嶽之時，也好合用克敵。」

方兆南笑道：「妳幾時學會了這套劍法，我怎麼一點都不知道呢？」

他只想討得她暫時的歡心，說來口氣異常柔和。

陳玄霜究竟還是未脫稚氣的孩子，看他神色言詞之間，陪盡小心，心中忽然感到快樂起來，嬌軀微微一側，偎入方兆南懷中，笑道：「南哥哥，你真的這般喜歡我嗎？」

方兆南道：「自然真的喜歡你了。」

陳玄霜道：「昨宵之中，你對我那般冷漠，我越想心中越氣，忽然想到你以往待我很好，為什麼忽然會壞了起來？

「定是為了那白衣少女，她長得那樣好看，不論什麼人見了就會很喜歡她，我一夜沒有睡覺，想來找你大鬧一場……」

方兆南微微一笑，道：「妳現在還生氣嗎？」

陳玄霜搖搖頭，道：「我知道你這般關心我，自然是不生氣了。」

她微一停頓之後，又道：「我來找你之時，心裡早已打算好啦！故意和你蠻鬧一陣，如你真的不喜歡我，我就離開此地而去。」

方兆南笑道：「茫茫濁世，妳一個毫無江湖閱歷的女孩子家，要到哪裡去呢？」

陳玄霜眨了大眼睛，笑道：「自然是有地方去了，我要找處人跡罕到的地方，把武功練好，再出江湖，先找那白衣少女，把她殺掉，然後再去找你……」

方兆南道：「妳找白衣少女，可也是要殺我嗎？」

陳玄霜道：「那我就不知道了，我心裡定然會很恨你，唉！但卻不知會不會殺掉你……」她忽然嗤的一笑，接道：「就算不殺你，我也會找一處大山深谷之中，把你用鐵鍊鎖在那裡，不讓你再在江湖之上走動。」

方兆南聽得不由心底泛上來一股寒意，暗暗忖道：「此人愛恨之心，這等強烈，非友即敵，情愛愈深，妒恨也愈重……」

陳玄霜看他默然不言，柔聲接道：「南哥哥，你心裡害怕了嗎？」

方兆南微微一笑，道：「妳要把我鎖在深谷之中，要把我活活餓死嗎？」

陳玄霜搖頭笑道：「我也在山谷中陪你，每天給你做最好的飯吃，咱們終生一世都不要出那山谷。」

方兆南道：「妳要把我鎖在那山谷中，鎖一輩子嗎？」

陳玄霜笑道：「咱們白首偕老，生死與共，要是你先死了，我就自絕在你的身邊。」

方兆南皺皺眉頭說道：「那妳要先死了呢？」

陳玄霜道：「那我就先把你殺掉，然後自己再死！」

方兆南心中又是感動，又是驚懼，暗道：「似她這等深情相愛，誓同生死之事，世間甚是少有，只是手段未免有點過於殘酷。此等心念，如果常在她心中盤旋，難保她不會做出，以後總要想個法子，矯正她這等過於偏激的性情才好。」

心念轉動，微微一笑說道：「這次冥嶽之會，不但關係著今後武林大局，而且也關連著咱們生死，天下精英，雖不盡參與此一戰中，但與會之人卻都是當今一時俊彥。陳老前輩授我半月武功，能使我一個藉藉無名之人，列身當今高手之名，師妹自幼追隨在他身側，想來定然學

到甚多奇奧武功，但願在此次大會之上，能夠大顯身手，一舉成名。」

陳玄霜柳眉微揚，嫣然一笑，道：「那套雙劍合璧的劍術，威力十分強大，咱們快些把它練習純熟，到時候聯劍出手。」

說完拉著方兆南奔了出去，一面口授劍訣，一面揮劍作勢，一招一式地緩緩施展出手。

時光匆匆，轉眼之間，過去十天。

在這旬日之內，方兆南、陳玄霜日夕苦練劍術，連那靜院也未離過一步，食用之物，都由那小沙彌按時送上。

其實這旬日之內，群豪大都在重習生平絕技，明月嶂少林分院中，劍氣騰霄。

這日天色入暮時分，方兆南、陳玄霜尚在練習劍法，忽見一個小沙彌匆匆奔來，合掌對兩人說道：「敝方丈設宴偏殿，恭候兩位大駕。」

方兆南頷首說道：「我們立時就到。」

那小沙彌又合掌一禮，退到一側，垂手而立，並未退走，看樣子，是要等待兩人同行。

方兆南望了那小沙彌一眼，心中暗忖道：「看那小沙彌的樣子，似是有著什麼緊急之事。」當下一拉陳玄霜，說道：「走吧！」

那小沙彌轉身帶路，急急向外奔去，兩人緊隨身後，到了偏殿。

但見燭火輝煌，宴席早已擺好，偏殿之外，到處布滿了少林僧侶，各人手中都橫著兵刃，戒備森嚴，如臨大敵。

群豪已在座，大方禪師滿臉莊嚴之容，對兩人合掌一禮。

方兆南一拉陳玄霜衣袖，在兩個虛設的席位之上坐下。

大方禪師舉起面前酒杯，沉聲說道：「老衲這幾日中派遣門下弟子四出，探訪那冥嶽所在，今午得到回報，已找到兩處可疑所在，雖然傷了四個弟子性命，但總算找出一點眉目。」

群豪個個精神大振，凝神靜聽。

因為這般人中，大都是久在江湖之上行走，天下名山勝水，縱然沒有到過，也必聽人說過，但對冥嶽這個所在，卻是從未聽聞過。

大方禪師目光環掃了群豪一眼，莊嚴地接道：「現在距端午雖還有四十餘日，但史兄的『七星遁形』陣，已然練習純熟，各位大都是一方雄主，家中事務想必極忙。老衲之意，想提前趕往冥嶽履約，一則早日了斷這場是非，分個勝敗出來，諸位也好早日返家，二則提前履約，給敵人一個措手不及。」

袖手樵隱突然站起身來，說道：「不知貴派門下弟子，尋得兩處可疑的地方，距此有多少路程？」

大方禪師輕輕嘆息一聲，道：「如非那白衣少女留下的一幅絹圖，只怕找上一年半載，也難找得出那冥嶽所在之處。說來各位也許甚感意外，那冥嶽就在距此不遠的一處幽谷之中，所以，老衲想此宴過後，連夜趕去。」

突見一個矮胖老人站了起來說道：「老夫已在此處忍了旬日之久，如果你們再不能早日找到冥嶽，恕我不再等候了。兩年之後，我當率領西域高手，先找上嵩山少林寺去，如若能夠勝得你們少林一派武功，再大會你們中原群豪，如果老夫不能勝得，擔保百年之內，西域人物，

不入中原一步。」

群豪轉頭望去，見那說話之人，正是施展無影神拳的矮胖老人，群豪知他性情甚壞，一言不合，立時就要出手。

雖然覺得他口氣狂妄一些，也無人和他計較。

大方禪師一舉手，飲乾杯中之酒說道：「老衲如果今宵不能尋得冥嶽，施主儘管請便，兩年之約，少林寺自會掃榻以待。」

群豪紛紛舉起面前酒杯，一飲而盡。

方兆南目光轉動，四下張望，群豪濟濟，但卻不見了瘋癲未癒的知機子言陵甫，忍不住問道：「那知機子言陵甫哪裡去了？」

大方禪師道：「言陵甫瘋癲之症，不是短期之內，可以療治復原，留他在此無用，已被老衲派人，連夜送回少林寺去了。」

他微微一頓之後，接道：「諸位請飽餐一頓，老衲想在初更時分，趕往冥嶽絕命谷去。」

群豪紛紛舉起碗筷，狼吞虎嚥地吃了起來。

這頓飯吃得鴉雀無聲，用畢之後，天還未到初更。

大方禪師思慮周密，早已命人準備好水壺，乾糧等物，每人一份，足夠三日之用。

方兆南取了兩份，低聲對陳玄霜道：「師妹，還有什麼應用之物未帶，快去取來，咱們就要走了。」

陳玄霜搖頭笑道：「我早就準備好啦！」

大方禪師緩緩起身，也取一份乾糧帶在身上，說道：「老衲怕那冥嶽之中，食用之物有

毒，特命備了乾糧三天，人各一份。」

他輕嘆一聲，道：「三日時間大概已夠分出勝敗存亡了，老衲要先走一步替各位帶路。」

群豪紛紛起身，隨在大方禪師身後而行。

方兆南、陳玄霜和葛煒、葛煌走在一起，十八個身披黃色袈裟，手執禪杖的和尚，和十八個身著紅衣袈裟，背插戒刀的和尚走在最後。

翻越過兩座山嶺之後，帶路的大方禪師突然加快了腳步，相隨群豪，也各施展輕功提縱身法，奔躍飛行於起伏不平的山坡之間。

這一行人，人數雖多，但因都是武林一流高手，是以走得速度雖快，卻聽不到一點聲息。

但覺山勢愈走愈是險惡，一徑如線，盤旋於絕峰峭壁之間，山風勁吹，耳際間松濤如嘯，奔行的步履之聲，不時驚動草叢中的蟲蛇，急竄而出，掠衣疾過。

又走了一頓飯工夫之久，到了一處形勢險惡的谷口。

大方禪師停下了腳步，群豪紛紛圍了上去。

此時夜闌更深，一彎新月，也被雲層遮去，觸目荒涼，拂衣山風，吹得群豪衣袂飄飄。

大方禪師緩緩從懷中摸出那方白絹圖案，月光下仔細瞧了一陣，隨手把那圖案扯得粉碎，投入荒草之中，說道：「就是這座山谷了……」當先舉步而入。

群豪魚貫相隨身後，向谷中走去。

忽然四個身佩兵刃的和尚，由後面疾奔上來，搶在大方禪師身前兩側相護。

這條山谷，異常荒涼，深入了二十丈後，立時覺得陰風慘慘。

這時，群豪的心情，異常複雜，但卻沒有一個人說話，沉默之中，潛在著無比的緊張。

轉過了幾個山彎，形勢突然大變，高峰聳霄，掩去了一彎新月微光，谷中驟然黑暗下來。由那幽谷的深處，吹出來強勁寒風，拂動著兩側的山草，一片沙沙之聲。

忽聽蕭遙子輕輕啊了一聲，舉手指著前面一道黑沉沉的峰嶺，說道：「那是什麼？」

群豪凝目看去，只見前面黑沉沉峰壁上，隱隱現出四個藍色的大字：「死亡之谷」！夜色中，光焰閃閃。

此情此景，這四個藍焰閃閃的大字，更增加了這幽谷的恐怖氣氛。

大方禪師合掌當胸，低喧了一聲佛號，道：「大概不會錯了！」突加快腳步，向前奔去。

群豪緊相追隨，踏著那滿谷荒草，疾如雷奔電閃一般。

一陣急奔之後，到了一處山嶺之下，一道橫立的小壁攔住了去路，谷路至此，完全斷絕。

抬頭看去，那「死亡之谷」四個大字，仍然藍焰閃閃，只是高掛在絕壁百丈之上，不知用何物製成。

大方禪師仰臉長長吁了一口氣，沉思不言。

蕭遙子突然低聲說道：「現在天色是什麼時候？」

站在旁側的袖手樵隱，抬頭望了望天色，說道：「現在已是三更時分。」

蕭遙子道：「這『死亡之谷』四個字，分明由人工製成，懸在山壁間松樹之上，如我想的不錯，此處八成就是我們要找的冥獄了！」

大方禪師接道：「不知何以道路斷絕，已無入山之路。」

蕭遙子道：「此時夜色深濃，敵暗我明，縱是尋得入山之路，也不宜就此深入，不如在此休息半宵，待次日天亮之後，再找路入谷不遲。」

大方禪師略一沉思，道：「蕭兄說得不錯，咱們就在此等上半宵吧！」

首先盤膝而坐，運氣調息。

群豪紛紛原地坐下，各自閉目養息。

方兆南和陳玄霜並肩而坐，閉目調息了一陣後，陳玄霜突然附在方兆南耳邊，悄然說道：「南哥哥，我心裡有一件事，不告訴你，我一直感覺不安。」

方兆南奇道：「什麼事？」

陳玄霜低聲笑道：「你丟的『血池圖』，是我拿來了！」

方兆南心頭突然一震，道：「什麼？」

陳玄霜委婉一笑，附在他耳邊說道：「你不要急，不是我偷你的，我是從別人手中偷來的啦！」

方兆南道：「什麼人？」

陳玄霜道：「你那位張師伯啊！」

兩人談話聲音雖低，但在場之人，都是江湖中一流高手，耳目何等靈敏，不少人已紛紛轉頭向兩人望去。

陳玄霜道：「不說啦！別人都在看我們了！」

方兆南也覺得此事甚大，如若此刻洩露出來，勢非引起一場無謂的風波不可，微一點頭，不再追問。

幽寂的山谷中，雖然坐著不下五、六十人，但連一點呼吸之聲，也難聽到。

那身著黃衣袈裟，手執禪杖的和尚，自行分散開來，守在群豪四周。

在群豪心思之中，都有即將展開一場生死存亡的慘烈搏鬥的心理準備，這半宵時光，在群豪感覺上，異常的重要。

是以，各自凝神運氣，調息精神，雖在這等荒涼的絕壑之中，但群豪並不覺得如何悠長。

只有大方禪師表面上也在閉目運氣養息，但事實上，他卻在用心思索梅絳雪給他那幅白絹上繪製的圖案。

他雖已把那白絹繪製的冥嶽形勢圖撕去，但已把圖上每處細微的小節，深記心中，凝神一陣，果然被他想出了一點眉目。

睜眼望去，看到群豪正各自閉目養息，心中暗忖道：「場中之人，雖然不能說號稱齊集天下武林高手，但這般人中，已包羅南北武林道上有名人物。那冥嶽嶽主縱然是個三頭六臂的人物，只怕也難抵得住這多高人聯手之力了。」

一念及此，心中大感欣慰，緩緩閉上雙目，運氣行功，他功力深厚，片刻工夫，已覺得精神大振。

睜眼看去，天色已微露曙光，東方天際，一片銀白，群豪大都行功一周醒來，個個精神飽滿，容光煥發。

大方禪師站起身來，抬頭打量眼前山勢形態，果見那叢林荒草之中，隱顯出一道植種得十分整齊的蒼松，似是經過人工移植而成。

只是那蒼松的高矮和雜生在山坡的林木相差無幾，如非事先得梅絳雪圖案相示，任何聰明

之人，也難看得出來。

群豪相繼站起身子，但個個臉色之上一片嚴肅，聽不到一點聲息。

蕭遙子緩步走到大方禪師身側，低聲道：「大師可曾悟出那圖案中相示的入山道路嗎？」

大方禪師微微一笑，道：「那一條直通山上的蒼松大概就是了！」

蕭遙子凝目望了一陣道：「不錯，那綿連而上的蒼松，確似人工移植而成。」

大方禪師回頭環掃了群豪一眼，高聲說道：「老衲要走前一步，替諸位帶路了。」

說完，大步向前走去。

群豪之中，除了蕭遙子、大方禪師之外，全都不知入山之路，只好相隨大方禪師身後，魚貫而行。

這一段路程，荒涼無比，滿地盡都是及膝以上的野草和丈餘以上的雜樹，連一道羊腸小徑，也看不到。

大方禪師暗中留神查看，一面數著松樹，一面慢步而行，果然又被發覺了一件隱密。

原來每株松樹，相隔的距離，都有著一定的長短，雖然小有差異，但尺度不大。

翻越過一座山嶺，形勢又是一變，只見兩側千尋峭壁，挾持著一道三尺寬窄的山谷。

那峭壁之上，生滿了綠苔，滑難留手，除了由那山道中穿行而過之外，任是一等輕功，也難以施展越渡。

大方禪師暗暗忖道：「如若在這絕谷兩側，暗暗埋伏下人，待人走過一半之時，再突然下手施襲，陷入這等絕地之中，縱然身有極強武功，也是不易閃避。」

心念一轉，回頭對群豪說道：「各位請在此等候片刻，俟老衲先行渡過後，再來迎接諸位……」大步向前走去。

哪知事情大出人意料之外，大方禪師緩步通過那險惡絕倫的山谷時，竟然是平平安安的，毫無驚險。群豪各自提氣戒備，魚貫通過那狹窄的幽谷。

這道險要的狹谷，有百丈以上的長短，如若有人在兩側山峰上，推下岩石，或者施用火攻，群豪雖都是身具絕佳武功之人，也勢非被傷大半不可。

出了峽谷，形勢又是一變，只見幾個面貌猙獰，巨石雕刻而成的鬼形，橫阻去路。正中一個高大的石鬼，手舉著一塊石牌，上面寫道：「招魂之牌，請君早來！」八個血紅大字。

那正中巨形石鬼身後，有一個一丈多高石台，台上端坐著一個全身黑衣的怪人，手中執著一面長旛，隨風飄舞著。只見那旛上也寫了幾個大字：「來時有路，去時無門！」

雖是朗朗乾坤，但此等形勢，也給人一種陰森恐怖，如入鬼域的感覺。

陳玄霜抬頭望了望四周猙獰的鬼形，不覺一蹙秀眉，道：「南哥哥，這地方委實好生難看。」說完垂下頭去，不敢多瞧一眼。

方兆南道：「此地稱爲冥獄，自然是鬼氣森森了，妳害怕麼？」

陳玄霜微一點頭，偎在他的身側。

大方禪師當先由那鬼形之間通過，目光卻凝注在那高居石台，身穿黑衣，手執白色長旛的石像之上。

他低聲對蕭遙子道：「蕭兄，你看舉旛之人，可也是石頭雕刻的鬼形麼？」

蕭遙子抬頭看了一眼，搖搖頭道：「看來有些不像。」

忽聽九星追魂侯振方大喝一聲，右手一招，一枚金環應手而出，直向那執旛的黑衣鬼形人打去，去勢奇快，疾如奔電，挾著勁急的嘯風之聲。

那端坐在石台上，手執著長旛的黑衣人，忽然長嘯一聲，掄動手中長旛，劃起一片勁風，把那枚疾飛而去的金環，捲入旛中，不聞聲息。

侯振方暗暗吃了一驚，正待再行出手，大方禪師已高聲說道：「在下少林寺大方，接得貴嶽嶽主斷梭傳訊，會合南北各省英雄，前來赴約，敬請代為通告一聲。」

那黑衣執旛之人，冷冷地答道：「眼下還不屆端午之期，難道你們都活膩了，提前趕來送死不成？」

大方禪師滿臉莊嚴地說道：「端午之期，乃貴嶽嶽主所訂，老衲等事先既未答允，大可不必遵守。」

那黑衣人揮動手中長旛，帶起一陣狂風，冷冷答道：「未得本嶽教主傳諭相示之前，不論何人，均不能擅入一步，你們還是暫退回去，多活上幾天，待限期到時，再來送死不遲。」

大方禪師正待答話，一掌震三湘伍宗漢已忍不住，大聲喝道：「大師何苦和此等之人多費唇舌，咱們既然赴約而來，難道還怕傷人不成。」

他說著大步衝了出來，舉手一掌，遙遙劈去。

廿一　羅漢大陣

伍宗漢所發淩厲的勁風，應手而出，直向石台上的黑衣人撞擊過去。

他在接口說話之時，早已暗中運氣，這一記劈空掌風，用盡了全身功力，勁道極是威猛，掌風遠達尋丈，力道仍是不減。

石台上黑衣人忽然怪笑一聲，手中長旛橫掃而出，登時狂飆掠空，挾著無比的威勢，猛擊過來。

他手中的長旛足足一丈三尺長短，舉手掃擊過來，剛好可及伍宗漢停身之處。

伍宗漢打出的劈空掌力，吃那黑衣人長旛上帶起的勁力一擋，化解於無形之間，長旛挾著勁風，已然近身。

伍宗漢吃了一驚，迅疾地向後退了三步，避開一擊。

這黑衣人驚人的臂力，不但使得伍宗漢大駭而退，就是大方禪師和蕭遙子他們也為之吃了一驚。

大方禪師探手從隨行弟子手中取過了一支禪杖，暗中運集全身功力，滿臉莊嚴地緩步走出，低聲對伍宗漢道：「伍兄，請讓老衲接他一招試試。」

石台上黑衣人仍然是原坐的姿勢不變，除了兩隻手臂活動以外，下半身從未動過，一丈三

尺的長旛在他手中運用起來，揮舞自如，輕若無物。

大方禪師向前走了四、五步，停下了身子，橫舉禪杖冷冷說道：「老衲想領教一下，施主的……」

那黑衣人不待大方禪師把話說完，大喝一聲，舉旛掃擊過來，勁風若嘯，聲勢異常的駭人。

大方禪師雙手握杖，橫掄而出，硬接一擊。

但聞驚天動地的一聲大震，石台上黑衣人端坐的身子忽然一陣顫動，而大方禪師肩也搖了兩搖。

但聞大方禪師高喧了一聲佛號：「阿彌陀佛！」一招「力掃五嶽」，鐵禪杖疾向黑衣人手中長旛擊去。

耳際間金鐵大鳴，歷久不絕，剎那間鐵仗、長旛已硬拚五招。

這五招招招如排山倒海般，群豪雖都是久走江湖之人，見過無數驚心動魄的陣仗，但這等打法，也是初次相見，都看得目瞪口呆。

那白絹做成的長旛，早已被兩人幾招硬拚之下，震得片片碎裂，隨風飄去，黑衣人手中的長旛，已成一支鐵杵。

德高望重的大方禪師，接連著幾招硬接之後，似乎已經動了怒火，略一停息，舉手又是一杖擊去。

石台上黑衣人舉旛又硬接下一擊後，忽然張嘴噴出一口鮮血。

大方禪師慈眉微聳，凝目望去，只見那黑衣人身軀微向後仰，靠在身後石壁間，顯然這幾

招硬拚硬打之下，已使他筋疲力盡。

大方禪師不禁暗自一嘆，緩步向石台走去。

忽見那黑衣人一睜雙目，滿臉泛出痛苦之情，怪叫一聲，舉起鐵杵，當頭劈下。

大方禪師似是未料到，他還有再戰之力，而且陡然間發難出手，看來勢又急又快，不覺心中大怒。

他心中暗道：「此人臂力如此強猛，留著終是禍害。」

心念轉動之際，鐵禪杖橫頂舉起，接過黑衣人下擊的一杵之後，反臂一杖，猛然擊了過去。

這一杖用盡他全身功力，威勢非同小可，只見那黑衣人，連連張口噴出鮮血，手中鐵杵也應手飛出。

大方禪師瞧了兩眼，暗自奇道：「此人分明已被我內家反震之力震死，何以屍體不會跌下石台？」

待他仔細看去，只見那黑衣人上半身雖然由石台上倒垂而下，但下半身卻仍然保持端坐的姿態不變。

此等情勢，看得人大惑不解，大方禪師還想縱身躍上石台，去看個究竟，蕭遙子已搶先行動，縱身一躍，凌空而起，飛落在石台之上。

仔細瞧去，不禁心頭一震。

原來黑衣人的雙腿被一條黑索捆在石台之上，兩面髀骨處，被鐵鍊洞穿，反扣在石台上面，是以，他雖有千斤神力，但卻難以移動身軀。

他緩緩舉手撩起黑衣人長衫，讓台下群豪盡見其情，然後一個倒翻，飛下石台。

大方禪師輕輕嘆息一聲，道：「看來這冥嶽嶽主，八成就是那昔年施用『七巧梭』的妖婦了，普天之下除了她之外，只怕再也找不出這等心狠手辣之人了。」

抬頭望去，只見前面聳立著各式各樣的鬼形，大都是巨石雕刻而成。

陳玄霜望了那被鎖在石台上的黑衣人一眼，忽然嘆息一聲，說道：「這人不知被鎖在這石台上好久時間了，唉！他每日和這些石雕的鬼形為伍，難道心中一點都不害怕麼？」

方兆南道：「他害怕也沒法子啊！」

陳玄霜忽然想到，自己曾經說過，要把方兆南鎖在一處人跡罕至的幽谷之事，不禁莞爾一笑問道：「南哥哥，要是你被人鎖到這裡，你心裡怕是不怕？」

方兆南搖頭笑道：「真要有這一天，怕也沒有用了！」

陳玄霜突然深情款款地說道：「不論你到什麼地方，我都要和你守在一起，我們兩個人在一起，你自然就不用怕啦！」

這時方兆南抬眼望去，只見群豪都已大步向前走去，於是輕輕一拉陳玄霜的衣袖，說道：「趕路！」

大方禪師在四個少林和尚前後護擁之下，走在最前，每走上兩、三丈遠，就有一個石頭雕刻成的鬼形。

這些奇形怪狀的石人，臉上都塗著各種色彩，拿著奇奇怪怪的兵刃，遠遠望去，栩栩如生，使人有不辨真假之感。

雖然是光天化日，但太陽光芒，在這裡也似乎減弱了不少。

眼下群豪，雖然是久走江湖之人，但也沒人遇到過這樣怪異之處，除了那手執長旛的黑衣人外，深入了四里之遙，竟然未再見著一個活人。

除了沙沙的步履之聲外，聽不到一點其他的聲音，即使一聲咳嗽，也聽不到。

大方禪師逐漸加快了腳步，片刻之間，又深入了三四里路。

一陣山風吹來，花氣撲面，濃郁幽香，醉人如酒。

蕭遙子忽然停下腳步，大聲說道：「這是什麼花香，老夫怎地從未聞過？」

經他這麼一說，群豪全部感覺到這花香之味十分怪異，香味之強，生平之中，從未聞過。

舉目看去，只見前面有一座茂密的松林，攔住了去路，濃烈的花氣，就從那松林中傳了出來。

大方禪師目光轉動，仔細打量了那松林一陣，但見軀幹筆挺，枝葉隨風擺動，這片松林雖然密茂，但卻毫無怪異之處。

他仍不放心地回頭問道：「蕭兄請看這片松林，可有什麼埋伏麼？」

蕭遙子道：「林中縱然暗設強弩毒器，外面很難看出。」

大方禪師接道：「老衲之意，是指這片松林，是否布有八卦、九宮等奇門陣式？」

蕭遙子道：「單依外面看來，這林中之樹，大都是數百年以上之物，而且林形天然，似非人工移植而成，那妖婦不過利用這片天然松林，周圍加以人工布置罷了。」

他久在深山大澤之中行走，對於森林形勢，一望即知其年代多久。

大方禪師一揮手中禪杖，道：「這松林既非奇門陣式，咱們進去瞧瞧吧！」

群豪一齊舉步，緊隨大方禪師身後而行。

這片松林看去茂密，但並不深長，不大工夫，已出松林。

放眼看去，滿地紅花，濃香都從那花上放射出來，人近花海，香味更烈。

奇怪的是，這片花海，一色艷紅，不見一朵雜色，顯然是由人工植成。

這片紅花，占地足足五十畝大小，依著兩側的山勢形態，形成一道狹長花道，紅花中間，有一條白石鋪成，僅可容一人通行的小徑。

陰風森森的鬼域，到此突然一變爲艷紅奪目的綺麗景色。

陳玄霜一路行來，盡見些巨石刻的鬼形，此刻驟然見此一片花海，不禁四下張望起來，低聲問方兆南道：「南哥哥，這是什麼花，我怎麼從來未見過？」

方兆南搖搖頭，道：「這花瓣式樣，形狀甚怪，我也沒有見過。」

大方禪師突然縱身一躍，飛躍在那白石頭小徑上，大步向前走去。

群豪魚貫而行，沿小徑穿行在紅花叢中。

一路行去，毫無阻擋，轉過了幾個山彎，紅花突然中斷，眼前是一片廣大的空地，綠草如茵，松竹搖風，又是一番悅目景色。

遙見一座孤峰，矗立在綠草地中，茫茫白霧，沿山四起，形成一片煙雲，把那座孤立之峰，籠罩在煙雲之下。

大方禪師雖有甚好的目力，也難辨那峰上景物。

蕭遙子舉手指著那孤立山峰，道：「那座罩滿白霧之峰，大概就是冥嶽了吧？」

大方禪師仰首思索了一陣：「不錯，晴空萬里，艷陽照射下，仍是煙霧繚繞，陰氣沉沉，僅從這外形看來，就不致有錯了。」

蕭遙子仰臉長嘯一聲，道：「咱門先到那峰下瞧瞧再說。」

說完當先放開腳步，向前奔去。

群豪跟著一齊施展輕身飛行功夫，疾如星飛丸走般，緊隨著蕭遙子身後，奔向那坐煙霧繚繞的孤峰。

片刻工夫，已奔行了三、四里路，到了那孤峰之下。

舉目瞧去，只見蔽山白霧騰騰，濃如雲氣，群豪雖然只相距那孤峰三、四丈遠，但仍然看不出峰上景物。

大方禪師輕輕一皺眉頭，道：「哪來的這層雲氣，籠罩全山。」

袖手樵隱史謀遁突然插口接道：「大師可覺出此地天氣有什麼不對麼？」

他一提群豪立時警覺，只感到接近孤峰之後，天氣突然熱了許多。

只聽一聲冷笑，道：「老夫生平之中，從不信邪，我就不信中原的武林道上，有會妖法之人。」

群豪轉頭望去，只見那說話之人，正是那身懷「無影神拳」絕技的矮胖老人，正放步向前走去。

袖手樵隱冷冷說道：「西域大漠，冰天雪地，自是甚少見過火山……」

那矮胖老人突然回過頭來，道：「什麼？」

大方禪師怕兩人言語不合，引起衝突，趕忙接口說道：「東南半壁山河，常傳火山爆發之事，不知兄台是否聽人說過？」

蕭遙子接口說道：「史兄一提，老朽茅塞頓開，這等群山絕峰之中，何來這一塊肥沃之地，想此地千百年前，定然是一座火山，爆發之後，留下那座孤峰，火漿氾濫，山倒壑平，留下這塊平地，那座孤峰，只怕仍然是座火山，才會泛起煙霧……」

忽聽大方禪師沉聲說道：「那是什麼？」

群豪定神看去，只見那濃重的白霧之中，緩緩伸出一面巨大的橫牌，上面寫著幾個血紅的大字，道：「繞山煙霧之中，含有毒瘴，非經相邀，且莫登山嘗試！」

那矮胖老人看了那探出的橫牌一眼，緩緩向後退了兩步。

他正待向大方禪師詢問，那張橫牌之後，慢步轉出來三個人。

三人一字排開後，舉步走了過來。

但見一片奪目艷光，看得在場群豪，無不心頭一動。

原來並肩而來的三人，乃是三位絕世美人。

正中一人，年齡較長，頭挽宮髻，背插寶劍，懷中抱著一柄形如鹿角，赤紅如火的怪形之物，藍衣藍裙，美麗的粉靨上一片漠然。

右面之人，一身紅衣，長髮披垂肩後，手執拂塵，身上也揹著一柄寶劍。

左面一個，一身白衣如雪，長髮披肩，懷中抱著一對玉尺。

大方禪師目光銳利，一望之下，已然認出那白衣少女，正是在明月嶂上，自傷左肩的梅絳

雪。

此刻，她那嬌麗無倫的臉上，冷若冰霜，見不到一點笑容。

三人並肩而來，衣袂隨風飄動，走近群豪六尺左右之時，一齊停下腳步。

那塊巨大的橫牌，並未隨同三女而行，由兩個全身黑衣的大漢抬著，停在山腳峰壁之下。

只見那正中的藍衣少女，微微一欠嬌軀，櫻唇啓動，一縷清音，婉轉而出，脆如銀鈴一般，說道：「你們可是來赴那招魂宴的人麼？」

她聲音雖然嬌脆好聽，但詞意之間，卻是冷漠異常。

大方禪師合掌低喧了一聲佛號，道：「不錯，在下等都是履約赴宴而來。」

藍衣少女仰臉望著無際的蒼穹，說道：「家師傳梭遞簡，邀請諸位赴宴絕命谷中，好像是端午之日，此刻距相約日，還有一月之久，諸位不覺來得太早些麼？」

大方禪師滿臉肅穆地答道：「不知令師和什麼人訂下端午之約？」

藍衣少女道：「家師傳梭作簡附函之中，曾經提過此事，老禪師就記不得嗎？」

大方禪師冷笑一聲，道：「令師自說自話，片面定下端午之約，老衲等難道就一定要遵守不成？」

藍衣少女忽然微微一笑，道：「這麼說將起來，諸位是定要提前赴宴了？」

大方禪師道：「既然來了此地，難道就這樣退走不成？」

藍衣少女略一沉忖，道：「好吧！諸位既然這樣堅決，那就請隨我來吧！」緩緩轉過嬌軀，率先向前走去。

大方禪師在四個紅衣弟子護擁下，當先而行，群豪魚貫相隨。

片刻工夫，已到了那煙霧環繞的山峰之下。

這時那藍衣少女忽然一轉身，向左面走去。

大方禪師微微一皺眉頭，只好隨在身後而行，心中暗暗忖道：「我始終和妳們保持著不近不遠的距離，縱然有什麼暗算詭謀，也讓妳們施展不及。」

忽聞衣袂飄風之聲，袖手樵隱史謀遁和蕭遙子並肩追了上來，超越大方禪師，緊隨三女身後，相距不過五、六尺遠。

那藍衣少女回頭望了兩人一眼笑道：「兩位如果不放心，咱們走在一起好麼？」

這兩句話，言詞異常犀利，蕭遙子和袖手樵隱史謀遁相互瞧了一眼，微微一笑，大步追了上去。

原來兩人老謀深算，兩目交投之下，已然交換了心意，都覺得此時此地，不是爭名鬥氣的時間，她既然出言諷刺，那就乾脆來個將計就計，和她們走在一起。

藍衣少女舉止大膽無比，眾目睽睽之下，竟然敢和蕭遙子並肩而行，而且言笑風生，毫無拘束之感。

淡淡的幽香，從她身上散發出來，如蘭如麝，醉人似酒。

但見她美目流盼，先打量了袖手樵隱一陣，又回頭望著蕭遙子，嬌聲笑道：「你那隻眼睛，可是從小就瞎了麼？」

蕭遙子獨目中神光閃了兩閃，道：「老朽年紀老了，瞎了一隻眼，也不放在心上。」

那藍衣少女嫣然一笑，道：「天有陰晴，月有圓缺，世上也沒有十全十美之人，你雖然瞎了一隻眼睛，但武功定然不弱。」

蕭遙子冷冷答道：「姑娘這幾句頌讚之詞，不覺說得太唐突麼？」

藍衣少女笑道：「我說話素來有根有據，決不憑空臆測。」

蕭遙子道：「願聞其詳。」

藍衣少女側目凝睇，嬌聲說道：「我如說出來，只怕你聽了心中不快！」

她故意把兩句話聲音提得很高，使身後群豪全都聽到。

蕭遙子暗暗罵道：「好個刁惡的丫頭！」口中卻不得不故示大方地笑道：「老朽年近古稀，心若止水，不論什麼難聽之言，也能聽得入耳，姑娘但請放心吧！」

藍衣少女道：「一個身有缺憾之人，大都是心有自卑自賤之感，正如你剛才所說，心若止水，不易爲聲色犬馬所惑，那正合了練武之人的要訣，神意容易集中。

「你瞎了一隻眼睛，心中自然有著極深厚的自卑自賤之感，對那最難勘破的色情之關，定是敬而遠之之人，學起武來，一心一意，旁無雜念，武功的進境，自是要比常人來得迅速，如果我臆斷不錯，你恐怕還是孤身一人！」

此等之言，在她年輕少女口中說出，竟然是面不改色。

蕭遙子縱聲大笑，道：「姑娘高論，老朽甚是佩服，可是老朽是個不解風情之人，有負雅意了。」

那藍衣少女微笑答道：「如你解得風情，也不會這樣孤孤單單了。」

兩人的對答之言愈來愈高，身後群豪大都聽到，白髮紅顏，這般相互諷譏，聽得群豪個個心中暗笑。

那藍衣少女和蕭遙子相互諷刺了幾句之後，突然又轉臉望著袖手樵隱史謀遁，問道：「你貴姓啊？」

袖手樵隱冷冷答道：「老夫素來不願和人鬥口說笑。」

藍衣少女笑道：「無怪你一臉冷若冰霜神情，一眼看去，就知是位呆頭傻腦之人，和你這一身裝著，真是表裡如一，比起你那獨眼同伴，可算無獨有偶了。」

袖手樵隱怒道：「老夫是何等人物，豈肯和妳一個女娃兒說笑！」

藍衣少女嬌笑道：「我生來就愛說笑，你不愛聽，我就偏要說給你聽！」

袖手樵隱冷笑一聲，道：「需知老夫手下素不知憐香惜玉，妳如想試試老夫手段，那就不妨胡說八道幾句！」

那一直未開口的紅衣少女，此刻突然插口笑道：「大師姐，和這種泥塑木雕的人談笑，妳也不覺得乏味麼？咱們身後現有三師妹的情郎，大師姐想尋開心，何不叫他來呢？」

那白衣少女秀眉微蹙，冷冷接道：「二師姐又要和小妹過不去了。」

藍衣少女突然一斂笑容，冷冷說道：「誰要妳們接口啦，當真就不把我這大師姐放在眼中了？」

紅衣少女急道：「小妹不敢。」

白衣少女卻默然垂頭，不發一言。

藍衣少女眼珠兒轉了一轉，登時又恢復了一臉柳媚花臉的笑容，側臉望著袖手樵隱，道：「你不知惜玉憐香，定然也是個絕子絕孫的老光棍了？」

袖手樵隱臉色大變，右手一揚，疾拂過去，口中怒喝道：「乳臭未乾的黃毛丫頭，也敢取笑老夫？」

拂出掌勢勁風如剪，疾如電奔。

藍衣少女嬌軀微側，羅袖疾擺，迎向袖手樵隱的右腕擊去，口中仍然嬌笑道：「果然是莽撞之人。」

袖手樵隱心頭微凜，暗道：「此女年不過二十上下，竟然能把內家真力貫注羅袖之上擊出，冥嶽中人，果是不可輕視。」

心念之間，右腕已疾沉收回，左手食中二指一併，點向藍衣少女「曲池穴」。

藍衣少女嬌聲說道：「啊喲！當真是郎心似鐵，出手無情。」

說話之間，人卻猛然向後退了一步，讓開袖手樵隱一擊，羅袖一揮，當頭擊去。

袖手樵隱聽那拂來羅袖，暗勁激蕩起輕微的嘯風之聲，和一股淡淡幽香，心知這一擊，蓄藏了極強的陰柔之力，左臂橫舉一架。

藍衣少女拂來羅袖擊中袖手樵隱之後，立時覺得一股暗勁，反彈而出，心頭微微一動，暗道：「這老樵子好強的內勁。」

當下運加幾分真力，羅袖搭在他臂上不動。

袖手樵隱雖把一擊接下，但感覺到左臂一麻，幾乎承受不住，心中亦暗生驚服。

兩人暗中相較內力，但表面上看來，卻是別有一番撩人風情。

那藍衣少女羅袖搭在史謀遁左小臂不動，甚像扶住他手臂借力而行，又故意走得春風俏步，柳腰擺動，風情萬種。

但隨行在身後的武林群豪，大都能看得出來，兩人看似香艷並肩而行，實則正各運內家功力相拚。

那藍衣少女搭在袖手樵隱身上的羅袖，早已貫注內力，筆直地放在臂上。

兩人這樣行出了七、八丈遠，藍衣少女突然收回搭在袖手樵隱臂上的羅袖，嬌聲笑道：「你這樣大年紀了，怎麼還沒有死啊？」

袖手樵隱經這一陣耗拚內力，已知強敵不可輕視，左臂上筋骨痲木，微感痠疼，如若那藍衣少女再不收回羅袖，百步之內，自己決難再這樣耗拚下去。

他一面暗中運氣，活動氣血，一面冷冷答道：「老樵子無兒無女，死了也沒人替我掃墓，急個什麼勁呢？」

說話之間，已到一處山壁的轉角之處。

藍衣少女突然停下身子，回頭望著大方禪師說道：「老和尚，絕命谷已經到啦！」

大方禪師滿臉莊肅地走了過來，說道：「請姑娘帶路入谷。」

他氣度威嚴，不苟言笑，那藍衣少女竟然不敢取笑於他，嬌軀一側，當先向一道僅可容兩人並肩而行的狹谷之中走去。

蕭遙子橫身攔住那紅衣少女，緊隨藍衣少女身後而行。

紅衣少女在蕭遙子身後，袖手樵隱卻搶在紅衣少女身後而行，白衣少女緊隨袖手樵隱身後，大方禪師帶群豪魚貫而入。

走完狹谷，景色忽然一變。

但見橫寬十丈，縱長無際的山谷中，植滿了花樹，樹上開滿了各色花朵，但那花朵的形狀，卻是從未見過，正和那白衣少女繪製的一般模樣。

絢爛奪目的花海中，有一道四尺寬窄的黃沙小徑，藍衣少女回頭笑道：「黃沙路短，諸位最好是走慢一點。」

蕭遙子大聲笑道：「葬身花海，死亦無憾。」

藍衣少女微微一笑道：「獨眼鬼，你可認識這片花樹名稱麼？」

蕭遙子冷笑道：「死谷野花，哪還會有什麼高雅的名字？」

藍衣少女道：「我料你也不認識，這花名叫『銷魂蘭』，凡睹此花之人，非死不可，而且死得黯然銷魂，淒涼無比。」

蕭遙子呵呵大笑道：「姑娘這麼一說，倒教老朽想起一句話來，有道是寧願花下死，做鬼也風流！像老朽這等行將就木之年，能死在這五色繽紛的花樹叢中，不知是幾世修來之福，只是姑娘這等雙十年華，貌美絕倫的人，死在這花樹陣中，未免有些可惜了！」

藍衣少女嬌聲笑道：「你年近古稀，才似初解風情，幸得花樹無知，不辨老醜，不致拒絕你一番殉花美意了。」

此女言詞尖酸刻薄，罵起人來，真是入骨三分。

蕭遙子本想反唇相譏，但轉念忖道：「我是何等身分之人，再和她鬥口下去，被她罵出更難入耳之言，那可是大不划算之事。」

走完那黃沙徑，到一處草坪之上，綠茵如毯，大約有四、五畝地大小，四周群花環繞，景色極美。

藍衣少女突然停了下來，高聲說道：「諸位請委屈一下，坐在草地上養養精神，等待召魂宴開之時，我們再來相陪。」

她說完話，一揮玉手，對兩個師妹說道：「咱們走啦！」舉步欲去。

大方禪師沉聲喝道：「姑娘請慢走一步，老衲有事請教。」

藍衣少女秀目轉動，瞟了大方禪師一眼，笑道：「什麼話？儘管說吧！」

大方禪師滿臉莊肅之色，說道：「老衲雖是應邀赴約而來，但事先並未答允令師端午限期，眼下之人，都是武林中薄有小譽之人，個個事務繁忙，勢難久等，煩請早行稟報令師，要她快些出來相見，既是誠心邀約我們，那就早些分個生死存亡出來。」

藍衣少女望望天色笑道：「此時已然快到午時，家師待客盛宴，至遲不會超過子夜，諸位遠道跋涉，也該休息一下，免得死難瞑目。」

忽聽一個粗厲冷漠的聲音，說道：「什麼盛宴不盛宴的，老夫又不是爲了饞嘴跑妳們這裡賞花飲酒來的，快去告訴妳那師父，要她立刻出來相見，煩得我心頭火起，一把火燒光妳這片花樹。」

藍衣少女凝目望去，只見一個又矮又胖的老人，大步由群豪中走了出來，不禁一皺眉頭，道：「你是什麼人，說話這等放肆？」

矮胖老人縱聲大笑，道：「老夫甚少東來，縱然說出我的名號，諒你這個黃毛丫頭，也難知道。」

藍衣少女臉色突然一變，那經常泛現嘴角上的笑容，也隨之隱失不見，冷冷答道：「既然甚少東來，想必是西域中的人物了？」

那矮胖老人聽得微微一怔，暗道：「這丫頭聰明，竟然猜出我來自西域。」

略一沉思，矮胖老人答道：「不錯，老夫正是由西域而來，天山神拳白作義便是老夫！」

藍衣少女冷笑道：「你萬里迢迢由西域趕來送死，當真是在劫難逃，作法自斃。」

白作義怒道：「妳胡說八道些什麼？再要出口傷人，可別怪老夫動手教訓妳了！」

藍衣少女神色冷漠，淡然說道：「邊荒之區，還會有什麼驚人技藝不成？」

白作義大聲喝道：「一個小毛丫頭，也敢藐視老夫，不給妳一點教訓，那還得了？」右手一揚，遙遙擊去。

藍衣少女看他舉手作勢遙遙擊來，心中已知對方定然要打出劈空掌風，趕忙提氣戒備。

哪知對方拳勢遙遙一擊，立時收回，絲毫不見動靜，心中大感奇怪，暗道：「這糟老頭兒，莫不是虛張聲勢，自找下台之階吧！……」

心念至此，忽覺一股暗勁，無聲無息地撞了上來，而且力道奇大，只感心頭一震，不自主地退後三步，如非早已運氣戒備，這一擊勢必當場重傷不可。

要知「無影神拳」，乃天山門中絕技，中原武林道上，無人會此武功，藍衣少女雖然身負絕技，但也不知白作義何能在一揮手間，無聲無息地發出暗勁。

白作義打出一記無影神拳之後，笑道：「這不過是薄施小懲，再要口出不遜之言，可別怪老夫出手傷人了！」

藍衣少女容色蒼白，默然不言，凝神靜站了片刻，突然一晃雙肩，疾如電奔，直搶過來，右手一揮，手中那形如鹿角，赤紅似血的怪兵刃，猛向白作義點去。

原來她被白作義一記無影神拳震傷了內腑，運氣調息，無法接口，但她功力深厚，調息一陣，立時復元，出其不意地欺身而上。

白作義左袖一拂，疾向那形如鹿角的兵刃上面掃去。

藍衣少女兵刃出手極快，但收回之勢更快，不待白作義腕袖拂中，突然自行撤回，玉腕翻轉之間，舞出一片紅光。

白作義只覺眼睛一花，四面八方，都是那耀目的紅光攻到，心頭微凜，疾向後面退去，卻不料藍衣少女左手一指點來。

這一指來得出其不意，詭異至極，白作義一時避讓不及，只好揮手硬接一擊，但覺被她指力點中之處一陣劇疼，趕忙收回手臂。

藍衣少女一指得手，縱身躍退出一丈多遠，笑道：「這叫『千夫一指』，還你點顏色瞧瞧，如果心中不服，待會兒咱們兩人再好好地打一架試試。」

群豪目睹那藍衣少女詭異手法，個個心頭一動，暗道：「此女武功路數，變化難測，實是不可輕敵。」

白作義仔細一瞧傷手之上，青了制錢大小一塊，這一指如被點在要害穴道之上，勢非重傷當場不可，暗自嘆道：「中原武林人物，當真是高手如雲，不可輕視。」

大方禪師一揮左掌，四個身披紅色袈裟的和尚，迅快地移動身軀，手橫戒刀，攔住那藍衣少女的去路。

藍衣少女柳眉一掃，冷笑道：「你們可是想找死麼？」

四個和尚只管挺胸舉刀，攔住去路，對藍衣少女喝問之言恍如未聞。

大方禪師高喧一聲佛號，接道：「姑娘暫請止步，老衲話還未完，眼下高手如雲，姑娘等三人自信能闖得過麼？」

藍衣少女秀眉轉動，掃掠了群豪一眼，心中暗暗想道：「老和尚此話說得倒是不錯，但憑

我們三人想闖過他們攔截，只怕不是容易之事，我們布置尚未就緒，師父一時也難趕來相援，真要動起手來，只怕要吃大虧。」

她剛才擋受白作義無影神拳一擊，已知眼下之人，個個都是有著獨善絕技，輕敵之念，已然消去甚多。

當下，她故作鎮靜地笑道：「怎麼？難道還要我們姐妹留在這裡陪你們玩嗎？」

大方禪師乃一派宗師之尊，爲人十分莊嚴，此女這樣放蕩之言，把他問得頓了一頓，一時間難想出適當的措辭回答。

沉吟半晌，大方禪師才肅然答道：「老衲乃佛門中人，生平不喜言笑。」

藍衣少女微一沉吟，道：「看來你好像是這次赴會冥嶽來的首腦人物了？」

大方禪師道：「承蒙他們抬舉老衲，暫由老衲出面和令師洽商諸般細節。」

藍衣少女道：「不到盛宴大開之時，家師只怕不會現身。」

大方禪師道：「令師也未免太愛故弄玄虛了，天下英雄受她邀約，大都趕來此地，她還不肯出面相見？」

藍衣少女冷冷說道：「你們不按函上指定約期而來，怪得哪個。」

大方禪師道：「凡來履約之人，都已事先備了乾糧，用不到令師再盡地主之誼了。」

藍衣少女暗暗想道：「看來這老和尚是想把我們留此以作人質，此刻師父布署尚未就緒，如和他們衝突起來，不但援手難以及時趕來，還將牽動全局，衡量輕重，只有暫時拖延。」

心念電轉，當下嬌聲笑道：「家師坐息未醒，勢難立刻出見。」

大方禪師接道：「那只有委屈幾位暫時留在這裡，待令師現身之後，再走不遲。」

藍衣少女回頭望望那紅衣和白衣少女，笑道：「這麼說來，你要留我們姐妹作人質了？」

袖手樵隱冷笑一聲，插口接道：「何至留作人質，拖延時刻，不出面相見，先殺妳們三人，然後一把火燒光妳們這臭花臭樹。」

藍衣少女道：「你好大的口氣，你自信能夠燒得了麼？哼！」

大方禪師接道：「這個很難說了，江湖之上，雖有規戒，但令師做事，太嫌過分，群情憤動，難免越規，屆時老衲亦無勸阻之能。」

藍衣少女心中暗暗急道：「師父尚不知敵勢如何，待我回稟，如若這老和尚持強留住，不讓我離開，那倒是一件麻煩之事。」

原來大方禪師擔心那冥嶽嶽主，在這花樹林暗設埋伏，故而堅留三女，不放她們離開。

藍衣少女沉忖了一陣，笑道：「你們既然要見家師，我就去請她來此。」

大方禪師略一沉思道：「妳們三位之中，難道定要妳去不成？」

藍衣少女笑道：「隨便你們指定誰去吧！」

心中卻暗暗忖道：「他們不肯放我，原來把我看成三人中首要人物了。」

大方禪師目光緩緩由那紅衣少女掠過，投注梅絳雪身上，正想開口，指定梅絳雪去，忽然心中一動，暗道：「我如指定她去，萬一引起她師父懷疑，豈不弄巧成拙，陷害了她？」

心念一轉，伸手指指紅衣少女道：「那就請這位紅衣姑娘去吧！」

藍衣少女瞧了那紅衣少女一眼，笑道：「二師妹，老和尚看上妳了。」

紅衣少女聽得藍衣少女喝叫之言，才緩緩站起身子，笑道：「可是要我去請師父麼？」

大方禪師冷笑一聲，道：「子夜之前，如果令師還不現身，那就別怪我們下手毒辣了……」他目光一掠那藍衣少女和梅絳雪，接道：「這兩位姑娘就別想生離此地。」

九星追魂侯振方緊接了一句，道：「還有這一片花樹，也將盡化火灰。」

紅衣少女舉手理理鬢前散髮，嬌聲笑道：「可別吹得太大，我們如沒有布置，也不會請各位來啦！」

說罷，輕擺柳腰，款步向前走去。

大方禪師一揮手，幾個攔路的和尚立時撤向一側，讓開一條去路。

紅衣少女神態從容地由幾個和尚之間走過，突然停下腳步，回頭笑道：「這花樹陣外有一種日夜瀰漫的毒瘴，無色無味，諸位最好守在此地，別亂走動，如果擅闖這花樹陣中一步，中了毒可是咎由自取。」

也不待大方禪師等回答，縱身一躍，人已到兩丈開外。

但見那嬌小玲瓏的背影，在花叢中閃了幾閃，隱逸不見。

大方禪師舉起右手在空中劃了一個圓圈，三十六個隨來弟子，突然迅快地交叉移動，片刻間，布成一座陣式。

蕭遙子微微一笑，問道：「這陣式可是貴派揚名天下的羅漢陣麼？」

大方禪師笑道：「不錯，這羅漢陣，敝寺向不輕用，共分大陣、小陣兩種，大陣需要一百零八個弟子布成，小陣三十六人，可惜貴派中弟子，尚未趕來，要不然老衲也可睹貴派名揚天下的五行劍陣了。」

蕭遙子道：「大師儘管放心，我在入山之時，沿途早已留下敝派暗記，由明月嶂起，直到

此地……」

袖手樵隱史謀遁插口接道：「咱們是提前赴約，只怕貴派中人不知此事，難以趕上。」

那藍衣少女忽然嬌笑一聲，接道：「最好他們能及時趕來，在子夜之前，進入這絕命谷中，也免得我們多費一次手腳。」

蕭遙子不理那藍衣少女，敞聲大笑一陣，接道：「咱們決定提前履約那天，老朽已派了守在明月嶂外的門下弟子，趕往武當山去，要他們兼程趕來，計算時日，大概這兩天就可趕來，今日不來，明天定可尋來此處。」

大方禪師仰臉望望天色，道：「老衲甚望貴派掌門人神鐘道長，能親率門下弟子趕來，貴我兩派昔年一點誤會，也可借此會面之機化解。」

蕭遙子道：「大師放心，老朽掌門師侄，對你我兩派昔年一點嫌怨，早不放在心上了，少林、武當，淵源甚深，昔年一點誤會，又從老朽身上所起，我早已對神鐘師侄解說清楚了。」

大方禪師微微一笑，道：「現下相距子夜時間尚早，咱們倒真該藉這段時間養息一下精神了。」說著當先盤膝而坐，閉目養息。

群豪紛紛坐下，重重把那藍衣少女和梅絳雪，圍在中間。

梅絳雪目光環掃了圍在身外的群豪一眼，也隨著坐下嬌軀，把抱在懷中的一對玉尺，放在身前。

她自從進入花樹叢中之後，從未講一句話，一直寒著臉，似乎天地之間，萬事萬物，都不足博她一笑。

廿二　招魂之宴

冥嶽三女中，雖然個個風姿撩人，容色端麗，但三女相較，屬梅絳雪最美。不同的是，那藍衣少女和紅衣少女，不時巧盼倩笑，風韻萬千，梅絳雪卻永是一副冷冰冰的樣子，像冰雪鑄成的一位絕世美人。

藍衣少女伸手摘下一朵紅花，笑道：「三師妹快起來。」

梅絳雪緩緩仰起臉來，問道：「什麼事？」

藍衣少女笑道：「看那兩人並肩而坐，情話喁喁，似是談得十分快樂一般。」

只聽她淡淡說道：「有什麼好瞧的，別瞧啦！大師姐還是坐下來調息一下吧，這場大戰，如若打了起來，定是激烈絕倫。」

藍衣少女微微一笑道：「師妹不必擔心，師父早已成竹在胸，咱們難道真還要和他們一槍一刀地相搏不成？」

兩人談話聲音雖不太大，但群豪都靜坐調息，花樹林中鴉雀無聲，二女對答之言，群豪都聽得清清楚楚。

大方禪師微微一啓雙目，瞧了二女一眼，又緩緩閉上。

藍衣少女看師妹不肯站起，也緩緩坐了下去，說道：「等那招魂宴開之時，這般人都將身

應劫難，妳那位情郎哥哥，也是難免一死，難道妳真的袖手不管麼？」

梅絳雪突然回頭望了師姐一眼，說道：「天下男人，目不暇給，伏仰皆是，他死了有什麼要緊。」

藍衣少女嬌聲笑道：「無怪師父常常誇讚妳，說妳七情六欲，最是淡漠，看來日後繼承師父衣缽的，非妳莫屬了。」

梅絳雪道：「長幼有序，大師姐武功、智計、毒辣，都超過小妹甚多，我怎麼敢動此妄念呢？」

藍衣少女臉色突然變得莊肅起來，說道：「如若師父選了師妹呢？」

梅絳雪道：「別說師父不會選我，當真是選了我，我也要奉讓師姐。」

藍衣少女默然不言，仰臉望著天上一片浮動的白雲，良久之後，才微微一笑說道：「但願師妹心口如一，師姐定當有以相報。」

這幾句話說得聲音甚低，除了坐得較近的幾人之外，大都沒有聽到。

山風吹播著幽幽花香，高高低低，肥瘦不同的大漢，環圍著兩個絕世容色的少女而坐，山花繽紛中，構成了一幅悅目的畫面。

忽然間，遙遙傳來了一聲龍吟般的長嘯，劃破了靜寂。

蕭遙子霍然站起身來，說道：「來了。」

大方禪師道：「可是神鐘道人麼？」

蕭遙子道：「不錯，那嘯聲雖然非他所發，但他定會親率敝派中精銳而來。」

大方禪師站起身來，說道：「老衲該率領本門弟子去迎接神鐘道兄一程。」

蕭遙子道：「大師不必多禮了，他們就要到了。」

談話之間，遙見叢花之中，疾奔來幾條人彰，疾如流矢而來。

群豪紛紛站起身來，轉頭望去，但見那奔來人影，穿行花樹之中，片刻之間，已到了群豪停身之後。

當先一人，胸垂花白長髯，身著青布道袍，臥蠶眉，丹鳳眼，方面大耳，像貌威武，正是武當派掌門神鐘道人。

大方禪師急急向前奔行幾步，合掌當胸，笑道：「不知道兄駕到，老衲未能率門下遠迎，失敬失敬！」

神鐘道人立掌當胸，笑道：「不敢，不敢，貧道因督促門下弟子熟練五行劍陣，未能早日趕來，有勞大師和諸位久等了。」

他微一頓後，接道：「貧道雖然晚來了一步，但卻邀請了崑崙、青城兩派中四位高手同來，也可抵償貧道遲來之罪了。」

大方禪師凝目望去，只見神鐘道人身後，一排站著四人，全著道袍，背插長劍，年齡都在五旬之上，個個精神充沛，眼中神光逼人，一望之下，即知是內家高手。

神鐘道人，側身向後退了一步，指著左面兩人笑道：「這兩位是青城派中松風、松月兩位道兄。」

神鐘道人說完，轉身又望著右面的兩個道人，說道：「這兩位乃是崑崙派的天行、天象兩位道兄。」

大方禪師還未來得及開口，天行道長已搶先說道：「敝門掌門應天山一位道友相邀，尋藥未歸，我們兄弟接得神鐘道人函示之後，當天就束裝就道，趕來應約。」

大方禪師暗暗忖道：「眼下處境，十分凶險，倒不宜多作客套。」

這時神鐘道人舉手向後一招，遠遠站在丈餘外的七個佩劍道人，急急奔了上來，齊齊躬身作禮。

大方禪師看七人年齡，都在三旬以上，四旬以下，每人身上都交叉揹著兩支長劍。

神鐘道人一指七人笑道：「這七人都是本門中精選出武功最好的弟子，精熟本門『五行劍陣』對敵之法，五名正選，兩名備補，大師如有需用他們之處，只管指派。」

大方禪師道：「道兄籌謀周詳，老衲感激不盡。」

神鐘道人微微一笑，道：「彼此敵愾同仇，哪還有你我之分。」

說完，他轉身對著蕭遙子恭恭敬敬地行了一禮，道：「弟子無能，雖當大任，還要勞動師叔大駕相助，弟子甚感不安。」

蕭遙子道：「這次武林大變，可算數百年來，最大一次劫難，如能躲過此危，我倒真該息隱山林，終老天年，此生之中，不再出入江湖了。」

神鐘道人道：「武當後山，有幾處風景絕佳所在，師叔不妨選擇一處，結茅靜修，一則可指點弟子們的武功，二則也好使弟子們略盡一點孝心。」

蕭遙子笑道：「這件事，以後再說吧，眼下籌謀對付強敵之策要緊。」

神鐘道人目光投注那靜坐在花叢中藍衣少女和梅絳雪身上，低聲對大方禪師問道：「大師，那兩位姑娘是什麼人？」

大方禪師道：「這兩位姑娘都是冥嶽嶽主的親傳弟子。」

神鐘道人笑道：「大師尙未會得冥嶽嶽主之面麼？」

大方禪師笑道：「沒有，其人故作神秘，要到天色入夜之後，才肯出面相見。」

神鐘道人微一忖思，笑道：「眼下二女雖被咱們重重包圍著，但強敵一旦現身之後，咱們即將背腹受敵，貧道之意，不如先把兩人生擒押作人質，不知大師意下如何？」

大方禪師沉吟良久，答不出話。

袖手樵隱突然插口說道：「老朽甚爲贊成神鐘道兄的高見，這兩個女娃兒武功不弱，先擒兩人，也可減去強敵幾分實力。」

九星追魂侯振方道：「彼此既成敵對之態，哪裡還有道義可講，兄弟之意，也覺得先把二女擒作人質爲宜。」

群豪隨聲附和，盡都主張先擒二女，既可免除內應之憂，亦可減少強敵實力。

二女相距群豪甚近，對那紛紛議論之言，早已聽得清清楚楚。

藍衣少女忽然睜開雙目，低聲對梅絳雪道：「眼下情勢，決難久持，看來他們非要對咱們兩人下手不可了，師父不知是否已經出關……」

話還未完，遙聞幾聲悠長的鐘聲，飄傳而來。

藍衣少女突然精神一振，道：「那不是師父出關的驚神鐘聲麼？」

梅絳雪抬頭望望天色，道：「不錯，但咱們還得等上幾個時辰，天色才能入夜。」

藍衣少女笑道：「二師妹見到師父之後，定然會把咱們被困留作人質之事，告訴師父，她老人家縱然不能親來，亦必會派遣援手趕來相助咱們。」

梅絳雪道：「眼前之敵，個個都是武林中第一流高手，如若師父不能親來，派人趕來相助，也是無濟於事。」

藍衣少女俏目流轉，打量四周道：「師妹準備對敵啦，看來他們非要出手不可了。」

原來大方禪師在群豪紛紛議論之下，不便堅持，只好點頭說道：「既是諸位都主張出手先擒二女，老衲也不便再堅持己見。」

要知群豪大都眼看梅絳雪在明月嶂上和無影神拳動手情形，又目睹那藍衣少女和袖手樵隱相較內功情形，心中沒有致勝把握，不願隨便出手，故而一時間竟無人挺身出戰。

崑崙派天行、天象兩人，目睹群豪爭論陳言，大有非得先擒二女不可之情，哪知大方禪師答允之後，竟然無人出手，心中甚感奇怪，相互望了一眼，緩步而出。

天行道長左掌立胸，微笑說道：「敝師兄弟願先行出手，領教一下冥嶽中人的武功。」

大方禪師看兩人太陽穴高高突起，行動之間，步履穩健，心知兩人劍術，造詣甚深，而且崑崙、武當、青城三派，在武林中，素有劍法各擅勝絕之稱。

他當下笑道：「兩位道兄長途跋涉而來，片刻未息，怎能就要出手，還是由老衲選派門下弟子出手吧！」

天行道長笑說道：「貧道等萬里迢迢趕來，寸功未立，這第一陣的功勞，還請讓於貧道兄弟吧！」

大方禪師低喧了一聲佛號說道：「冥嶽武功，博雜詭異，中原各大門派，均難與之抗衡，兩位道兄不可輕敵。」

他心地厚道，不惜自貶少林武功，替兩個道人預留台階。

天行道長右腕一抬，拔出背上長劍，說道：「多謝大師指點。」大步直向二女走去。

天象見師兄已然拔劍而上，也縱身一躍，疾追上去，右腕一翻，長劍出鞘，追上師兄，並肩而立。

那藍衣少女對天行、天象兩位道長略一打量，又緩緩閉上雙目，神態之間，冷靜沉著，恍如未見。

天行道人目光一掠那藍衣少女懷抱奇形兵刃，心中微微一怔，暗道：「這是什麼兵刃，形狀怪異，且不管它，但看去光華燦爛，非鐵非鋼，不知何物造成？」

目光轉動，又投注那白衣少女懷中玉尺之上，心頭又是一動，暗自奇道：「怎麼這兩個少女所用的兵刃，都是些玉石珊瑚之類的東西？」

心中疑念重重，口中卻立掌說道：「崑崙派天行、天象，領教兩位姑娘武功。」

那藍衣少女微睜雙目，緩緩站起嬌軀，對那白衣少女說道：「師妹，快起來呀！」

那白衣少女雖依言站起了身子，但仍然是一臉冷冰冰的神情，說道：「大姐有何吩咐？」

藍衣少女道：「崑崙派的劍法在武林中素有高譽，妳先過去和他們打幾招，給我瞧瞧。」

梅絳雪不言不語，緩步對兩個道人走了過來，手中玉尺一分，說道：「你們一齊上吧！」

天行道長臉色一變，怒道：「姑娘好大的口氣，貧道一人先領教幾招再說。」一擺手中長劍，正待出手。

天象道人已仗劍急步奔出，說道：「師兄，請替小弟掠陣。」

長劍劃出一道銀虹，攔住了天行道人。

梅絳雪冷冷地瞧了天象一眼，道：「哪個出手都是一樣，不過最好兩人一齊上。」

天象冷哼一聲，長劍一招「天女散花」，灑出一片劍花，把梅絳雪攻向天行道長的玉尺，接了過來。

他怒道：「姑娘且莫口氣過大，如能勝得貧道，再和我師兄動手不遲。」說話之間，劍勢已變，綿連出手，一口氣攻出六劍。

方兆南看得低聲讚道：「崑崙派的劍法，果不虛傳，當真是靜如山嶽，動如流水行雲，如是我未得陳老前輩傳授武功之前，單是這出手幾劍，我就要傷敗在劍下了。」

陳玄霜和他聯袂而立，聽得他稱讚天象道人的崑崙劍法，忽然展顏一笑，道：「最好讓那老道士把她殺了。」

方兆南先是微微一怔，繼而若有所悟，輕輕地咳了一聲，默然不言。

但見梅絳雪手中玉尺揮動，一片叮叮咚咚之聲，寸步未退地把天象道人灑出的一片劍花，盡數封架開去。

天象道人突然斷喝一聲，不待梅絳雪還攻之勢出手，手中長劍又迅快地搶了先機，左揮右舞，瞬息之間，又連續攻出了四劍。

這四招迅快辛辣，兼具並有，凌厲異常，但梅絳雪卻始終不慌不忙地揮動手中玉尺，封架開去。

天行道人年紀較長，經常在江湖上走動，閱歷甚豐，一見那白衣少女神情，心知逢上勁敵，趕忙重重地咳了一聲，低聲說：「師弟不可急躁。」

天象道人亦覺出梅絳雪隨手揮動的玉尺，看似輕描淡寫，實則每一招均已含蘊了甚強的陰柔之力，每一尺劍相觸，自己長劍必被彈震開去。

這時一聽師兄警告之言，立時收斂了驕敵之氣，長劍忽然一慢，臉色也變得肅穆起來，由搶制先機的猛攻快打，突然化作守勢，施出崑崙派「天璇四十八劍」正宗心法。

梅絳雪始終站在守勢方面，揮動手中一對玉尺，護住身子，隨著天象道人的劍招，忽快忽慢，兩入交手了三十多招，竟未見她還擊一次。

大方禪師微微一皺眉頭，暗自忖道：「此女早已有了棄暗投明之心，此際眼下真正的敵人，只有藍衣少女一入，如若讓天象道人和她這樣耗時，看來再打上三、兩百招，也難分出勝敗，既然出手挑戰，那就不如速戰速決的好……」

大方禪師忖念之間，正待就少林僧侶中指派高手出戰，忽聽天象道人長嘯一聲，劍法突然大變。

原來他和梅絳雪力拚了數十招後，仍然不見勝負，不禁心中大感焦急，暗道：「崑崙派被目下武林同道譽稱爲三大劍派之一，我這等和一個女流動手了幾十個照面，仍然無法取勝，豈不有傷師門威名。」

一念動心，豪氣忽生，長嘯聲中，劍法突然大變，刹那間，電掣輪轉，滿天劍光，登時把梅絳雪捲入劍光之中。

在場群豪，雖然都知道崑崙派劍法不在武當、青城之下，但真正見過崑崙派劍法的人，卻是不多。

天行道長眼看天象突然間，施展出「天璇四十八劍」中最利害的「伏魔三劍」，心中大吃一驚，正想勸阻，已是晚了一步。

天象第一招「天網羅魔」，已自出手，人隨劍起，劍上一片光幕，直罩下來。

梅絳雪突然冷哼一聲，手中玉尺忽地向上一舉，護住頭頂，揮動之間，碧光大盛，竟然又硬接天象一招「天網羅魔」。

但聞一陣金石相觸聲中，響起了梅絳雪嬌脆聲音，道：「崑崙劍術，不過爾爾，還有什麼絕厲殺手，快些施展出來，時限無多，我要出手反擊了。」

天象道人吃她拿話一激，心頭怒火更是熾烈，大喝一聲，第二招「金杵擊魔」，連續出手，手腕一挫，滿天劍影登時合而爲一，疾向梅絳雪攻了過去。

這一擊乃是天象道人全身功力所聚，威勢銳不可擋，長劍帶起了絲絲劍風。

原來他見梅絳雪常常硬接他擊來的劍招，心想這一招猛攻，梅絳雪亦必然硬行接下。

哪知事情大出他意料之外，梅絳雪嬌軀突然一側，向後面滑退了五步，竟然不肯硬接他這一招「金杵擊魔」。

天象道人一擊落空，突然凌空而起，原式不變，如影隨形一般，緊隨著梅絳雪向後滑退之勢，追了上去。

這正是崑崙派「天璇四十八劍」的精奧之處，如對方不能破解這攻來的凌厲劍勢，這一劍即將以虛變實，全力攻向敵人。

如若對方封架得宜，攻去劍勢亦可以實變虛，變勢制敵。

梅絳雪眼看對方攻來劍勢，猛銳異常，連人帶劍地撞了過來，心中暗暗忖道：「我如不傷此人，勢將引起師姐的疑心，但如傷了此人，只怕會和群豪結下誤會。」

一時之間，竟然不知如何對付。

忖思之間，梅絳雪只好揮動手中玉尺，斜斜推出一招「如封似閉」。

天象冷笑一聲道：「撒手！」說著手中長劍疾向上面一抬，劍尖撥開三尺，指向梅絳雪右腕脈門。

梅絳雪吃了一驚，再想搶救，已是遲了一步，只好一鬆右手，丟開玉尺。

天象道人一劍得手，劍勢連綿出手，倏忽之間，攻出了五劍。

這五劍快速絕倫，迫得梅絳雪一陣手忙腳亂。

那藍衣少女目睹梅絳雪敗退之景，心中似是甚感奇怪，一揮手中形如鹿角的怪兵刃，說道：「師妹如是打不過人，那就快請閃開……」

話還未完，梅絳雪已然開始反擊，左手玉尺左揮右打，一輪急攻，把天象凶猛的攻勢擋住，嬌軀突然一側，猛向天象道人劍影之中衝去。

動作迅快，疾逾電轉，但見兩條人影乍合即分，雙雙向後躍開。

梅絳雪一伏身，撿起地上玉尺，分抱雙手，向後退了兩步，靜站不動。

天象道人卻一直站在原地，動也沒有動過一下。

蕭遙子首先看出情形不對，低聲對大方禪師道：「只怕那天象道兄受了內傷。」

餘音甫落，忽見天象道人身子向後一仰，向地上栽去。

天行道長忽地縱身而起，躍奔上前，動作迅快無比，伸手一扶，把天象道人向地上倒栽的身子，托了起來，躍退八尺，

凝目望去，只見天象道人圓睜著雙目，面色蒼白，一語不發。

天行道人一皺眉頭，低聲問道：「師弟受了內傷麼，快用本門心法，強行運氣調息。」

他一連講了幾遍，天象道人恍如未聞，連眼也未眨動過一下。

天行道長感覺事態嚴重起來，舉手在天象前胸推了一掌，正容說道：「師弟，快用本門心法強行運氣調息，你沒有聽到麼？」

他推出一掌，看似隨手而出，輕描淡寫，其實早已暗中運集了真力，推在天象道人的「期門穴」上。

但見天象道長圓睜的雙目，突然眨動了一下。

蕭遙子緩步走了過來，說道：「令師弟受傷甚重麼？」

天行道長輕輕嘆息一聲，黯然說道：「只怕不行了！」

蕭遙子心頭微微一震，暗道：「她用什麼武功，怎地如此厲害？」

口中卻故作鎮靜地說道：「令師弟功力深厚，縱然受一點傷，也不致有何大礙，老朽略通醫道，可否給老朽瞧瞧？」

天行道人暗暗想道：「師弟敗在那女娃兒一事，群豪大都是親目所睹，事到此處，遮掩無用。」

當下把天象放在地上，站起身子說道：「老前輩既通醫道，尚望大施妙手，挽救他一次劫難。」他臉上滿是悲忿之情，但說話聲音卻十分平和，翻腕抽出長劍，大步向前走。

大方禪師眼看崑崙門下之人，二傷其一，不願再讓天行道長出手。

但對方武功高強，如無人自願出手應敵，自己也不便遣請哪個，只好自行舉步而出，說道：「道兄請照顧令師弟傷勢，老衲想接那女施主幾招試試。」

天行道長回頭說道：「大師乃統主全局之人，豈可輕易出手，還是貧道試她一陣吧！」

大方禪師搖頭道：「道兄等遠來跋涉，功力未復，還是先請休息一下，再出手不遲。」

天行道長道：「不必啦，貧道要替我師弟討回這筆血債。」

原來他已看出天象道長傷勢奇重，縱然能夠保得性命，只怕也要落得終生殘廢。

他們師兄弟從小就在一起長大，彼此情意十分篤厚，眼看師弟受此重傷，心中十分悲痛，但他爲人穩重，心中雖已悲忿萬狀，但表面上仍然保持著鎮靜。

忽聽一個嬌脆的聲音，起自群豪之中，道：「你們別爭啦！」

但見一個嬌小的身影，海燕凌波一般疾掠而來。

大方禪師定神看去，見那躍出之人，竟然是陳玄霜。

原來她見那白衣少女傷了天象道人，心中忽然一動，暗道：「這丫頭長得十分美麗，又和南哥哥十分要好，倒不如借機把她殺了，也好斷去南哥哥心中一點思慕之念。」

她既無江湖閱歷，愛恨之念，又極強烈，心中想到之事，甚少顧慮，陡然縱身飛躍而出。

天行道長回目瞧了陳玄霜一眼，正待出言相阻。

這時陳玄霜已拔出長劍，搶到天行道長前面，一語不發，舉手一劍「起鳳騰蛟」，疾向梅絳雪前胸「玄機」要穴刺去。

天行道長見她搶了先著，倒不好和她相爭，冷哼一聲，退了回來，側目一看大方禪師問道：「這位女英雄是哪一門派中人，怎地不懂一點規矩？」

大方禪師道：「道兄何苦計此小節，就讓她先打一陣吧！」

他心中根本不知陳玄霜身世來歷，只好含含糊糊支吾過去。

梅絳雪左手玉尺隨手揮出，輕輕把陳玄霜刺出的一劍架開。

陳玄霜借著那蕩開的劍勢，突然打了一個轉身，手中的寶劍也劃出一個圓圈，隨著轉動的

身子，又向梅絳雪掃擊過去，而且劍勢轉了一圈之後，似是突然加強了勁力，去勢勁猛異常。

這式怪異劍招，舉世少見，只有博得劍聖之名的蕭遙子看出這平淡無奇之舉，實是一種極上乘的劍術。

陳玄霜乃借敵人之勁，以強本身之力，再加身子一轉之勢，力道又強了不少。

梅絳雪口中咦了一聲，右手玉尺斜斜推出，又把陳玄霜劍勢推開。

但聞一聲金石相觸大震，陳玄霜突然又向左面轉了過來，這次不但劍上威力又增強許多，而且那旋轉之勢，也快了甚多。

這簡簡單單的一招劍式，看去並無特異之處，但全場高人，一時間竟然都想不出破解之策，只覺除了硬封架之外，只有閃讓一途。

梅絳雪也想不出破解的辦法，只好揮動手中玉尺，又硬封了一架。

倏忽之間，陳玄霜已連續揮劍旋擊四劍，而且一劍比一劍強猛。

梅絳雪封開第四劍時，人已似擋受不住，嬌軀被劍勢震得向後退了一步，只覺對方每次旋擊過來的劍勢，都似增強了甚多勁道。

這當兒，忽然飄傳來一聲銳嘯。

其聲尖厲刺耳，難聽至極，陳玄霜不自禁地收住了劍勢，轉頭望去。

場中群豪似都被這驚心動魄的銳嘯之聲所動，個個轉臉四顧。

在嘯聲餘音將絕之際，緊接著響起了一陣悲慘無比的樂聲。

也不知這樂曲用什麼樂器組合奏出，那彈奏出來的聲音，實叫人聽來如聞喪鐘，好像有幾十個男女老幼不同的人，在受著鞭笞，發出哀號慘叫的呼聲。

但聽這聲音，又似有些規律，譜成淒涼、悲慘的樂章。

蕭遙子忽然仰臉一聲長嘯，嘯作龍吟，直沖霄漢，裊裊散入雲層之中。

大方禪師回頭望了蕭遙子一眼，道：「聽這樂聲這等淒涼，大概是那冥嶽嶽主出來了吧？」

蕭遙子道：「我已用樂聲遙相呼應，如果是冥嶽嶽主，想必就有回音。」

那樂聲響了一陣，突然停了下來。

樂聲甫落，接著又響起三聲驚鐘。

那藍衣少女突微微一笑，高聲道：「諸位請稍候片刻，驚魂之鐘已響，家師就要來了……」她微微一頓後，又道：「三師妹快退回來！」

梅絳雪果然依言走了回去。

陳玄霜聽得那藍衣少女呼叫之言，才想起和梅絳雪還未分出勝負，一揮手中寶劍衝了上去，說道：「咱們還未分出勝負，妳爲什麼要退回去？」

梅絳雪神情冷漠，仰首望天，恍似未聞。

陳玄霜正待衝上前去，忽聽大方禪師叫道：「請女施主暫退，稍候片刻再出手不遲。」

陳玄霜依言退了回來，緩緩走到方兆南身旁，笑說道：「南哥哥，你可會用剛才那招式麼？」

方兆南道：「不會！」

陳玄霜笑道：「你縱然學會了，也難以發揮威力，要不然我就可以把這招教給你了……」

方兆南正待答話，忽聽那刺耳的怪鳴樂聲，重又響了起來。

轉頭望去，只見正東方花叢之中，緩緩走出了一群奇裝異眼的怪人。

當先兩人身材十分高大，身著白衣，腰繫麻帶，每人手中高舉著一支哭喪棒，走起路來，搖搖擺擺，好像身體過於龐大，有些力不勝任似的。

兩個高大的白衣人後，是一群奇裝的鬼形人物，手中舉著奇形樂器，或吹或打慢步而來。

陳玄霜看得一皺眉頭，道：「南哥哥，這些人一個比一個難看，形狀如鬼魅一般，不知是故意裝扮成的呢，還是天生的如此？」

方兆南道：「青天白日之中，哪裡來這些奇形怪狀的鬼魅，自然是人裝的了。」

陳玄霜原來心中害怕，待聽方兆南說那些鬼形都是人裝扮的，膽子登時壯大了不少。

但見那群鬼裝扮之怪人，愈來愈近，形狀清晰可見。

兩個高大的牛頭馬面之後，八個長髮披散，身著白綾的赤足女人，抬著一頂翠色小轎，緊隨在群鬼之後趕來。

那八個抬轎的白衣少女，倒是一個個眉清目秀，長得十分嬌艷。

翠轎四周都垂著綠色的絨幔，山風中不停地飄飛，隱隱可見轎中露出一雙繡花鞋。

刺耳難聽的樂聲，突然停了下來，一群鬼裝怪人，迅快散開，八個散髮赤足的白衣少女，抬著翠色小轎，超越群鬼而出。

袖手樵隱冷哼一聲，說到：「擺出這非人非鬼的態勢，不知是何用心，難道就憑仗這些奇形怪狀的鬼形，還能把人嚇跑不成？」

但見那八個抬轎長髮的女人，緩緩走近群豪七、八尺處，放下手中翠色小轎，向後退了幾

步，並肩站在那翠轎之後，和那鬼形怪人，相距有兩丈多遠。

大方禪師高喧了一聲佛號，道：「轎中可是冥嶽嶽主麼？老衲等都是應邀而來的赴約之人，嶽主大可不必故弄玄虛，擺出這樣一副陰風森森的架式……」

他一連喝問了數聲，始終不聞人回答。

不但那翠轎之中無人答腔，連那八個披髮赤足的白衣少女，和一群鬼形怪人，也似未聽到一般，一個個呆立不動，有如泥塑石刻一般，連身軀也未曾轉動一下。

大方禪師雖有著甚好的涵養，但此時此地，此情此景，也難以忍受，舉手一揮，十八個身披黃色袈裟的和尚，立時奔了過來，手中禪杖，緩步向那翠色小轎逼去。

八個身披白綾，散髮赤足的少女忽然一齊探手入懷，抖開了腰中扣把，八柄寒光耀目的緬刀，一齊出鞘。

蕭遙子微微一皺眉頭，低聲對大方禪師說道：「幾個女人手中緬刀鋒利無比，最好別和她們手中兵刃相觸。」

大方禪師高聲說道：「嶽主既然傳梭作柬，相召我等，何以又不肯出面相見？再要裝神扮鬼，故弄玄虛，可別怪老衲等不講武林規矩……」

話還未完，忽聽那翠轎中傳出一陣銀鈴般的笑聲，道：「想不到諸位提前赴約而來，一時措手不及，有勞諸位久候了。」聲音柔媚，動聽至極。

餘音甫落，翠幔緩起，一個全身披著玄紗的婦人，緩步走了出來。

花叢中靜站的群豪，百道以上目光，登時一齊向那婦人投注過去。

只見她面如淡金，濃眉闊嘴，面貌難看至極，但身材纖小，手白如玉，不看面貌，但瞧她那玲瓏的身軀卻又十分動人。

大方禪師回頭望了蕭遙子一眼，低聲問道：「蕭兄可識得此人麼？」

蕭遙子道：「昔年和她動手之時，她臉上蒙著一層黑紗，遮去了廬山真面目，我雖難識她面貌形狀，但在我身受劍傷時，曾經挑破她蒙面黑紗，就記憶決非這等樣子……」

忽聽袖手樵隱史謀遁冷哼一聲，說道：「妳就是戴上人皮面具，也逃不過老夫神目。」

那身披玄紗的婦人忽然舉手在臉上一抹，笑道：「不錯，我是戴著人皮面具，等你們見著我的真面目時，只怕距死已經不遠了。」

群豪定神看去，只見她淡金的臉色，經手一抹之後，忽然變成了鮮紅之色。

大方禪師心中暗暗忖道：「難道她臉上套了很多層人皮面具不成，怎麼舉手一抹之下，臉色竟然由淡金變成鮮紅之色了？」

只聽那紅臉婦人嬌聲笑道：「諸位遠來是客，縱然是來送死，我也該先一盡地主之誼，然後再動手不遲。」

說完話，舉手在空中劃了一個圓周，那刺耳難聽的樂聲，重又響起。

隨著那難聽急促的樂聲，花叢中急步奔出一行臉上五顏六色，衣服奇形怪狀的人，每人手中，不是舉著兩把椅子，就是舉著一個桌面。

片刻之間，已在那花叢中擺了幾十桌席面，緊接著又是川流不息的送菜之人，大約一盞茶工夫，各桌上都已擺滿菜肴。

那身披玄紗的紅臉婦人，一拱手笑道：「各位先請喝一杯招魂酒吧，黃泉路遙，免得餓肚子趕路。」

大方禪師環顧身後群豪一眼，心中暗暗忖道：「這多人藏在花叢之中，看不出來也還罷了，怎地這些桌椅酒菜之物，竟也瞧它不出……」。

放眼望去，但見叢花爛漫，那面塗彩色，身著奇服的送酒上菜的怪人，竟都隱失在花叢之中不見。

耳際間又響起那脆若銀鈴的嬌笑之聲，道：「各位請隨便坐啦！」當先舉步在正中一席主位上落座。

蕭遙子低聲對大方禪師說道：「咱們先入席位，問明她以梭代柬，邀我們赴會用意後，再動手不遲，只要那酒不沾唇，菜不上口，縱然酒菜之中，下有劇毒，也無法傷了咱們一人。」

大方禪師暗自想道：「此人是否就是自稱冥嶽嶽主之人，眼下還難預料，倒不如聽聽她說些什麼再動手也不遲，反正我們早已隨身帶了乾糧而來，不致有饑餓之虞，晚上一個、半個時辰動手，亦無妨礙。」

心念一轉，點頭笑道：「蕭兄說得極是。」當下舉手一揮，高聲說到：「諸位請行入席，但卻不能食用桌上酒菜。」說完大步走了過去，在那紅臉婦女人對面坐下。

蕭遙子緊隨大方禪師身後，也和那紅臉婦人坐了一桌。

袖手樵隱目光一掃三劍一筆張鳳閣、追風鵰伍宗義、葛天鵬、一掌鎮三湘伍宗漢，九星追魂侯振方、天風道人等六人，低聲說道：「咱們也到正中那桌席位上坐吧！」

六人都明白袖手樵隱的用心，準備一動手時以「七星遁形陣法」開始圍攻那冥嶽之主，齊齊舉步，走了過去，依序坐在正中一桌。

群豪紛紛入席，落了座位。

正中一桌上共有十人，除了那身披玄紗的紅臉婦人之外，其餘九人，無一人是冥嶽中人。其實全場數十桌酒席空了大半，除了大方禪師等群豪外，冥嶽中人，只有那紅臉婦人一個入了席位。

八個身披白綾，赤足散髮的少女，手橫緬刀，一字排列，站在那紅臉婦人身後。那些奇裝異服，滿臉顏色的鬼裝怪人，仍然靜站原地一動也未動過。

這宴會十分奇特，數十位客人分據各席，只有一位主人相陪。

只見那身披玄紗婦人端起桌上酒杯，站起身子道：「各位長途跋涉來到這絕命谷中，應我招魂之宴，赴死之情，甚是可佩，先請滿飲此杯。」說著舉手一飲而盡。

群豪端坐未動，無一人舉杯。

大方禪師合掌喧了一聲佛號，道：「嶽主傳棱代柬，邀約我等到此赴會，究是心存何意？尚請明白見示……」

身披玄紗少婦笑道：「不是跟你們說過了麼，這第一杯，是相謝各位應赴死約的盛情。」

袖手樵隱舉手輕輕一按桌上酒杯，整個酒杯，盡陷入桌面之中，冷冷道：「只怕未必，如若不信，不妨請嶽主早些出手試試！」

身披玄紗婦人一陣格格嬌笑，說道：「諸位早已身受劇毒，已難活過十二個時辰了。」

此言一出，群豪無不心頭一震，各自暗中運氣相試，看看是否真已中毒。

身披玄紗婦人目睹群豪驚恐之情，忍不住微微一笑，舉手又在臉上一抹，一張殷紅如血的怪臉，登時又變成一張漆黑如墨的怪臉。

她微微一笑，露出一排細小雪白的牙齒，接道：「諸位所中之毒，雖然無色無味，但卻絕毒無比，除了我配製的解藥之外，天下無藥可救……」

侯振方暗中運氣，覺得毫無中毒象徵，不禁大怒，擊案而起，大聲喝道：「妳胡說八道些什麼？」

他一起身，伍宗漢、伍宗義、葛天鵬、張鳳閣、天風道長相繼站起身子，大有立即出手之勢。

身披玄紗的黑臉怪婦人，對這等劍拔弩張之勢，視若無睹。

她淡然一笑，接道：「諸位不信已中劇毒，你們不妨長長吸一口氣，試試看內腑之中，有無異樣之感。」

九星追魂侯振方果然依言，長長吸一口氣。

只覺花香芬芳，毫無異樣之感，心中更是惱怒，舉手一掌，拍擊過去，口中還大罵道：「連篇鬼話，還能騙得了人不成！」

身披玄紗婦人對那擊來掌勢，渾似不覺，既不閃身讓避，又不揮手接架，竟是靜站原地不動，硬受一掌。

侯振方和她相距甚近，拍出的一掌，掌勢一晃而到。

只覺一掌擊中那婦人身上後，有如擊在滑溜無比的青苔之上一般，疾向一側滑了過去，幸得他早把勁力卸去一半，不然這一掌滑開，勢難再站穩腳步。

追風鷗伍宗義看著九星追魂侯振方掌勢被滑向一側，而那身披玄紗的婦人，竟然站在原地，腳步動也未動一下，心中大感不解，大喝一聲，橫裡擊出一拳。

他和那婦人鄰近而坐，伸臂出手之間，就可遍及全身各大要穴，一拳直向那婦人後肩「風

俯穴」上打去。

身披玄紗婦人仍似毫無所覺，目注大方禪師，笑道：「你們眼下只有兩條路可走，一條是生，一條是死……」

忽聽伍宗義悶哼一聲，疾向一側倒去。

袖手樵隱右手一揚，一股潛力應手而出，擋住了伍宗義倒向一側的身子。

這時蕭遙子也探手一把抓住伍宗義，輕輕地在他背心上拍了一掌，低聲說道：「伍兄快請坐下，運氣調息。」

大方禪師左掌一揮，先把劍拔弩張的情勢穩住，繼而冷冷地問道：「生路如何？死路又如何？」

那身披玄紗黑臉婦人微微一笑，露出一口皓齒，說道：「如若想活，那就立下重誓，我就各賜你們幾粒解藥，但從今後，要聽從我的令諭，不能稍有違犯。如果想死的話，那就更容易了，我只要奏起送葬之樂，引發你們身內劇毒，你們無人能夠活過明日午時。」

大方禪師聽她說得十分認真，心中暗暗忖道：「聽她說得這般認真，好像我們確都中毒一般，但自入這絕命谷中之後，連一滴水大家也沒有喝過，不知如何會中了劇毒，倒不如激她一下試試。」

心念一轉，微笑說道：「冥主之言，使老衲頗感不解，在下等入得此谷之後，滴水未進，不知怎樣會中劇毒？」

袖手樵隱微微一皺眉頭，道：「咱們既來絕命谷中赴約，生死之事，早已置之度外，中毒與否，大可不必放在心上……」

忽見坐在旁側一桌的神鐘道人站了起來，接著說道：「貧道之意不如早些動手，分出勝敗存亡。」

四周群豪紛紛站起身來，隨聲附和，局勢驟然緊張起來。

那黑臉婦人突然又舉手在臉上一抹，一張黑如煤炭的臉，倏忽之間變成了淡藍之色。

只見她陰森森地冷笑一聲，道：「你們既然都願早些動手，那就早些動手吧，但不知你們是一擁而上呢，還是單打獨鬥的一個個分別動手？」

她那冷笑之聲，雖然不大，但卻有如實物一般，鑽到人耳中。

除了大方禪師等幾個功力深厚，定力特強之人外，大都在聞得那笑聲之後，心頭微生震蕩，再加上她那經常變更的臉色，頓使人有一種人鬼難辨之感。

如非場中人多，縱是膽子甚大之人，也不免要生出恐怖的幻覺。

沉默約一盞熱茶工夫，袖手樵隱才冷冷接道：「妳既然以梭作柬，邀戰天下群英，自是不把我等放在心上，老夫……」

話還未完，忽聽一人大聲喝道：「老夫願先試試號稱中原武林道上第一高手的武功。」

群豪轉頭望去，只見一個矮胖老人，緩步走了出來，正是無影神拳白作義。

那身披玄紗婦人嬌聲笑道：「聽你口氣，似非我傳柬相邀的人了……」

神拳白作義道：「不錯，老夫由西域而來，並未接得請柬，只是慕名而來。」

那身披玄紗婦人突然放聲一陣格格嬌笑道：「好啊！你們自己找上門來，免得我萬里奔波，再去找你們了……」

白作義冷笑一聲，右手虛空一揚擊了過去，口中大喝道：「先試試老夫無影神拳如何！」

一股無聲無息的暗勁襲了上去，那身披玄紗婦人，似是想不到對方打出的拳風，竟是不帶嘯風之聲。只覺前胸被一股暗勁撞上，她的身軀站立不穩，雙肩連晃數晃才把身子穩住。

白作義一擊得手，不容對方反擊，雙拳連環虛空擊出。

那披玄紗婦人突然雙手一揮，排列在她身後的鬼形怪人，突然舉起手中的樂器，又奏出難聽無比的樂章。

但見那身披玄紗婦人羅袖輕拂，飄飄而舞，白作義打出的無形神拳暗勁，盡被她那揮舞的羅袖，拂架開去。

那輕舞羅袖中，似是含蘊著強勁無比的真力，不但把白作義擊出的拳風震開去，而且有一股強猛的反震之力，彈了過來。

白作義初發幾拳，尚不覺有何感覺，逐漸地感覺到對方的反震之力，愈來愈是強猛，拳風一和對方揮舞羅袖相接，立時覺得被一股暗勁反彈回來。

袖手樵隱暗中留神觀察，已覺得白作義漸感不支，立時緩步離了席位，站在七星遁形陣法的主位。

他一離開席位，三劍一筆張鳳閣、一掌震三湘伍宗漢、葛天鵬、九星追魂侯振方、天風道長，以及調息了一陣的追風鵰伍宗義，全都站起了身子，紛紛搶到七星陣。

他們這幾個人行動迅快無比，眨眼之間已經布成了七星遁形的陣法，把那身披玄紗的婦人圍在陣中。

那身披玄紗婦人忽然欺身而上，雙袖交叉拂出，迫退神拳白作義，身軀倒躍而退，奔入一處花叢中。

那八個赤足披髮的白衣少女和一群鬼形裝束的怪人，緊隨那身披玄紗婦人身後，也向花叢中奔去。

袖手樵隱回頭望了大方禪師一眼，說道：「老禪師，咱們追吧！」

說完，他當先縱身一躍，向前追去。

大方禪師究竟是一派掌門之尊，處處要自恃身分，猶豫了一陣，才道：「追！」

待他決定要追時，那身披玄紗婦人和袖手樵隱等人，早已隱失在花叢之中不見。

回頭望去，那站在花叢旁的藍衣少女和梅絳雪，都已不知何時走掉。

蕭遙子突然拔劍一揮，道：「史兄只怕要中了那妖婦的鬼計了，咱們得快些去接應他才是。」說著仗劍當先而行。

群豪紛紛起身，向前奔去。

這般人中，甚多脾氣暴躁之人，一面奔行，一面揮動手中兵刃，揮打兩側花樹。但見花葉紛紛，四處橫飛，一片喳喳之聲，不絕於耳。

這片花樹，占地甚廣，沿著一道山谷向裡延伸，但覺地勢漸低，似向一個斜度甚大的山坡下伸展。

蕭遙子一面奔行，一面打量周圍形勢，看一面峭壁聳立，高達數百丈，雖然有著極佳輕功，也不易攀登，何況上面景物一目了然。

另一面就是那煙霧繚繞的高峰，如若那身披玄紗的妖婦奔回那孤峰之中，袖手樵隱決計不會深入。目前唯一可行之路，就是沿叢花向裡奔行……

忖思之間，已至了花樹盡處，眼前景物突然一變。

只見一座十餘丈高低橫出的山壁，攔住了去路，繞過山壁，是一道狹長的石谷。這條石谷，縱長不下五丈，橫寬卻又可容兩人並肩而過，兩面山壁，光滑如削，縱是身負絕世輕功，也難攀登。

蕭遙子停下腳步，回頭說道：「那妖婦不但手段毒辣，而且甚富心機，咱們入谷之後，連經了甚多險要之處，天然的形勢，再加以人工布置絕險之地，咱們地勢不熟，先已吃了大虧，此地三面絕路，只此一道狹谷，史兄想已被那妖婦誘入谷中了……」

大方禪師接道：「既然只有這一道可通之路，咱們總該進去瞧瞧吧！」

兩人正談論間，忽見狹谷一端，緩步走出來兩個身著白衣，腰繫麻帶，身軀高大之人，每人手中拿著一支核桃粗細的哭喪棒，搖搖擺擺地走了過來。

蕭遙子低聲說道：「這兩人正是那妖婦出現時開道之人，看來那妖婦定然在這狹谷中了，史兄八成已被誘入谷中，咱們早衝過去，也好接應他一陣。」

大方禪師暗道：此谷狹窄，人多反有礙手腳，不如選幾個武功高強之人衝入谷中看看。

「諸位暫請在谷中等待一下，老衲和蕭兄先進去瞧瞧。」

蕭遙子一揮手中寶劍，當先向谷中走去。

那兩個身穿白衣，腰繫麻帶的大漢，一見蕭遙子衝入谷中，突然加快腳步迎了上來。

大方禪師手提禪杖，緊跟蕭遙子身後，一見那兩漢子手中哭喪棒分量沉重，立時低聲道：「蕭兄請退一步，這兩人手中兵器沉重，峽谷中動手，閃避不易。不如由老衲對付他們吧！」

廿三　生死之門

蕭遙子在初入冥嶽境內時，曾見他和那手施長旛的黑衣人動手硬拚的情形，知他神力驚人，鐵禪杖又是重兵刃，不畏敵人手中兵器，當下向旁側一閃，讓開去路。

大方禪師急步迎了上去，剛剛越過蕭遙子，那兩個大漢，已奔近身側。

但聞左面一人冷哼一聲，手中哭喪棒一招「泰山壓頂」，當頭劈下。

大方禪師鐵禪杖，足足有八尺餘長，在這等狹谷之中，施展甚是不便，只好手握禪杖中間，當作短棍使用，左揮右舞，力拒兩人。

那兩個大漢，臂力過人，手中哭喪棒掃擊之間，力道十分強猛，三支精鋼煉冶成的鐵棍，相擊之下，一片震耳欲聾的金鐵大震之聲。

大方禪師心中甚感奇怪，暗暗忖道：「不知那妖婦在什麼地方找了這些力大無窮之人。」

忽聽那兩個大漢身後，響起一個嬌如銀鈴的聲音，道：「別打啦，快些停手！」

只見一個全身藍衣，懷抱鹿角般奇形兵刃的少女，出現在兩個大漢身前，滿臉笑容地說道：「老和尚，獨眼鬼，聽我說完幾句話……」

蕭遙子道：「不知有何見教？」

那藍衣少女道：「這谷中地方狹小，動手極是不便，如若不習此道，在這等狹谷動手，十

成武功，只能施出三成……」

蕭遙子心中暗忖道：「這話倒是不錯。」口中卻冷冷答道：「不知姑娘此話用心何在？聽來叫人費解。」

那藍衣少女道：「兩位武功雖高，但如想通過狹谷中人的攔截，只怕也不是容易之事。」

蕭遙子冷冷說道：「姑娘說話不必多繞圈子了，究竟有什麼事，快些說吧！」

藍衣少女笑道：「兩位要想過此石道，那就先請退回原處，待我們三人先行過去，再給兩位騰出入谷之路……」

她繞圈子拐彎地說了半天，原來只是想要蕭遙子和大方禪師先退回去……

蕭遙子氣得冷笑一聲，道：「姑娘最好退回，先讓我們過去！」

大方禪師突然高喧一聲：「阿彌陀佛！我佛請恕弟子要開殺戒了。」

當下潛運真力，向前走去，手中鐵禪杖一招「直搗黃龍」，疾向靠在左面山壁的一個大漢點了過去。

那大漢後背緊靠石壁而立，一見大方禪師點了過來，立時一揮手中哭喪棒猛向鐵禪杖敲去。

要知大方禪師乃一代高僧，武功內力，渾純精厚，實非常人能及，此刻掛念袖手樵隱史謀遁的安危，出手一杖用足了八成功力，去勢銳不可擋。

那大漢手中哭喪棒一架之下，竟未能擋開大方禪師的點擊之勢。

鐵禪杖震開了那哭喪棒封架之勢，點中了那大漢脅間，只見那大漢嘴巴噴出一口血來，身軀被杖勢震得飛了起來，摔倒在那藍衣少女的身後八、九尺處。

大方禪師生平之中甚少對人下過此等毒手，眼見一人傷亡在自己鐵禪杖下，不自禁地喧了一聲佛號，道：「兩位再不讓開去路，莫怪老衲出手狠辣了！」

說罷手中禪杖一舉，向右面那大漢點了過去。

他心地慈善，這一杖去勢只用了五成真力。

那大漢眼看同伴傷在大方禪師一擊之下，心中似甚害怕，但卻又似不敢不舉棒封接大方禪師的杖勢。

於是，手中哭喪棒平推出手，橫向大方禪師鐵禪杖上推去，人卻疾向後面退了兩步。

大方禪師似是不忍再出手傷人，手中鐵禪杖向上一抬，但聞一陣金鐵交擊之聲，那大漢手中的哭喪棒登時被震飛脫手。

這時，大方禪師禪杖乘勢而入，點在那大漢左胯之上。

只聽那大漢口中哇的一聲大叫，一跤跌在地上。

那藍衣少女眼看兩個大漢都難擋受大方禪師一擊，臉色微微一變，口中卻仍笑意盈盈地說道：「少林寺和尙之名，果不虛傳。」

大方禪師慈眉微聳，冷冷說道：「姑娘如若不肯讓開去路，可莫怪老衲要出手了！」

忽聽衣袂飄風之聲，蕭遙子已縱身而起，大聲喝道：「老禪師請停手稍息，這女娃兒交給老朽吧！」

話出口，人已凌空躍起，手中劍光打閃，直向那藍衣少女當頭罩下。

他有一代劍聖之稱，此刻蓄勢出手，威勢自非凡響。

那藍衣少女一揮手中形如鹿角，赤紅似火的怪兵刃，登時幻起一片紅影，護住身子。

但聞一陣金玉相觸之聲，白光、紅影同時斂收。

那藍衣少女向後退了三步，蕭遙子卻站在那藍衣少女停身的位置之處，顯然這兩人交手一擊之中，蕭遙子搶得優勢。

藍衣少女退後三步之後，右腕忽地一翻，拔出背上寶劍，左手橫著那形如鹿角的兵刃，右手仗劍，蓄勢待敵。

蕭遙子突然長長吸了一口氣，手腕一振，長劍搖擺之間，幻化出三朵劍花，分襲那藍衣少女三處要穴。

那藍衣少女左手鹿角形的怪兵刃，一封蕭遙子的劍勢，右手寶劍卻突出一招「天女揮戈」，若劈若點地還擊過來。

這道幽谷之中，十分狹窄，平常之人動手，雖有些難以施展手腳，但這兩人，以上乘劍術武功相搏，情勢又自不同。

但見兩人各站原地，隨手揮腕，運劍擊敵，或封或攻，腳下卻寸步不移。

剎那之間，兩人已換拆八招，那藍衣少女抽出背上寶劍之後，似是增強不少威勢，竟然未向後退動。

蕭遙子連攻數劍迫不退那藍衣少女，似是動了怒火，長嘯一聲，劍勢突然加速，但見白虹閃了幾閃，倏忽之間，連攻七劍。

這七劍不但招術迅辣，去勢變化難測，而且劍上內力，強勁無比，那藍衣少女雖然把七劍接了下來，但人卻又被迫得向後退了四步。

忽聽一個清脆嬌媚的聲音，傳了過來，說道：「大師姐快停手，讓他們進來吧！」

那藍衣少女和大方禪師、蕭遙子，聽得那嬌媚的呼喚之言，立時收了手中寶劍。

那藍衣少女笑道：「獨眼鬼、老和尚，你們既是一定要進去瞧瞧，小妹也不便再攔兩位的興頭！」

言笑之間，人已緩向後退去，對那一死一傷的大漢，竟是瞧也不瞧一眼。

隨在蕭遙子身後，大步向前走去。

這狹谷只不過數丈長短，片刻之間已至盡處。

轉過一個彎子，眼前有一座大開的石門，那藍衣少女當先進門，閃到一側，嬌笑道：「兩位請啊！」

蕭遙子仗劍護身，大步進了石門。

大方禪師手橫鐵禪杖，緊隨身後而入。

那藍衣少女不攔兩人，待兩人進門後，高聲呼道：「兩位慢走一步，小妹不送你們了。」聲音柔媚至極，聽得人心頭怦然而動。

石門後是一座畝許地大的草坪，綠草如茵，卻不見一株山花，除那座石門外，草坪中再無其他布設。

蕭遙子微微一皺眉頭，忖道：「這片草坪毫無出奇之處，也不見敵蹤何處，她把我們引來此處，是何用心……」

心中正感疑惑，忽聽那藍衣少女說道：「這草坪盡處，自有入路，兩位如果不怕，儘管向前走去！」

大方禪師問道：「老衲有話想問姑娘一聲！」

那藍衣少女淡然一笑，道：「好吧，你儘管問！」

大方禪師道：「追蹤令師的一位史大俠，是否也在此處？」

那藍衣少女道：「你可是說那絕兒斷孫的老樵子麼？」接著笑道：「兩位進了生死門，自然會看到他。」

大方禪師轉過臉去，低聲對蕭遙子道：「史兄孤身深入，只怕獨力難擋那妖婦之勇，蕭兄請留此接應群豪，老衲先深入一步接應史兄。」

蕭遙子道：「那狹谷雖窄，但並無埋伏，料想他們不見咱們歸去，定會追蹤而來，眼下只有咱們兩人，不宜再分實力，老朽之意，不如一齊深入，一探究竟。」

大方禪師暗暗忖道：「這話倒也不錯。」忖念之間，遂舉步向前面奔去。

草坪盡處，果然又是一座石門，橫寫著「生死門」三個大字。

只見全身白衣，環抱玉尺的梅絳雪，一臉冷冰冰的神色，當門而立。

這座石門，隱在山壁一角，是以，不到近前，甚難看出。

蕭遙子本想由梅絳雪神情之間，看出一點端倪，哪知梅絳雪一副冷若冰霜的樣子，竟是看不出一點蛛絲馬跡，

大方禪師凝目向門內望去，只見裡面重重樓閣，似是別有一番天地，心中暗暗忖道：「此地只怕暗中埋伏有人，梅絳雪自是不便暴露她棄暗投明之心。」

他心地慈善，處處為人設想，當下一橫手中禪杖，裝作不識梅絳雪的神態，大聲喝道：

「姑娘請讓開去路！」

說著舉手一招「五丁劈山」，鐵禪杖帶著勁風，當頭打下。

梅絳雪嬌軀橫移，倏然向左面跨開三步，冷冷說道：「兩位請吧！」

想不到梅絳雪竟是毫無阻攔。

大方禪師高喧一聲：「阿彌陀佛！」橫杖護身，大步而入。

進了「生死門」，又是一番景色。

只見兩側排立著甚多衣著怪異，臉上塗著顏色的鬼形怪人，有的手中拿著刑具，有的手中橫著兵刃。

這些怪人目睹兩人，似若不覺，望也不望兩人一眼。

蕭遙子目光環掃，看四周鬼形怪人不下三、四十人之多，心中暗生驚駭，忖道：「如若這般人個個都是身具武功的高手，我們只有兩人，動手相搏起來，只怕要大費一番手腳。」

心中雖在忖思，人卻不自覺地隨大方禪師身後，向前走去。

大方禪師卻是一派莊嚴，對那些鬼形怪人，視若無睹，手橫禪杖，大步而行。

一座青石砌成的大殿，橫攔了兩人去路，大殿門側，排列著那八個赤足白衣少女，每人手中橫著一柄鋒利的緬鐵軟刀。

大殿兩扇黑門，緊緊地關閉，門上寫著八個大字：

「入此一步，迴輪萬劫！」

大方禪師滿臉莊嚴地環顧了八個白衣少女一眼，問道：「貴嶽的嶽主，就在此殿中麼？」

八個白衣少女，同時微微一笑，齊齊向後退了三步，讓開去路。

那兩扇黑門，突然自動向兩面收縮，但開約兩尺餘寬，又自動停了下來，中間僅可容一人通過。

大方禪師凝目望去，只見裡面一片黑暗，難見景物布設，心中暗暗忖道：「這妖婦隱藏暗影之中，不知又布下了什麼鬼計？」

正在忖思之間，忽聽那大殿中傳出一個柔美無比的聲音，說道：「老和尚，你猶豫不前，可是心中害怕了麼？」

大方禪師受那傳來之言一激，心中暗暗忖道：「少林派在江湖中是何等受人尊崇，我如不進此殿，只怕要留人笑柄了。」

忖畢正待舉步而入，忽覺一陣疾風，急由身側而過，蕭遙子已搶先進了殿門。

八個披髮赤足的白衣少女，眼看有人闖入了大殿中，忽然相視一笑。

大方禪師看那八個白衣少女相視微笑，心中甚是惱怒，暗道：「這幾個女娃兒，定然是笑我不敢進入大殿中。」

心念之間，當下高聲說道：「蕭兄且莫單獨涉險，等候老衲一刻……」暗中運集功力，舉手一杖，擊在那黑門之上。

他功力深厚，這一杖，勢道強猛至極，心想那黑門縱然是用那上好的木材製成，也將應手而碎。

哪知大謬不然，但聞噹的一聲大震過後，那黑門仍然完好如初，毫無破損，原來這黑門竟是用鐵鑄成。

殿中傳出蕭遙子的聲音，道：「大師快去接應後面群豪，咱們眼下實力單薄，只怕難對付大戰。」

大方禪師暗暗想道：「此話倒是不錯，這兩扇鐵門既可以自動開啓，想亦可自動閉上，別說其中尙有埋伏，縱然沒有埋伏，單是這兩扇鐵門，就可把我們困入殿中，倒不如設法接應群豪到此之後，設法先把這兩扇鐵門破壞再說！」

心念一轉，他高聲說道：「蕭兄快請退出，此時此地，不是意氣用事、爭強奪名的時候……」但聞那殿中傳出來陣陣的嬌笑之聲，卻不聞蕭遙子回答之言。

那笑聲雖是嬌若銀鈴，十分悅耳，但在此情此景之下，聽在大方禪師耳中，有如鬼哭狼嚎一般，十分陰森恐怖。

一陣嬌笑之聲過後，重歸沉寂。

那八個赤足披髮的白衣少女，十六道清澈若水的眼睛，不知何時，一齊投注在大方禪師的身上，不斷微笑。

大方禪師看那八個白衣少女笑得妖媚異常，心中忽生驚駭，暗道：「這八個女娃兒，笑容如此妖媚，甚是少見。」

忖念之間，暗喧兩聲佛號，冷冷說道：「老衲不願擅傷無辜，妳們如若妄圖施展什麼鬼謀，可別怪老衲出手狠辣了。」

那八個披髮赤足白衣少女，聽得大方禪師之言，突然揮動手中緬鐵軟刀，漫步起舞，但見衣袂飄飄，刀光閃閃，動作逐漸加快，玉腿粉臂，挾在刀光中，十分動人好看。

大方禪師幼年剃度入寺，很少和女人接觸，生平之中，從未見過此等香艷之事，看了一

陣，漸覺眼花撩亂。

但他究竟是位有道高僧，心猿初動，意馬未馳，人已霍然驚覺。

當下他大喝一聲，揮動禪杖，一招「力掃五嶽」，疾向八個少女掃了過去，禪杖劃帶起嘯風之聲，威勢極是強猛。

八個白衣少女，口中同時嘿了一聲，紛紛退避一側，讓開大方禪師的鐵禪杖，但一退即上，揮刀攻了過來。

大方禪師冷哼一聲，鐵禪杖左擊右打，倏忽之間，連攻出一十二杖，丈餘以內盡都是強猛的杖風，八個白衣赤足少女被杖勢逼在丈餘之外，不得擅越雷池一步。

忽聽其中一女，格格一陣嬌笑，左手一揮，身上一件白衣，登時脫離嬌軀，露出一件極爲短小的粉紅褻衣，肌膚瑩光，玉腿畢呈。

餘下七女，紛紛依樣施爲，眨眼之間，八人白衣盡除，全都成了半裸狀態，揮動著手中緬鐵軟刀，分由四面八方合擊過來。

大方禪師生平之中，從未見此等局面，不禁呆了一呆，暗道：「八兒個女娃兒脫得這般模樣，當真不知人間有羞恥二字。」

心神一分，手中杖勢一緩，登時有四個白衣少女欺進之勢，撲了過來。

四柄緬鐵軟刀，分襲大方禪師四處要害大穴。

大方禪師微微一驚，趕忙收斂心神，呼呼掃出兩杖，又把四女逼退回去。

但見八個半裸軀體的少女，交叉疾走，刀光和玉腿齊飛，手中輕刀，隨旋轉的舞步攻出。

大方禪師初動手一段時間，尚不覺得什麼，打了十幾個回合後，忽然覺得有些不對。

只覺這八個少女，寓舞於攻的刀法，不但變化詭異，而且每一出手之中，必然有一個極動人的舞姿配合，漸感目眩神迷，手中杖勢愈來愈覺緩慢。

八女打了一陣，刀法舞步，更見純熟，配以輕顰淺笑，嚶嚶嬌聲，頓使德高望重的大方禪師，有些心神動蕩起來，連忙高喧一聲佛號，閉上雙目，施出十八招羅漢杖法。

這一套羅漢杖法乃少林派中極具威力之學，施展開來威勢有如排山倒海一般，虎虎生風。他閉上雙目，心中暗誦金剛經，這動蕩的心神，重歸寧靜，杖勢凌厲無比。

八個半裸嬌軀的少女，目睹大方禪師閉著眼睛動手，不禁相視而笑，心中暗想，十招之內，定可勝得對方。

哪知事實上，大出八女的意料。

只覺對方不但把門戶守得十分緊嚴，無懈可擊，而且禪杖攻出威勢，愈來愈是強大，強猛的杖風潛力，有若狂風怒嘯，始終把八女逼在一丈開外，難越雷池一步。

又激鬥了二十餘回合，大方禪師已自覺心中平靜如常，忽然睜開雙目，大喝一聲，一招「神龍掉首」，把正東一女手中緬刀震飛。

那緬刀雖然鋒利可削金鐵，但因大方禪師手中兵刃沉重，又是百煉鋼製成，堅硬異常，緬鐵軟刀甚難削動。

大方禪師一招得手，精神大振，反臂又一杖「倒轉陰陽」，又把西南方位上一女緬刀震脫出手，借勢又連功三杖，登時把八女合擊之勢迫亂。

只要他再連續攻出幾招，八女勢非有人被他傷在杖下不可。

這當兒，忽然由那陰暗的大殿之中，傳出來一個清脆的聲音，道：「妳們不是那老和尚的敵手，還不快給我退開！」

八女聽那嬌脆的聲音之後，果然紛紛躍遲一側。

陰暗的大殿中，又傳出那清脆的聲音，道：「和我幾個婢女動手，勝之不武，你們少林派，素有領袖武林之譽，如果你不害怕，請進我『迴輪殿』中來吧！」

大方禪師回首望去，只見梅絳雪懷抱玉尺、當門而立，谷外群豪，竟是毫無動靜，心中大感焦急。

他暗暗忖道：「那狹谷只可容兩人並肩而過，如若冥嶽中人，派有高手，守住那道谷中，群豪想衝上來、實非容易之事。蕭遙子名重武林，被人尊稱一代劍聖，怎地入了『迴輪殿』後，有如投海泥沙，不聞一點聲息……」

正忖思間，殿中又傳出一陣格格嬌笑道：「老和尙，你可是怕了麼？」

大方禪師被對方連番相激之言，說得甚感爲難，如若不進殿去，不但要受人譏笑，且將有損少林派威名，進殿又怕中了對方鬼計。

這時他心中非常猶豫，難做決定……

殿中又響起一陣嬌笑之聲，道：「老和尙，你如果覺得心中害怕，那就別進來啦，在門外對我遙拜三拜……」

大方禪師怒聲接道：「老衲是何等人物，豈能和妳鬥口相罵，『迴輪殿』中縱然是刀山劍林，也不放在老衲心上。」

大方禪師說著，手橫禪杖，直向殿中走去。

剛剛進入殿門，忽聽身後砰然一響，那兩扇鐵門，自動關了起來。

殿中一片黑暗，伸手難見五指。

大方禪師一面運功護住身子，一面運足眼神，抬頭四下張望。

他內功精深，目力超異常人，片刻之後，已可見物。

只見大殿靠後壁處，一個碧玉榻上，盤膝坐著一位臉垂黑布，身圍玄紗的女子，蕭遙子和袖手樵隱，已然不知去向。

四面殿角，各放著一座盆花，散放出淡淡的幽香。

除了盆花、玉榻和那女人之外，廣敞的大殿上，再無其他之物。

大方禪師打量了殿中形勢後，心中更是驚駭不已。

他暗中想道：「這大殿之中別無他人，那面垂黑布，身圍玄紗的婦人，又不似和人動過手的樣子，不知怎地竟把蕭遙子等弄得人蹤不見。」

心中疑慮，重轉臉望著那坐在玉榻上的女人，問道：「姑娘可是此地之主麼？」

那身圍玄紗的女子，緩緩取下了臉上垂的黑布，陰暗的大殿上，登時大放光明，一片耀目生光。

一張美麗絕倫的面孔，在寶光耀射之下，嬌媚橫生。

原來那身披玄紗少婦，頭上戴著一頂明珠串製成的寶冠，數十粒珠光閃閃，幻出一片碧藍光華。

那最前一顆明珠，大如龍眼，光華也特別強烈，襯托著那女人一張顏如春花的嬌媚面孔，更覺肌膚瑩光，耀眼生花。

只見她櫻唇啓動，一縷清音，自舌底婉轉而出，道：「不錯。」雖然只簡簡單單地答了兩字，但聲音柔媚至極，聽來悅耳異常。

大方禪師雖然定力深厚，也不禁怦然心動，連忙長長吸了一口氣，凝神壓制住心猿意馬，問道：「適才入殿之人，哪裡去了？」

身披玄紗的女子，嬌聲說道：「迴輪殿萬劫迴輪，身入此殿，哪還能安然而出，你那兩位朋友，早已身沉苦海，應歷萬般劫難，直到他們悔悟前錯，投身我冥嶽門下，才能從苦海中拔身而出……」

大方禪師怒道：「因果迴輪之說，乃我佛慈悲世人，勸人改過向善的無上大法，妳也配談……」

身披玄紗少婦，不但不怒，反而微微一笑，道：「此殿中雖然廣大，但並無擺設之物，你如不信，不妨看看你同伴現在何處？」

大方禪師心中忖道：「袖手樵隱是否隱落在此殿之中，且莫管他。但蕭遙子卻是我親眼看著進入此殿之中，何以竟不見其行蹤？」

他乃一代高僧，才智過人，略一沉思，忽然大悟，當下冷笑一聲，道：「如若嶽主在這大殿之中，布設下陷阱機關，趁人不防，突然發動……」

忽見那身披玄紗女子，嬌笑而起，玉臂一振，圍在身上的玄紗，突然飛落一側，現出一個全身赤裸，一絲不掛的美麗胴體。

大方禪師幼年受戒入寺，生平未近女色，幾曾見過這等景象，當下高喧一聲佛號：「阿彌陀佛！」

別過頭去，大方禪師又高聲接道：「嶽主以梭代束，邀請天下群雄，不論如何，也算一門宗師之尊，這等赤身露體的形象，不覺有失一門宗師的身分麼？」

只覺一陣香風，迎面吹襲過來，耳際間響起一個嬌柔的聲音，道：「大和尚，人生在世也不過百年時光……」

這聲音婉轉、柔媚，只聽得大方禪師心神動蕩，暗自吃了一驚，不敢再聽下去，大喝一聲，一杖橫掃過去。

一股疾勁之風，隨杖而出。

只聽格格嬌笑，不絕於耳，隨著他掃擊出的杖勢遠去。

大方禪師不自禁地轉頭望去，就這一瞬間，那赤裸女子，已然不知隱失何處。

大殿上重又回復了黑暗。

大方禪師定了定神，暗自想道：「這所大殿之中，不知暗中布設有多少機關，我一人本領再大，也是防不勝防，不如先把那鐵門打開，迎接群豪進來再說。」

心念轉動，縱身一躍，已到大殿門邊，舉手一杖，直向那鐵門上面搗去。

但聞一聲金鐵大震，響徹耳際，鐵門分毫未損，大方禪師卻感到雙臂一震，暗道：「這鐵門如此堅牢，想出此殿，恐已非易事了。」

忽聽嬌笑之聲，從大殿一角傳來，道：「老和尚，你還不束手就縛，和你那兩個同伴一般地經歷諸般劫難……」

大方禪師心中已是怒火大熾，探手入懷，摸出一枚小巧金鈸，握在手中，凝神靜聽那聲音來自何處。

他本是一派武學宗師之尊，平常之時，別說施用暗器，就是把暗器帶在身上，備作急需之用，也是不肯。

但這次冥嶽之行，情形完全不同。

此行因成敗關係著武林道上正邪消長之機，大方禪師，才把耗去他十餘年苦功，但卻從未使用的十二枚小巧金鈸帶在身邊。

此刻，身陷迴輪殿中，又連受那赤裸女子譏諷，人又被困在殿中，心中急怒交加，這才探手入懷，摸出一枚金鈸。

大方禪師準備在那赤裸女子再一現身時，立時以極快地手法，打出金鈸。

但聞那嬌笑之聲，在大殿中響蕩一陣後，又飄來那柔媚的聲音，道：「老和尚，你想用暗器麼？……」

大方禪師早已暗運功力，手執金鈸，一聽聲音，立時振腕打出。

黝黑的大殿中，響起了輕微的劃空嘯聲。

那金鈸夾著一縷尖風，飛向大殿一角，但聞「波」的輕響，一枚小巧的金鈸，大部嵌入了堅牢的石壁之中。

要知他這小巧金鈸，乃赤金合以緬鐵打製而成，四面鋒刃，銳利無比，縱然有著金鐘罩、鐵布衫等習練的外功，不畏一般刀劍，也難受這金鈸一擊。

大方禪師打出一枚金鈸之後，右手又極快地探手入懷，摸出兩枚金鈸。

另一角處，又傳出一個女子口音，冷冰冰地說道：「你既然執迷不悟，我也懶得和你多費口舌了。」

大方禪師凝目望去，毫無所見，那聲音，直似由牆壁中傳出來一般。

這次他沒有再把手中兩枚金鈸打出，靜站在原地未動，雙目卻一直盯在那傳話壁角之處，只要那赤裸女子一現身，立時兩枚齊發擊去。

忽聽一陣輕微的波波之聲，那近後壁的玉榻，突然緩緩轉動起來。

疾轉中，一座金鼎，由玉榻正中緩緩升了起來。

待那石榻停下不轉之時，一座兩尺左右的金鼎，已端端正正地放在玉榻正中，一縷白煙，自鼎中裊裊升起。

大方禪師目睹那金鼎升起的變化，心中甚是急憂，暗道：「這大殿中機關重重，而且布設均極精巧，如不設法破除幾處機關，要想出這大殿，決非容易之事。」

心念一轉，暗中運集功力，緩步對那玉榻走了過去。

他怕地上有什麼機關埋伏，是以出腳舉步十分小心，走得極是緩慢。

忽覺一股濃重香味，迎面撲來。

這時，大方禪師頭腦登時感到一暈，心中一驚，暗道：「難道這白煙之中，蘊有劇毒不成？」

心念電轉，趕忙運氣，閉住呼吸。

他驚覺雖快，但仍是遲了一步。

大方禪師只覺一陣目眩頭暈，身軀搖搖欲倒。

此刻，耳際間又響起那嬌媚的笑聲，道：「快些放下兵刃，還有一線生機，你已中了七毒香劇毒……」

大方禪師正待出言反辯，忽然心中一動，暗暗想道：「我如啓口說話，七毒香劇毒勢必借機侵入內腹。」

當下裝作未聞，一語未發，一面閉住呼吸，一面暗中運氣，想把身受劇毒迫出。

且說守在谷外的群豪，眼看大方禪師和蕭遙子衝入了谷中，立時舉步隨進，神鐘道人，當先揮劍領路。

幾人深入約兩丈左右，忽聽喳的一聲大震，兩面石壁間突然疾快地伸出兩塊鐵板，接合在一起，攔住去路。

神鐘道人抬頭一瞧，只見那兩塊由石壁中伸出的鐵板，高約一丈七、八，估計自己的輕功，足可一躍而上。

當下神鐘道入一提丹田真氣，揮動手中長劍一掄，身軀突然凌空而起，飛落那鐵板的頂端之上。

他凝目望去，前面毫無阻攔，當下一舉手中長劍說道：「前面無人阻攔，諸位不妨越此鐵板而過。」說著當下一躍，落下身子，大步向前走去。

這兩塊鐵板，雖然不算太高，但因光滑如削，無處可讓手足借力，非得憑藉內力修爲，依仗丹田一口真氣而上。

這次赴約之群豪雖然都是江湖上久負盛譽的人物，但對輕功造詣，並非人人都達爐火純青之境，有甚多人卻是無法越過那一重鐵壁。

但見人影翩飛，有如群燕翔空一般，片刻之間，已有大部分人飛越鐵壁而去，但卻有二十

餘人，被鐵壁所阻，無法越渡。

無法越渡鐵壁之人，他們大都是以外門功夫見長之人，手中兵刃，大都是沉重的外門兵刃之類。

這些人當下揮動手中兵刃，向那鐵壁之上，猛擊起來，此起彼落，一片金鐵交擊的大鳴之聲，震耳欲聾。

神鐘道人躍落實地之後，立時放腿向前面奔跑。

將要近出口之時，突聞一聲嬌喝，一個全身紅衣，背插寶劍，手執拂塵的少女，陡然現出身來。

只見這女子一語未發，手中寶劍一揮，幻化出三朵劍花，分襲神鐘道人的三處要穴。

神鐘道人奔行之勢，本極快速，紅衣少女現身亦是突如其來，雙方尚未看清，那紅衣少女劍勢已然點擊過來。

這時的神鐘道人，趕忙長劍疾揮，幻化起一片劍光，封架開那紅衣少女的劍勢，隨手還攻了兩劍。

紅衣少女嬌聲笑道：「老道士劍法不錯啊！」

神鐘道人乃一派武當宗師之尊，劍術造詣，自是有獨到之處，紅衣少女攻來劍勢雖極凌厲，但卻無法把他迫退一步，均為隨手揮動的劍勢，化解開去。

兩人交手幾劍，隨後群豪均已趕到，但因那谷口狹窄，兩人劍光旋風，把整個谷口封住，群豪人數雖眾，但卻無法插得上手。

那紅衣少女一面揮劍和神鐘道人搶奪先機，一面目睹群豪笑道：「諸位請耐心等一會兒吧，早死片刻，晚死片刻，一樣地在劫難逃，趁此等死時光，可以多想想昔年的風流韻事，旖旎春光，免得死時……」

神鐘道人突然大喝一聲道：「無恥妖女，滿口胡說什麼！」說著劍勢突然一緊，攻勢猛銳至極。但見白光如虹，幻起了如山劍影，挾帶著絲絲的輕嘯劍風，身後群豪都覺到劍上激蕩起的劍風潛力，冷森逼人。

那紅衣少女登時被神鐘道人強猛的劍勢罩住，相形見絀。

那紅衣少女只感劍上壓力大增，心中暗暗驚駭，忖道：「這牛鼻子老道不但劍術造詣極深，而且內力也強猛過人，看來這場惡鬥，勝人希望不大。」

她一面提聚真氣，運劍相抗，把門戶封守得十分嚴密，口中卻仍是嬌笑不絕地說道：「老道士，你當真要和我拚命麼？」

神鐘道人不再理她，只把全部精神貫注在運劍之上。

那紅衣少女又支持了八、九個照面，漸覺不支，劍光的圈子，愈縮愈小。

激鬥中，忽聽神鐘道人神威凜凜地大喝一聲：「撒手！」道人的長劍一揮，當頭擊下。

這一劍攻勢猛惡，劍勢有如泰山壓頂一般，當頭而下。

紅衣少女如若不願硬接這一招劍勢，只有後退一途，因兩邊都是山壁，勢難向左右閃讓。

但聞一陣金鐵交響之聲，兩支長劍，忽然膠著在一起。

紅衣少女柳腰微挫，向後退了兩步，玉腕連向上面揚動兩次，但卻無法把神鐘道人的劍勢彈震開去。

神鐘道人似已動了殺機，冷笑一聲，手中長劍突然又向下沉落三寸。

紅衣少女顏如春花的容色，突然變成了蒼白之色，幾滴汗珠，分由兩頰滾落。

這時，群豪一些輕功較差之人，都由別人相助，用繩子吊上，越渡過鐵壁。

那紅衣少女手中的寶劍，緩緩向下低落，距離頭頂，只有尺許左右，頭上的汗水滾滾如雨，濕透了衣服。神鐘道人卻是滿臉肅穆，頂門上也微微現出了汗水。

方兆南和陳玄霜並肩站立，在神鐘道人之後，眼看那紅衣少女即將喪命在神鐘道人劍下，出此狹谷，只是彈指間事。

忽然瞥見紅衣少女身後，人影一閃，一個人影疾如燕子凌波一般，懸空疾飛而來。

陳玄霜低喝一聲：「她們來了幫手啦……」說罷振袂而起，疾迎上去。

原來這山谷過於狹窄，只能容兩人並肩而立，方兆南、陳玄霜緊隨神鐘道人身後，站在最前，看得較爲清楚。

陳玄霜振袂躍起，群豪才霍然驚覺，抬頭看去，只見一條人影，凌空平飛而來，人已快到紅衣少女和神鐘道人頭上。

陳玄霜去勢奇快，正好在兩人頭頂之上，迎住了那飛來人影。

但聞兩聲清脆的嬌叱之聲，同時響起，一招之下，倏然便倒飛回去，落著實地。

直待兩人落地之後，方兆南身後群豪才看清楚，和陳玄霜懸空力拚一招之人，正是那身穿藍衣的少女。

方兆南急急向前奔了兩步，走近陳玄霜身側問道：「師妹受了傷麼？」

陳玄霜側頭斜睇了方兆南一眼，嫣然一笑道：「沒有！」

那藍衣少女腳落實地後，略一調息，說道：「師妹請退下，讓姐姐來擋他們一陣。」

這時，那紅衣少女已被神鐘道人強勁劍勢，迫得險象環生。

神鐘道人的長劍一寸一寸地向下沉去，生死存亡，距那紅衣少女的頂門只餘下半尺近。

那藍衣少女眼看師妹所處的危境，已在頃刻之間，突然一側嬌軀，身上那赤紅似火，形如鹿角的兵刃，長臂疾伸過來，幫那紅衣少女抵住神鐘道人的劍勢。

神鐘道人緩緩向下沉落的劍勢登時受阻。

那紅衣少女長吁了一口氣，道：「大師姐，這點時間夠是不夠？」

藍衣少女笑道：「差不多啦，咱們慢慢地後退吧！」

群豪雖然把兩人對答之言，聽得清清楚楚，但難解二女話中的含意。

神鐘道人眼看下落劍勢，在兩人合力之下，不但被抬了上來，而且對方聯手反擊的內力，亦逐漸加強。

神鐘道人心中暗暗忖道：「二女聯手內力甚強，我如和她們硬拚下去，不但難有勝人之望，而且勢難持久。」心念連轉，立時運力震腕，三件相觸在一起的兵刃，倏然分開。

那紅衣少女借勢一側嬌軀，滑溜無比地退到藍衣少女身後。

這時，離那谷口，只餘下七、八尺遠近的距離，群豪心中，都存早些衝出谷口之心，齊齊向上湧來。

神鐘道人震腕揮出一道護身劍光，回首一瞥群豪，心頭忽然一動，暗暗忖道：「目下大方禪師，已然進入谷中，自己已經無形之中，成了目下群豪的暫時領導之人……」

他一念及時，精神大振，手中長劍不自覺地施出武當派最爲精奇之學，太極慧劍中的連環三招，劍勢如驚霆迅雷一般，綿綿攻出。

廿四　詭計重重

這太極慧劍，乃武當劍術之宗，不但變化精奇，而且講求借敵之力，強我之勁，本是專以對付強勁敵人的絕學。

它乃以陰柔之力運劍，列為武當派中鎮山劍術，每代只傳兩人，除了掌門人外，再就所屬弟子中選出一個天資聰慧，或是為本派中立過大功大勛之人傳授。

神鐘道人施出太極慧劍中連環三招之後，那藍衣少女登時被迫得手忙腳亂。

她原本單用手中一形如鹿角的紅色兵刃拒敵，這一來迫得她抽出了背上寶劍，兩種兵刃齊施，才穩住了危局，但仍被迫得節節後退。

只覺對方手中長劍不徐不疾，但卻有如行雲流水般，找不出一點空隙，心中暗生驚駭，口中仍是大聲嬌笑著，道：「啊喲，看不出你這牛鼻子老道，還有這樣的好本領，只可惜你已是出家人了，這一輩子也無法討老婆了。」

她口中雖是說著瘋話，手中兵刃卻是越來越緊，想把被迫後退的形勢穩住。

神鐘道人大聲怒道：「貧道是何等人物，豈肯和妳這妖女說笑！」手中劍勢也隨著一快，攻勢更是凌厲。

藍衣少女只覺手中兵刃，愈來愈施展不開，不論用出何等詭奇的招術，均為對方劍勢封往，難以發揮威力，心中大感驚駭。

藍衣少女暗暗忖道：「這老道人不知用的什麼劍術，怎地有如春蠶之絲，隨形之影，再這樣打下去，決難再支持上百招。」

正自忖思，忽聽身後傳來那紅衣少女嬌脆的聲音道：「大師姐，陣勢已經布成，放他們進來吧！」

那藍衣少女應了一聲，急步向後退去。

神鐘道人長劍一順，劍尖指著那藍衣少女前胸「玄機穴」的部位，緊迫不捨，眨眼間已經到了谷口。

但見那藍衣少女嬌軀一側，突然閃身疾退，躍到谷外。

神鐘道人到了谷口之處，並未緊追那藍衣少女，停在谷口，打量谷外形勢。

只見一群臉上塗著各種色彩，身上穿著各種奇形怪狀衣服之人，擺成了一座陣勢。

那藍衣少女和紅衣少女已然退到陣中。

這些人不但衣著、臉色紅藍雜陳，繽紛耀目，而且頭上還戴著各種類型的帽子，手中拿的兵刃，也是奇形怪狀的。

有叉有刀，有劍有槍，還有很多見所未見的怪形兵刃。

神鐘道人自和藍衣少女動過手後，對冥嶽中人，已不敢再有輕視之心，看對方陡然間，現出了這樣多人，當下停住身子，凝目望去，想先把敵人擺的什麼陣式，辨明之後，再調度人手，攻入陣中。

他生平精研八卦九宮，五行奇術，自信對各種奇門陣式，認識甚多，想辨清敵人陣式變化

之後，再想破陣之法。

哪知瞧來瞧去，瞧不出個所以然來，只覺五光十色，雜陳眼前，既不按八卦九宮方位，亦不按五行生剋之序，饒是神鐘道人胸懷奇術，也無法辨認出這座陣圖。

這時群豪都已出了谷口，個個手橫兵刃，躍躍欲試。

那藍衣少女借神鐘道人查看陣圖的時機，暗中運氣調息。她內功精湛，真氣運行全身一周，疲勞已消。

這時，她一揮手中形如鹿角的怪兵刃，嬌聲說道：「牛鼻老道，別裝蒜啦！你就再瞧三天三夜，也難洞悉我們這『五鬼陣法』的變化。」

神鐘道人被她一言提醒，立時從眼前繽紛耀目的色彩中，瞧出一點門道。

原來那臉上滿塗各種顏色的鬼形怪人，只分紅、黃、藍、白、黑，五種顏色，但因各色混雜在一起，一時之間，很難辨認出來，看上去一片混亂，好像有著幾十種顏色一般。

三劍一筆張鳳閣大步走了上來，低聲地對神鐘道人說道：「道長可看出了陣式變化麼？」

神鐘道人只覺臉上一熱，搖搖頭道：「看不出來。」

張鳳閣道：「咱們如是這樣和他們相持下去，對我們甚是不利，眼下咱們人數，和他們在伯仲之間，就算被他門困在陣中，也沒什麼要緊。

「目前，只要咱們能夠一人盯住他們一個，別換對手，分由三個方向攻入陣中，縱然他們這『五鬼陣』確有詭奇變化，但也要被我們眾多的人手接住，以一對一，使他們難兼推動陣圖變化了。」

神鐘道人暗暗忖道：「眼下群情激昂，各人都準備出手，我如再從中攔住，勢非激起群豪

忿怒之情不可。」

念頭轉動，一揮手中長劍，道：「諸位既然都望早些衝入陣中，貧道自是不便阻止，不過眼前的敵人陣圖，變化如何，貧道也認不出，諸位入陣後，最好能分成五隊，前後銜接，彼此照應，免得被敵人分段包圍。」

說完，手中長劍一揮，高聲又道：「諸位請衝入陣中吧！」他口中雖然大聲喝叫，人卻站著不動。

少林僧侶雖然無人說話，但心中卻最是焦急，掌門人深入腹地，形蹤不見，生死難知，一聽神鐘道人下令入陣，立時當先發動。

但見一行身著紅衣袈裟的僧侶，每人手橫著一把銀光燦爛的戒刀，急步由神鐘道人右後側走了出來，一列身披黃色袈裟，手提禪杖的和尚，由神鐘道人左後側奔出。

每行一十八人，個個臉色一派肅穆，分兩路向陣中衝去。

三劍一筆張鳳閣左手執筆，右手握劍，大步而出，居中衝去。

一掌震三湘伍宗漢、追風鵰伍宗義、九星追魂侯振方、一筆翻天葛天鵬和天風道長等緊隨著張鳳閣身後，也向陣中衝去。

青城派的松風、松月雙劍並出，和崑崙派中未受傷的天行道長，合帶有十五個高手，也向陣中衝去。

只有神鐘道人和隨同他來的武當門下弟子，神拳白作義等，仍然站在陣外未動。

兩行少林寺的僧侶，首先和敵人接觸，登時展開了一場凶猛的搏鬥，但見戒刀閃閃，禪杖嘯風。

張鳳閣一近敵人，搶先出手，右手長劍一招「撥草尋蛇」，向身前一個身著黑色的鬼形怪人刺去，左手鐵筆卻平橫胸前戒備。

那黑色鬼形怪人，竟是毫不退縮，舉起鋼叉，但聞噹的一聲，硬把三劍一筆張鳳閣攻去的劍勢封架開去。

張鳳閣右劍左筆交互出手，擋開那全身黑色的鬼形怪人鋼叉，突然向後退了兩步，右手中長劍交到左手，右手探懷一摸，又取出兩柄短劍。

張鳳閣大喝一聲，縱身而起，凌空向前撲去。

張鳳閣目光閃動，瞥見另一個黃衣鬼形怪人，目光一直盯在自己身上，雙手握著一支一丈二尺長短的白獵槍，伺機出手。

當下他一提丹田真氣，向下沉落的身子，忽然又向上斜升起了六、七尺高，右手一抖兩柄短劍，突然脫手飛出。

那黃衣鬼形怪人，被張鳳閣斜飛身形，避開了視線，周圍打鬥又正激烈，一片刀光劍影，挾著叮叮咚咚金鐵相擊之聲，已無法憑藉耳聞辨別敵人來路。

剎那間，只覺背上一涼，張鳳閣打出的兩柄短劍，正中後背。

張鳳閣一擊中敵，落地後，他一挫右腕，收回短劍，兩股鮮血，隨著他收回的短劍噴了出來。

那黃衣鬼形怪人，身軀一顫，倒了下去。

奇怪的是那黃衣鬼形怪人中了兩劍，始終未出一聲，即是一聲呻吟，也未出口。

張鳳閣剛剛穩住腳步，那個和他懸空力拚一招的紅衣鬼形怪人，舉刀衝了過來，一招「泰山壓頂」，當頭劈下。

這時，耳際間響起了陣陣淒厲的怪嘯之聲，「五鬼陣圖」已起了變化，但見人影晃動，眼前一片彩色閃動。

原來那分著各色彩服之人，忽然開始穿梭遊走起來。

張鳳閣舉起鐵筆，架開那紅衣人劈下的一刀，忽覺手臂一震，不禁心中一駭：「此人好大的臂力。」

那人一刀劈下之後，第二刀還未來得及出手，「五鬼陣圖」已然開始了變化，來不及再攻第二刀，人已急急向前衝去。

這時候，另一個藍衣鬼形怪人，緊隨著衝了上來，抖動手中鋼叉，一叉疾向張鳳閣的前胸刺去。

張鳳閣揮手一招「如封似閉」，架開鋼叉，隨手一筆「笑指天南」，還擊出手。

那藍衣鬼形怪人攻出一招之後，立時向旁側衝去，張鳳閣點出的一筆，卻被他身後另一個黑衣鬼形怪人衝上接住。

但見身著各色衣服的鬼形怪人，穿梭遊走之勢，愈來愈是迅快，每人攻出一招，不是向前衝出，就是向旁側讓開。

因配合嚴密，行動迅快，一個接著一個，綿綿不絕而上，衝入陣中群豪，只見眼前一片不同的色彩流轉，兵刃相擊之聲，不絕於耳。

張鳳閣衝入敵陣最深，因此感受的壓力也最大。

他忽然發現，眼前這些穿著各色衣服的鬼形怪人，不但個個身法迅速，移位出手，配合得

天衣無縫，而且個個武功，都極高強，出手擊來之勢，十分沉重。

這一種感覺，使他心中大爲驚駭。

張鳳閣暗中忖道：「眼下跑來冥嶽赴會之人，可以說都是當今武林道上的一流好手，但這些鬼形怪人的武功，比起赴會之人竟是毫無遜色。」

張鳳閣只覺自己已被困在原地，敵人緊促的連鎖攻勢，緊密異常，竟使他無法擅越雷池一步，既難前進，又無法後退，甚至連左右移動一下的機會，都感覺無此空暇。

雙方鏖戰足足有一頓飯工夫之久，張鳳閣已不知和好多人交過了手，群豪的攻勢，登時被這些鬼形怪人的連鎖反擊之勢阻在原地。

打的時間愈久，群豪發覺的奇怪事情也愈多。

只見那些身著各種服色的鬼形怪人，除了身穿紅色衣服的人，不時由口中發出鬼嘯般的怪異之聲外，其他身著黃、藍、白、黑顏色的鬼形怪人，個個都似啞子一般，連一聲呼喝叫喊之聲，都聽不到。

神鐘道人一直停在陣外橫劍而觀，眼看群豪攻勢被阻，難再向前衝進一步，心中亦極驚愕，忖道：「看來這些身穿各種服色的鬼形怪人，武功似都不弱，並非是單藉連鎖、緊促的攻勢，阻止了群豪前進之勢。」

那藍衣少女和紅衣少女，已退到陣式中心，懷抱兵刃觀戰，並未合在那些鬼形怪人之中出手。

兩個容色艷麗的少女，亭亭玉立在各種不同服色的鬼形怪人群中，看去更顯玉容如花。

神鐘道人看了一陣，心中忽然覺出這些鬼形怪人，似都非一般普通武林人物，好像每人都身負著上乘武功。

他們既可隨著五鬼陣圖變化，配合得異常嚴密，又可單獨搶攻防守，各成一體，不覺大生驚駭。

神鐘道人暗暗忖道：「這般人難道都是冥嶽門下弟子不成？如若冥嶽之人，個個具此身手，這一戰鹿死誰手，實難預料了。」

正忖思間，忽視敵陣之後，奔來一個全身白衣，懷抱玉尺的少女。她衝入陣中之後，在那藍衣少女耳邊，低語了一陣，退到一側。

那藍衣少女微一點頭，高舉手中兵刃一揮。

正和群豪力拚的鬼形怪人，忽然向兩側撤去，眨眼間，排列成兩行整整齊齊的行列，讓出一條路來。

那藍衣少女緩步走了過來，紅衣少女和那懷抱玉尺的白衣少女，隨在兩側相護。

群豪目睹那些鬼形怪人，忽然間，退列兩側，一時之間，不知是何緣故，因此也一齊停下了手。

那藍衣少女相距群豪七、八尺處，停了下來，嬌聲說道：「少林寺那老和尚，已陷入了迴輪殿中，不知你們這群人中，哪一個代他領袖群倫？」

群豪一齊轉頭向神鐘道人望去。

神鐘道人心中暗暗忖道：「群豪並無推舉我出來主盟大局，那少女明言喝問，實使人有些爲難，不知該不該出面？」

那藍衣少女星目流轉，溜了神鐘道人一眼，笑道：「不要想啦，就算你這老道士主盟好了！」

神鐘道人大步走了出來，喝道：「貧道向不喜歡和人輕浮言笑，姑娘最好能莊重一些，免得給人以下賤之感！」

藍衣少女格格一陣嬌笑，說道：「我本來就不是千金小姐，你說我幾句，姑娘也不放在心上。」

神鐘道人微微一皺眉頭，道：「姑娘有什麼事，請快些說吧！」

藍衣少女目光環掃了群豪一眼，說道：「那老頭、老樵子、老和尙，都已陷身迴輪殿中，正熬受千劫迴輪之苦……」

忽聽一聲高喧的佛號聲，打斷了那藍衣少女未完之言，緊接著梵音群和，少林群僧齊齊合掌當胸，高誦大悲經文。

藍衣少女雖然凶殘成性，但聽群僧高誦的經文，也不禁心頭怦然一震，只覺那聲聲經文，有如暮鼓晨鐘，發人深省。

佛號梵唱，延續足足一盞茶工夫之久，才逐漸地停了下來。

方兆南、陳玄霜一直隨在神鐘道人身後，剛才群豪衝入五鬼陣中，和那些鬼形怪人打鬥的甚是慘烈，但他兩人始終沒有出手，因爲方兆南突然想起陳玄霜身上懷著的「血池圖」來。

這次冥嶽之戰，勝負甚難預料，如若不幸陷身冥嶽，此圖或將爲冥嶽中人所得。

一時之間，他不知是否該把陳玄霜身懷「血池圖」之事，洩於神鐘道人，心中大感困惑，忘記了出手之事。

陳玄霜看他站著未動，呆呆出神，也未出手。

待群僧高誦大悲經，為陷身在迴輪殿中的方丈致哀，方兆南心情才鎮靜下來。他雖然不了解那經文的要義，但聞聲聲和唱中，一片捨身救世的慈悲梵音，登時激起了他滿腔豪壯之氣。

抬眼望去，只見那排成的兩行鬼形怪人，在聽得經文之後，突然起了一陣騷動。

那藍衣少女似已驚覺，臉上容色大變，幸得那梵唱很快地停了下來，那些鬼形怪人的騷動，也隨著靜止。

神鐘道人，突然振劍長嘯一聲，道：「大方禪師，乃道行深博的高僧，豈能為爾等所困，姑娘如再無什麼話說，貧道當破陣而入了。」

那藍衣少女笑道：「五鬼陣變化如何，你們都已經親目所見，就憑你們這點本領，想衝過陣去，實非容易之事，不過……」

神鐘道人冷冷接道：「不過什麼？」

藍衣少女道：「不過現在已經用不著你們打了。」

神鐘道人道：「貧道不信真的就闖不過你們一座區區五鬼陣圖。」心中卻是暗暗忖道：「我冷眼旁觀甚久，雖然想出了幾個破陣之法，但能否收效，還難預料……」

只聽那藍衣少女嬌笑之聲，又在耳際響起道：「家師已傳下聖諭，著我們三姐妹，帶你們到迴輪殿上相見。」

神鐘道人暗道：「聽她口氣這等輕鬆，難道大方禪師、袖手樵隱、蕭師叔等，真的已被他

們困住不成？」

心念電轉，口中卻朗朗答道：「別說一座小小迴輪殿，就是刀山劍林，也不放在貧道等心上，三位姑娘請帶路吧！」

三女緩緩轉過身子，慢步而行。

神鐘道人帶著群豪，緊隨在三女身後，從兩行排列整齊的鬼形怪人中間走過。

只見一座青石砌成的大殿，攔住了群豪的去路，大殿兩側，排立著八個赤足白衣少女，每人手中都橫著一柄緬鐵軟刀。

八個赤足白衣少女，忽向後退開。

那藍衣少女當先步入殿中，逐漸隱失在茫茫的煙氣之中。

紅衣少女緊隨在那藍衣少女身後而入，步行至大殿中間，突然回過頭來，靜立不動，揮動手中拂塵，掃開身前茫茫雲霧般的煙氣，燭火閃耀中笑容隱現，遠遠看去，有如霧中仙子。

那懷抱玉尺的白衣少女，卻在進了殿門，立時停下，回頭目注群豪，冷冰冰地說道：「入生死門，請進迴輪殿吧！」

神鐘道人一面緩步向前行去，一面運足眼神衝向殿中探看，但見煙氣茫茫，殿中景物若隱若現，竟是無法看得清楚。

方兆南、陳玄霜緊隨神鐘道人身後而入，當走過梅絳雪時，忽然見梅絳雪嬌軀一轉，疾由身前穿過。

但覺一隻滑膩的玉手，輕輕和自己的右手一觸。

方兆南本絕頂聰明之人，立時警覺，合掌一抓，果然覺著手中多了兩粒黃豆大小的圓圓之物。

抬頭看去，梅絳雪已疾向一側奔去，白衣在煙氣中閃動，眨眼間消失不見。

那停在殿中的紅衣少女，此刻也突然消失。

神鐘道人拔出背上的長劍，舉手搖了幾搖，劍光在煙氣中晃動，燭火下閃光，相隨群豪，紛紛拔出兵刃來戒備。

忽然響起了一聲大震，迴輪殿兩扇大開的鐵門，突然自己關上。

這時，尚有不少人留在殿外，被那自動關閉上的鐵門把群豪分成了兩截。

神鐘道人舉起手中長劍，連續在空中劃了幾個圈子。

這是示意武當門下弟子的訊號，隨侍他身後的武當門下弟子，立時迅速地排成了五行劍式。

大殿中的茫茫煙氣，愈來愈濃，群豪如置身晨霧之中，漸覺衣履微濕。

忽然間，由那濃重的煙霧一角，傳出一個清脆的笑聲，道：「快些放下手中兵刃，盤膝而坐，聽候發落，如再不聽警告之言，可不要怪我手辣心狠了。」

聲音婉轉，脆若黃鶯，聽來甚是悅耳。

大殿中煙霧太濃，神鐘道人雖有甚好的目力，也無法看清丈外之物，只聞其聲，難見其人。

這似是另外一個世界，群豪個個手握著兵刃，但卻找不著敵人行蹤。

驀地光線一暗，大殿中高燃的燭火，陡然熄去。

方兆南突然想到了手中緊握之物，心中猜疑不定，舉手放在眼前一瞧，只見是兩粒黃豆大小的藥丸。

旁側突地伸過一隻柔軟的玉手，緊緊地握住了他的手腕，耳際間響起了陳玄霜低聲細語，道：「南哥哥，你心中害不害怕？」

方兆南道：「不怕。」

陳玄霜移動著身軀，緊緊地偎了過來，道：「和你在一起，我也不怕。」

方兆南嗯了一聲，正待答話，忽覺身後一股力道撞了過來。

在這等幽暗如夜，水霧瀰目的環境中，大都要憑藉耳聞之力，和武功上的感應，來防襲克敵。

方兆南覺著身後撞來了一股力道，本能地向旁側一閃，回手一劍掃了出去。

只聽一個淒厲的慘叫，也不知什麼人，被他一劍掃傷。

當他回劍掃出之時，已想出這出手連五指也難看得清楚的大殿中，都是自己人，但劍勢已經出手，再想收回，已是不易。

但他卻未想到，這一劍，竟然會傷了人，聽那慘厲、尖銳的叫聲，那中劍之人，即不是被傷到致命要害，亦是關節大穴的緊要之處，不禁暗叫了兩聲慚愧。

他正在愧感交集之間，忽聽一陣兵刃相擊的乒乒乓乓之聲，響得甚是急促，似是雙方正展開一場十分激烈的拚搏。

方兆南一提真氣，凝神望去。

但因大殿中水霧過濃，難見三尺以外之物，只隱隱可見閃動的兵刃……

又是兩聲慘叫，又不知是什麼人受了重傷。

方兆南暗暗嘆息一聲，忖道：「敵暗我明，他們又極熟悉殿中地形，若讓他們隱藏起來，暗中突襲，那可是防不勝防的事，如再施什麼輕巧暗器，縱然殿中都是當代中一流高手，也是不易閃避。」

一側壁角中，又傳出那嬌柔的聲音，道：「我再給你們一盞茶的時間去想，再不放下兵刃，束手就縛，立時全部屠殺，那時，縱然再想束手就擒，也不行了。」

驀聞一陣清嘯之聲，震得人耳朵嗡嗡作響，緊接著響起了一個宏亮的聲音道：「殿中水霧甚濃，諸位快請住手。」

方兆南聽聲辨音，已聽出那正是神鐘道人的聲音，低聲對陳玄霜道：「這大殿之中，伸手難見五指，縱是對面相站，也難看清楚對方面貌，那妖婦只要派出三個熟悉此殿中形勢之人，在中間挑動起來，勢非鬧成個自相殘殺之局不可……」

陳玄霜低聲笑道：「就算在更黑暗些的地方，我不用眼睛去看，就知道是你了。」

在這等生死茫茫、險惡難測的環境之下，最是容易動情，方兆南不自覺地把手緊了一緊，拉過陳玄霜的嬌軀，緊緊抱在懷中。

濃重的水霧裡，無法看清楚陳玄霜是喜是羞，只聽她口中輕輕的嚶了一聲，把臉貼在他的前胸，低聲說道：「南哥哥，咱們恐怕出不去了，這瀰漫的水霧中含有奇毒。」

方兆南吃了一驚，道：「妳怎麼知道呢？」

陳玄霜道：「我聞到這瀰漫的霧中夾雜有一種極輕淡的幽香，因這香味太過輕淡，別人極不易辨覺出來……」

方兆南道：「妳怎麼能夠聞覺出來呢？」

陳玄霜道：「過去我和爺爺在一起，曾經嗅到過這種輕淡幽香氣味，那天爺爺不在家，我跑到他臥室，打開了他一只鐵盒，那盒中放了幾朵乾枯的花，那輕淡的香味，就從那花上發射出來的。

「不過，那次我嗅到的香味較濃，這水霧香味比較清淡，所以我在初入大殿之中，並未覺得……」

她輕輕嘆了口氣，接道：「現在，我依在你的身旁，心中平靜極了，雖然明知道就要死了，可是我一點也沒驚怯的感覺。」

方兆南急道：「師妹，妳再仔細嗅辨一下水霧中的香味，看看有沒有錯？」

陳玄霜緩緩抬起頭來，舉手理理頭上秀髮，說道：「沒有錯。」

方兆南靜一下心神，長長地吸了一口氣，果然覺得瀰漫的水霧中含著極淡的幽香。

如是這水霧中的幽香，果如陳玄霜所說，含有奇毒，可憐入殿之人，都已在不知不覺中吸下了劇毒。

只覺一股熱血泛了上來，正待大聲喝叫，揭破這水霧中含毒之密，忽然心中一動，暗暗忖道：「梅絳雪給我這兩粒藥丸，不知是否用來解那水霧中奇毒之用，我如叫將出來，只怕要牽累到她……」

他和梅絳雪並沒有什麼情意，但卻不知何故，他心中不自主地爲那寒水潭月光下一段締盟的往事困擾，常常感覺到，梅絳雪已真的是他妻子……

忖思之間，忽聽一個嬌如銀鈴，但卻又冷若陰冰寒風的女子聲音響起道：「你們在入這絕

命谷時，在那花樹陣，已中了我在那花蕊花葉之上，暗藏的劇毒了。

「不過，那毒性發作很慢，十二個時辰之後，才能發作，但現下你們又中了我這迴輪殿水霧之中暗藏的奇毒，這兩種劇毒混合之後，不但難以救治，而且還可提早促使毒性發作。

「你們如若不信的話，不妨暗中運氣一試，或是仔細地辨別一下，看看那水霧之中，是否有一種極淡的幽香！」

這時，群豪已然停了打鬥，大殿之中除了濃重的水霧，難以看清楚景物之外，又恢復了寂靜，不再聞打鬥之聲。

陳玄霜緩緩由方兆南胸中抬起頭來，高聲說道：「這水霧之中，確然含有奇毒，那人剛才之言，並非是欺騙我們。」

經陳玄霜這麼一說，群豪似都信了不少，仔細嗅去，果然覺得那水霧之中，確有一種極淡的幽香。

神鐘道人暗中運氣一試，腹胸之中，果然有種異樣之感，心知那妖婦之言，已非憑空虛相恫嚇。

但此時此地，如若坦然承認水霧中含有劇毒之事，只怕群豪戰志，將隨著瓦解。

當下神鐘道人高聲說道：「咱們已被困絕地，如不及早設法，毀去這座大殿，只怕無一能夠生還，眼下情景，勢難逃避一戰，貧道之意，諸位不妨各展所能，合力毀去這座大殿。」

武當門下弟子，首先響應，一面排結成五行劍陣，準備對敵，一面由懷中摸出火種點燃照明，群豪齊相仿效，各人都從身上摸出火摺子來，霎時之間，濛濛水霧的大殿之中，亮起數十點火光，殿中景物，已隱隱可辨。

方兆南忽然覺得頭上微生暈眩，趕忙把手中丹丸吞下一粒。

原來他剛才相試水霧中暗含的劇毒，曾經長吸了兩口水氣，中毒要較別人爲深，發作也較別人爲快。

他服下丹丸之後，忽覺一股熱氣由丹田之中升起遍行全身四肢，立時低聲對陳玄霜道：「霜師妹，妳可知道這水霧中劇毒的破解之法麼？」

陳玄霜搖搖頭道：「我不知道，那日我打開爺爺的鐵盒之後，中了劇毒，將要發作之時，爺爺忽然回到家中，才救了我的性命。

「我只覺那次病了很久時間，後來爺爺告訴我，以後不要再翻他房中東西，至於如何救我，我已經記不起了。」

方兆南原想讓她說出解救之法，再轉告群豪，要他們自謀解救之法，哪知陳玄霜竟是毫無記憶，當下暗自嘆息一聲，道：「霜師妹，張開口來。」

陳玄霜怔了一怔，道：「你要做什麼？」

方兆南低聲說道：「我要給妳一粒藥吃。」

陳玄霜眨了眨眼睛，也不再追問，依言張開櫻口。

方兆南迅快地把手中一粒丹丸，投入陳玄霜的口中。

這時，群豪在數十個火摺子的光照之下，已經發動，排成井然有序的一個方陣。

原來剛才黑暗之時，因爲各人站的位置混亂，既未判明敵人方位，又無法測知敵人來勢，對方只要派出一、二高手，在中間一攪，彼此立時形成了自相殘殺之局。

在這等危惡的環境之中，就可以看出了少林、武當兩大門派屬下弟子的涵養之有素。

少林僧侶共有三十六人，一半手拿戒刀，一半手橫禪杖，他們連經了閬門五鬼陣，和適才大殿中一場混戰，除了兩個受傷之外，竟未死亡一人。

武當門下弟子，也只有兩個輕傷。

這時，十六個少林和尚自動結成了羅漢陣，護住了群豪右翼。

武當門下弟子也結成了五行劍陣，護守著左翼側面。

那正中方位卻替群豪留下，不論誰和敵人動手，就沒有後顧之憂。

神鐘道人一揮長劍，清嘯一聲，說道：「既然敢邀請我們，怎地這等藏頭露尾，再要故弄玄虛，可別怪貧道，要毀了妳這迴輪殿了……」

只聽那大殿一角，又傳來一個嬌如銀鈴的聲音道：「我們這迴輪殿築建得堅如鋼鐵，你如果能夠毀去，不妨動手試試……」

神鐘道人耳目靈敏，一聽那女子聲音，立時辨出這聲音和剛才聽到的聲音，雖然一般嬌脆，但卻不及剛才發話的聲音那樣陰冷，顯然是兩個人的聲音。

三劍一筆張鳳閣，低聲對神鐘道人說道：「眼下咱們已陷入敵人的埋伏之中，這座迴輪殿建築得十分複雜，敵暗我明，動手相搏起來，勢必要吃大虧，必將先設法退出此殿……」

神鐘道人說道：「話是不錯，但除了破壁而出之外，貧道一時間，倒難想出適當之策，不知閣下有何高見？」

張鳳閣微微一怔，道：「在下一時之間，雖想不出破解之法，但道長不妨傳諭群豪，明白相示，先行退出此殿再說。」

神鐘道人道：「如若這水霧之中，當真含有劇毒，咱們都早已中毒，退出此殿，也難以療

救，與其後退，倒不如衝上前去，和那妖婦硬拚一陣，誰勝誰敗，也好早作決定。」

一掌震三湘伍宗漢道：「道長說得不錯，咱們如已中毒，退出此殿，也是不易保全性命，那就不如硬拚一場的好。」

神鐘道人略一沉忖，高聲說道：「眼下咱們已被困絕地，這大殿水霧中，也可能含有劇毒，眼下生路只有兩條，一是破殿而出，一是群策群力，殲滅強敵。」

說著手中長劍，劃起一道銀虹，當先向那發話的殿角衝去。

這時，群豪手中的火摺子，大部都已被瀰漫的水霧淋滅去大半，只餘四五盞，尚在繼續燃燒。

這時，武當門下弟子，一見掌門師尊排眾而出，獨身涉險，立時迅快地移動劍陣，緊隨相護。

群豪各自運氣相試，果然都覺出，內腑微生異感，知道對方說殿中水霧含有劇毒，並非虛言恐嚇，油生拚命之心，齊隨神鐘道人身後，向前衝去。

神鐘道人爲人原來謹慎，但此刻身處絕地，亦不禁有些亂了方寸，只想找出冥嶽中人，迫他說出破殿之法，或是找出冥嶽嶽主，拚上一場。

哪知一直衝到殿角牆壁之處，仍未瞧見一個敵人。

那和群豪一齊進入殿中的三個少女，此刻也不知到了何處！

但見一面石壁，橫阻去路，已到了殿角盡處，但卻不見那傳話之人，心中又是驚駭，又是忿怒，舉手一劍向那石壁上刺去。

但聞一聲金鐵相擊的大震，水霧中閃起一片火星，但那石壁並未損傷，百煉精鋼的寶劍上，反被震現了一個缺口。

這時，群豪都已奔近了石壁，十八個身披黃色袈裟的和尚，齊齊大喝一聲，揮動手中的鐵禪杖，擊在石壁之上。

只聽震耳欲聾的一聲大震，水霧中飛閃起一串串的火星。

群僧被那精鐵禪杖擊在石壁上的反震彈之力，迫得齊齊向後退了一步。

那石壁也不知是什麼堅石砌成，竟仍然絲毫不損。

茫茫水霧中，忽又響起嬌脆陰冷的笑聲，在另一側殿角處傳出了悅耳清音，道：「如果我不現身出去，和你動手相搏一場，大概你們死也有難以瞑目之感……」

神鐘道人大聲說道：「不錯，你如能在武功之上，勝了我們，我們敗也心服口服，憑藉鬼計陰謀，機關堅固，水霧中的劇毒，縱然傷到我們，也非大丈夫的行徑。」

那嬌脆冷漠的聲音，重又響起，道：「你們既然定要見我也好，不過，見了我真面目之後的人，只有兩條路可以選擇，一條是死，一條是投效冥嶽，永做不叛之徒……」

神鐘道人冷然喝道：「妳還忘記了一條可走的路，那就是憑藉武功，決定咱們哪一個先死。」

大殿中的水霧，突然間消失不見了，視線頓清，殿中的景物，已然清晰可見。

神鐘道人輕輕一彈長劍，環顧了群豪一眼，緩緩地說道：「不論這次動手的勝敗，我們都甚少有出這冥嶽的可能了，如若咱們都喪身此殿，江湖上勢必另成一番形勢，可惜諸位身負的絕技，大都要失傳了。」

神鐘道人目光閃了兩閃，投注到方兆南和陳玄霜的身上，只見兩人相扶而立，面色上泛起

一層甚重紅暈，雙眼緊閉，如同酒醉一般，不禁一皺眉頭。

他輕輕嘆息一聲，目光中滿是失望的神色。

回頭一瞥，忽然看見一筆翻天葛天鵬身後站的葛煒、葛煌，頓覺精神爲之一振，臉上泛現出喜悅慈愛之色，緩步走了過去，低聲說道：「這兩位小兄弟，可是令郎麼？」

葛天鵬黯然一笑，道：「正是犬子。」

神鐘道人輕輕地咳了一聲，道：「葛兄有幾位令郎？」

這一句問話，字字如刀如劍，刺入了葛天鵬的心中，只覺一股莫名悲傷，泛上心頭，輕輕嘆息一聲，道：「兄弟膝下，只有這兩個犬子。」

父子情深，天倫淚下，豪邁的葛天鵬，黯然神傷，舉手輕拭一下滾在兩頰的淚水。

不論什麼人，在自知將死的絕望中，心情最易感受激動，葛天鵬慈父悲苦之態，使群豪大受震動，都不禁爲之黯然一嘆。

葛煒、葛煌，齊聲說道：「爹爹不必悲苦，孩兒等毫無畏死之感……」

兩個血氣方剛的年輕人，竟然大有視死如歸的豪氣。

葛天鵬哈哈笑道：「好孩子，你們不愧爲葛家之後，咱們父子三人，能夠喪生一處，死而何憾。」

神鐘道人突然神出右手，疾如電光石火般，點了兩人的穴道。

葛天鵬愕然相顧，道：「道長這是什麼意思？」

神鐘道人臉色莊肅，環顧了群豪一眼，說道：「眼下咱們都已身中劇毒，雖然未必如那妖婦所說，幾個時辰之內，劇毒就要發作，但中毒一事，已是千真萬確，算來咱們今日要想出這冥嶽，只怕不是容易之事！」

群豪都不知他言中之意，個個凝神靜聽。

神鐘道人輕輕嘆息一聲，接著：「貧僧懷中現有兩粒金丹，此丹乃我們武當派上輩掌門人傳交下來，不知用什麼藥物製成，但功效卻能起死回生，消解百毒，可惜咱們受傷之人太多，貧道這丹藥只有兩粒，是以必需選找兩位年紀較輕，天資聰慧的人，把這兩粒丹藥贈送於他……」

一筆翻天葛天鵬急道：「這個如何使得，還是道長留著自己服用吧！」

神鐘道人不理葛天鵬的話，目光又環掃群豪一眼說道：「這位葛兄的兩位令郎，年齡在咱們這般人中最是幼小，稟賦亦奇佳，貧道願把兩粒金丹，贈送這兩位小兄弟，再以本身功力助他們打通奇經八脈，不過，還得請諸位答應一件事情，以使諸位絕技，不致失傳。」

群豪大都明白了神鐘道人言中之意，但卻無人答話。

神鐘道人緩緩從懷中摸出一個玉瓶，倒出了兩粒金丹，然後五指微一用力，玉瓶應手而碎，大步走了過去，蹲下身去，把手中兩粒金丹，分送在葛煒、葛煌口中。

葛天鵬站在一側，看得大爲感動，兩行老淚奪眶而出。

神鐘道人舉起手，說道：「貧道先把我們武當派中絕技、拳掌、劍招以及綿掌的練習之法，記載起來。」

當下撕了身上一塊衣襟，拔下頭上烏簪，在那衣襟之上，寫下口訣。

他功力深厚，木簪落處，衣袂應手透穿。

群豪似都被神鐘道人的慈愛精神所感，紛紛仿效，錄記絕學。

有的撕衣袂，用兵刃刻在上面，有的破手指，以血寫在帕上，也有用鐵筆刻在劍柄之上，震斷長劍留下木柄。

片刻之間，葛煒、葛煌兩人身前，堆滿一大堆衣袂、劍柄、絹帕。

神鐘道人皺皺眉頭，默運內功，扶起了葛煒，舉起手掌，托在他背心「命門穴」上，逼出一股熱流，攻入葛煒身體之中。

無影神拳白作義突然走了過來說道：「道兄，在下助你一臂之力。」也不待神鐘道人答話，伸手扶起葛煌身子，舉手抵在背心之上。

這兩人個個功力深厚，一運真氣，立時熱流滾滾，攻入葛煒、葛煌的身體之中。

片刻之後，葛氏兄弟被點的穴道，立時被兩人攻入體內的真氣，衝解開去，兩人幾乎是同一時刻，長長吁了一口氣，醒了過來。

神鐘道人一見兩人醒來，立時低聲說道：「兩位不要講話，快些運氣，和我們攻入體內熱流相和，打通奇經八脈。」

兩人茫然望了父親一眼，只見葛天鵬滿臉莊肅之色，輕輕地咳了一聲，說道：「快些遵照道長吩咐之言。」

葛煌、葛煒，聽得父親一說，也無暇多想，立時暗中運氣，和神鐘道人、無影神拳攻入體內的熱流相應。

忽聽撲通一聲，相扶而立的方兆南和陳玄霜，一齊摔倒在地上。

神刀羅昆轉臉望了兩人一眼，大步走了過去，伸手在方兆南額上一摸，覺得有些微微燙手，正待扶他起來，忽聽一陣嬌媚的大笑聲響徹大殿。

抬頭看去，只見東北大殿角之處，並肩站著四個服色不同女人。

群豪都爲葛煒、葛煌醒轉，和方兆南突然摔倒一事，分散心神，竟然都未注意到那四人，何時出現。

神鐘道人助葛煒打通奇經八脈，正値緊要關頭，無暇顧及，但群豪心目之中，都已默認他代替了大方禪師，成了群豪之中的領袖，他既然沒有說話，一時之間，大家都默不作聲。

但見那四個服色不同的女子，緩步向群豪走了過來。

這四個人正是手執鹿角般奇形兵刃的藍衣少女，手執拂塵、背插寶劍的紅衣少女，懷抱一對碧玉尺的白衣少女梅絳雪，和另一個面垂黑布、全身披著玄紗，隱現晶瑩肌膚的女人，那嬌媚的笑聲，就是由那身披玄紗的女人低垂的黑布面罩中發出。

她的身分似是高過那藍、紅、白色服的三個少女，四人由並肩而行，逐漸變成由三女護衛的局面。

葛天鵬眼看那四個女人漸和群豪接近，突然縱身一躍，直向前面衝去。

在他縱身飛躍而起的時候，已拔出背上的鐵筆，緊握在手中。

那衛護身披玄紗女人右側的紅衣少女，冷笑一聲，縱身躍起，口中嬌喝一聲，手中拂塵疾向葛天鵬鐵筆之上拂去，同時右手一翻，肩上的寶劍，也同時出鞘，劍光一閃，疾向葛天鵬前胸點去。

拂塵、寶劍先後而至，來勢迅快至極。

葛天鵬心中感激神鐘道人賜愛二子之心，大喝一聲，鐵筆猛向那紅衣少女拂塵之上碰去。

只聽那紅衣少女冷笑一聲，手中拂塵疾向上面一掃，纏在鐵筆之上，右手寶劍忽然斜斜點

擊過來，一招「驚鴻離葦」，寒光一閃而至。

這一招來勢迅若電閃，勢道快極。

葛天鵬手中鐵筆，吃那紅衣少女手中拂塵纏往，一時之間，要想抽出兵刃迎戰，甚是不易，如想躲避那紅衣少女的劍勢，勢必丟下手中鐵筆不可。

形勢迫得他無暇多想，本能地一鬆手中鐵筆，疾向後面躍開三尺。

那紅衣少女玉腕一振，抖飛拂塵上纏的鐵筆，口中嬌笑說道：「你還想走嗎？」左腳踏中宮，一招「穿雲取月」，劍勢疾如流矢般直刺過來。

葛天鵬還未站穩腳步，紅衣少女劍勢已近前胸，不禁心頭駭然，左掌急出一招「斗柄犯月」，猛劈過去。

紅衣少女笑道：「你還要掙扎麼？」

說罷右手劍勢忽然一變，一記「攔河截斗」，橫裡一削。

只聽一聲悶哼，寒鋒閃動，鮮血直噴，葛天鵬左小臂，生生吃那紅衣少女寶劍削斷。

葛天鵬左臂雖被齊肘切去，但竟能強忍痛楚，一言不發，右拳一招「直搗黃龍」，迎面擊去。

這等凶悍的打法，連那殺人不眨眼的紅衣少女，也不禁爲之一愕。

就在她一怔神間，葛天鵬的拳風，已然擊到，正中前胸，紅衣少女只覺胸前一震，立時向後退了兩步。

葛天鵬大喝一聲，擊出拳勢未收，人卻突然向前衝了兩步，拳勢仍然向那紅衣少女的胸前撞去。

那紅衣少女柳眉微微一揚，嬌軀斜向旁側一讓，寶劍一轉，陡然向上撩去。

寒光劃帶起一股森森劍氣，又削下了葛天鵬一隻右臂。

也不知是一股什麼力量，支持著他，葛天鵬已連被那紅衣少女斷了兩臂，仍然不出一聲呻吟，右腳疾飛而起，一招「魁星踢斗」，又猛向那紅衣少女小腹踢去。

紅衣少女微微一皺柳眉，笑道：「算得是一位英雄好漢。」左手拂塵由下橫掃，唰的一聲，蕩開葛天鵬的右腿，右手寶劍當胸刺去。

這一招劍勢，由前胸直達後背，對胸而穿。

葛天鵬咬牙，但仍然未發出一聲呻吟，向後退了一步，倒地死去。

神鐘道人眼看葛天鵬動手數招之間，立時送命在那紅衣少女手中，不禁黯然一嘆，舉手點了葛煒、葛煌的穴道。

他怕兩人目睹父親慘死之情，觸動傷懷，岔了真氣，走火入魔。

群豪都是眼看著葛天鵬死在那紅衣少女的寶劍之下，但卻無一人及時出手搶救，直待葛天鵬倒地死去之後，三劍一筆張鳳閣，才突然大喝一聲，揮劍運筆疾衝而上。

原來群豪身中奇毒，藥性已經開始發作，每人的反應，遲鈍了甚多，不似往常那般靈敏。

那紅衣少女微微一笑，側臉說道：「三師妹，這個交給妳啦！」

梅絳雪也不言語，嬌軀突然一側，人已衝前數尺，迎著了張鳳閣奔衝前勢，手中兩柄碧玉尺隨著疾衝嬌軀一展，張鳳閣手中的鐵筆短劍，登時被封震開去，人也被震退了數步。

這時，群豪已緊隨三劍一筆張鳳閣身後，齊齊衝了過來。

那藍衣少女和紅衣少女，同時嬌叱一聲，各揮兵刃，迎了上來。身著玄紗，面垂黑布的女人，卻停下了身子，靜站著不動。

廿五　情牽一線

這三女的武功高強，並肩而立，竟然擋住了群豪前進之勢，展開了一場激烈絕倫的惡戰。

但見玉尺飛揚，拂塵往來掃擊，那藍衣少女手中形如鹿角一般的怪兵刃，更是凌厲無匹，左揮右擊，銳不可擋。

劍光、刀影和強猛的杖風，交織成一片動人心魄的樂章。

激戰中突聞一聲悶哼，一個少林僧侶，首遭毒手，被那藍衣少女右手中的寶劍，活活劈成兩半。

神鐘道人冷眼旁觀，看群豪攻勢雖猛，但一個個目光遲滯，似是中瘋入魔一般，心知群豪身受之毒，發作在即，不禁心頭一寒。

他仰臉長長嘆一口氣，掄動手中寶劍，劃出了一圈銀虹，低聲對站在身側的青城派兩位高手，松風、松月道長說道：「兩位道兄可有什麼感覺麼？」

松風道長說道：「微覺頭暈心慌……」

神鐘道人嘆道：「兩位快請運氣調息一下，待真氣均勻之時，招呼貧道一聲，咱們聯劍出手……」

話還未完，耳際間又響起兩聲慘叫，群豪之中，又有兩人受劍倒下。

忽聽一聲：「阿彌陀佛！」

宏亮的佛號，響徹了大殿。

緊接著梵音高唱，滿殿中一片誦背經文之聲。

少林的僧侶們，忽然一個個精神大振，禪杖、戒刀，展開迅厲地反擊，其他的人反被少林僧侶們擴展的陣勢，迫到一側。

那三個少女，雖然武功高強，但在少林和尚強猛的衝擊之下，漸感不支。

這莊嚴的大悲經，使群僧生出了捨己爲人的崇高心念，由無牽無掛、視死如歸生出的空靈，振奮起萎靡的精神，排展開羅漢陣式。

但聞強厲的呼嘯杖風中，挾著閃閃的刀光，分著藍、紅、白三色衣服的少女，登時被圈入一片杖影刀光之中。

神鐘道人憑藉著深厚的功力，壓制著身受之毒，看少林僧侶們大展神威，排出羅漢陣式攻敵的威勢，突然心中一動，當下一揮寶劍，高聲招回武當門下弟子，說道：「眼下少林門下，正以羅漢陣群攻強敵，但這等激烈的搏擊，必將使全身血流運行加速，促使毒性提前發作，而且一旦毒發，無可救藥……」

他輕輕嘆息一聲，突然放低了聲音，對門下弟子囑咐了一陣，又回頭對青城派的松風、松月，和無影神拳白作義耳語了一陣。

他說話聲音異常低沉，別人無法聽得一字一句。

但見武當門下弟子，松風，松月及無影神拳白作義，齊齊盤膝而坐，運氣調息。

神鐘道人把群豪衣袂、劍柄上錄記下的精華武學，分別打成兩個包裹，然後也盤膝坐下，

運氣調息。

片刻之後，神鐘道人當先倒臥下去。

武當門下弟子，無影神拳白作義，青城派中的松風、松月兩位道長，也隨著神鐘道人，緩緩倒下。

九星追魂侯振方回顧了倒臥的武當門下弟子一眼，心中暗暗奇道：「怎麼搞的，難道這些人都已無法支撐體內劇毒，倒斃了不成……」

心念一動，突然眼前一花，自己竟也支持不住，大喝一聲，九枚指環一齊破空飛出，直向那身披玄紗，面蒙黑布，隱現晶瑩肌膚的女人打去。

那身披玄紗少婦雖然面垂黑布，但毫無妨害視線之感，只覺她纖手一揚，隨手擊出了一股強猛的潛力。

那九枚急飛而去的指環，吃她掌勢推出的潛力一擋，立時被彈震回去。

她一掌震飛了九枚指環後，立時嬌叱一聲，振袂飛躍過來。

玄紗飄飛中，隱現玉腿如雪。

她來勢奇快，疾越少林僧侶的羅漢陣，直落在群豪之中。

腳落實地，起手一掌，直向九星追魂侯振方急拍過去。

一股潛力，隨掌而出，侯振方大喝一聲，一連噴出兩口鮮血，摔倒在地上。

正在運氣調息，壓制毒性，使之延緩發作的群豪，聽得侯振方大喝之聲，立時各揮兵刃，把身披玄紗的女人圍了起來。

那身披玄紗的女人突然舉手一揮，揭開臉上垂遮的黑布，嬌聲說道：「你們都已受劇毒，要想活命，趕快丟棄兵刃，束手就縛，我各賜你們一粒獨門解藥，如想妄圖以本身修爲功力，壓制毒性，那無疑飲鴆止渴……」

說話之間，緩緩褪下身披玄紗。

當她取下了蒙面黑布之時，群豪都不禁爲之一呆。

只覺這女人美中帶媚，嬌中生俏，而且其媚冶蕩入骨髓，使人一見之下，神魂爲之一蕩，再加上她那嬌婉的呼叱之聲，聽來更是清脆悅耳。

雖然說的不是喁喁情話，呼郎喚弟，但那柔靡的聲音，卻使人聞而動心。

但見她緩緩脫去了身披玄紗，露出修長的玉腿，和晶瑩如玉的肌膚。

那冰冷的神情，也隨著她緩緩褪下的披身玄紗，變作微微的笑意。

星目轉動，皓齒如雪，纖纖十指，輕輕拂散開垂肩秀髮。

絕世的美麗容色，冶蕩動人的媚態，幻化出一副驚心動魄的妖艷畫面……

群豪同時感覺到胸中熱血沸騰，手中拿著兵刃，有如木雕泥塑。

耀眼生花的肌膚，撩人綺念，使群豪體內血脈運行加速，也促使毒性提前發作。

突然間，響起了一聲慘叫，一個少林僧侶，被那藍衣少女形如鹿角的兵刃，橫掃去半個腦袋，倒地死去。

緊接著連聲悶哼慘叫，又有四個少林和尚傷在那紅衣少女和藍衣少女的劍下。

慘叫中混合著那紅衣少女和藍衣少女的嬌笑之聲。

全身白衣的梅絳雪，卻仍然是一副冷若冰霜的神情，既不聞她說話之聲，也不見她臉上浮現過一絲笑意。

但見她手中一對碧玉尺，揮舞兩道青光，飛繞在少林寺群僧之中，但她點到就收，始終未傷一人。

被譽為武林中最奇奧的羅漢陣，逐漸地散亂，解體。

少林僧侶們傷亡慘重無比，已有十二人倒臥在地上。

要知這一陣激戰之後，少林群僧們身受之毒，已經開始發作，只覺目眩頭暈，四肢力量漸減，運杖揮刀，漸感吃力。

這情形，給了那藍衣少女和紅衣少女一個極好的屠殺機會。

但見兩人劍光閃動，鮮血濺飛，片刻間，三十六個少林僧眾，全都死傷在兩人寶劍、拂塵，和那形如鹿角的怪兵刃下。

梅絳雪一身白衣濺滿了血跡，但她卻始終未傷過一人。

這是一場慘酷無比的屠殺，只看得倒在地上裝暈的神鐘道人，感傷萬千，黯然魂消，幾乎忍不住要挺身而起，揮劍接戰。

但他卻以無比耐心，忍了下去。

三人殺戮完少林寺三十六僧，立時揮動兵刃，疾向呆呆出神的群豪攻去。

劍光閃動，血肉橫飛，但聞連連慘叫之聲，片刻之間，群豪已傷亡了七、八人之多。

那身披玄紗女人，忽然嬌笑一聲，收斂了冶蕩之態，柳腰一擺，衝入了群豪之中，指掃掌劈，迅辣絕倫。

但聞慘叫之聲，不絕於耳，群豪紛紛應手而倒。

這時，群豪身受之毒，大都已經發作，無能招架，縱然揮動兵刃還擊，也是去的毫無勁道。

緊依在神鐘道人旁側而臥的松風、松月道長，眼看著這等驚心動魄的屠殺，心中大感不忍，不自覺地挺身欲起。

神鐘道人雖然微閉雙目裝暈，但仍然留神著周圍群豪舉動，一見松風、松月難再忍耐下去，趕忙伸手輕輕一扯松風道長衣袂。

松風霍然驚覺，心中暗道：「好險！好險！我如一時忍耐不下，挺身躍起，只怕要破壞神鐘道兄的全盤計劃。」

只聽神鐘道人細微的聲音，在耳際響起道：「等會兒那殿門大開之時，由貧道和白兄擔任搶奪殿門之責，兩位道友請分抱葛煒、葛煌盡快躍出，本門中弟子則組成五行劍陣，全力阻擋強敵。」

他暗運內功，施展千里入密的工夫，除了白作義、松風、松月，和武當門下弟子之外，其他的人雖有靈敏的耳目，也無法聽得。

這時，迴輪殿中的情景，已然漸入沉寂。

群豪大都濺血在那藍衣少女和紅衣少女的寶劍之下，或遭那身披玄紗的女人所傷，幾個未傷之人，也都藥性發作，不支倒下。

那身披玄紗女子，目睹殿中無一反抗之人，突然嬌聲喝道：「停手！」

那藍衣少女和紅衣少女，應聲而住。

身披玄紗女子放聲一陣格格嬌笑，道：「打開殿門，要他們把殿中屍體清運出去，藥性發作的暈倒之人，一律解入石牢之中，聽候發落。」

那藍衣少女說道：「只怕這般人中，有些狡猾之輩，故意裝死，弟子之意，不如斬盡殺絕的好。」

那身披玄紗的女子沉吟了一陣，說道：「不錯，這般人中，難免有裝死之人，待大開殿門之後，再設法逃走……」

她目光環掃了大殿一眼，冷笑一陣，道：「縱然他們能夠逃出大殿，但也無法衝過重重攔擊，這些人都是當今江湖上甚有名望身分之人，多留一個活人，就多一個人的用處。」

那藍衣少女笑道：「既然如此，師父請回去休息吧，此處有我和兩個師妹，足以應付了。」

那身披玄紗少婦微一頷首，自向大殿一角走去。

梅絳雪借著送那玄衣少婦的機會，由方兆南、陳玄霜身側走過，輕輕踢了兩人一腳。

她早已看準了兩人穴道位置，默記在心中，雖未低頭探看，出足仍然極準，踢中了兩人太陰脾經的「地機」穴。

陳玄霜「生死玄關」已通，反應最是靈敏，梅絳雪不過向前才走了三、四步遠，她已醒轉過來，霍然睜開雙目。

這位初歷江湖的姑娘，近來目睹江湖上諸多凶慘、險詐之事，已變得謹慎了不少，目光一觸大殿中遍地橫屍，立時又閉上眼睛。

那藍衣少女和紅衣少女，精神貫注在武當派神鐘道人，和無影神拳白作義的身上，也未留心於她，竟然無人發現她睜開眼睛之事。

陳玄霜雖然一身武功，但她究竟還是一位稚氣並未全退的少女，生平之中，又未見過這等死屍雜陳，滿地鮮血的淒慘之局，只覺心中一陣跳動，全身血脈加速運行，眨眼之間，經脈暢通。

她緩緩啓開雙目，瞧了方兆南一眼。

只見他的眼皮顫動，似想睜開眼睛，當下悄然伸出手去，握住他左手脈門，微一用力，把本身真氣，傳入方兆南的身上。

方兆南一得陳玄霜真氣相助，立時醒了過來，一睜雙目，正欲挺身而起。

這時，耳際忽響起陳玄霜低微的聲音道：「南哥哥，別慌著起來，快些暗中運氣調勻真氣，也許還得打一架呢！」

方兆南輕輕一握陳玄霜抓在腕上玉掌，表示相謝之意。

陳玄霜卻突覺心波蕩漾，羞喜地問道：「南哥哥，你心裡喜歡我麼？」

方兆南心頭一跳，一時之間，不知該如何答覆才好。

正感爲難之際，突聞一陣沙沙急響，迴輪殿兩扇大門，突然大開，一陣強烈的陽光，射入殿中。

神鐘道人突然大喝一聲，急躍而出，揮劍一掠，人已到大殿門口。

無影神拳白作義，緊隨著挺身坐起，雙拳齊出，打出兩股無聲無息的拳風，分向那藍衣少女和紅衣少女撞去。

二女事先毫無警覺，待覺出不對時，潛力已然近身。

只覺前胸被一股強猛之力一撞，不由自主地向後退了兩步。

白作義打出兩拳之後，人已凌空飛起，直向那鐵門之處，搶落過去。

雙腳還未著實地，又打出一記無影神拳，直向守在大殿門外的八個赤足少女擊了過去。

松風、松月緊隨躍起，一個抱了葛煒，一個抱了葛煌，順手又提起放在兩人身側的包裹，急向殿門奔去。

武當門下弟子，紛紛起身，各自拔出長劍，結成一座五行劍陣，向大殿門口移去。

陳玄霜目睹神鐘道人等，一齊向殿外衝去，大有奪路而逃之心，當下一挺嬌軀，急躍而起。

她手中仍握著方兆南的右手脈門，縱身躍起時，不自覺地加了幾成勁力，方兆南登時感到半身一麻，無力掙脫，被她向前拖了八、九尺遠，重重地喘息了兩聲。

陳玄霜聽得方兆南喘息之聲，心中陡起警覺，趕忙放開了方兆南的右腕。

那身披玄紗的女子，剛剛走到大殿側角，人還未進暗門，殿中已生變故，立時回過身來，冷然一笑，一揮左手，示意要梅絳雪去幫助兩位師姐動手，自己卻舉手在臂上一按，石壁之上，立時自動開了一個小門，逕自進門而去。

她似乎根本未把神鐘道人等向外衝闖之事，放在心上。

那藍衣少女和紅衣少女，早已和武當派中弟子排成的五行劍陣，動上了手。

武當派中的五行劍陣，和少林派的羅漢陣，同爲馳名天下的奇陣，彼此的劍勢，配合異常嚴謹，二女攻勢雖然強猛，但想在一時之間，衝破五行劍陣，亦非容易之事。

再何況，武當門下弟子，且戰且退，並未存有求勝之心，只是守御之勢，更是嚴密異常。

這時，神鐘道人已和那圍守在大殿門口的八個赤足白衣少女，動上了手，無影神拳白作義緊隨在松風、松月二人身後，閉目養息，沒有出手。

陳玄霜和方兆南，緊跟著白作義。

神鐘道人眼看門下弟子排成的五行劍陣，逐漸接近了殿門，突然輕嘯一聲，手中劍勢忽然一變，剎那間冷芒電掣，劍氣漫天。

神鐘道人的功力深厚，這一全力施爲，劍勢的威力大盛，八個赤足白衣少女，登時被迫得有些手忙腳亂。

微閉雙目養息的白作義，此刻卻突然睜開了眼睛，遙遙發出了兩拳。

但聞兩聲嬌脆的輕哼之聲，兩個赤足白衣少女分別中拳，一個當場噴出一口鮮血，倒在地上，一個卻身軀搖顫，緬鐵軟刀，脫手落地。

神鐘道人一劍掃來，鮮血濺飛，那失刀白衣少女登時被攔腰斬作兩斷。

白作義大喝一聲，又打出兩記無影神拳。

八個赤足白衣少女，哪裡還敢大意，不由自主的紛紛向兩側閃讓開去。

松風、松月背負著葛煒、葛煌，縱身一躍，緊隨神鐘道人身後衝過。

白作義大展神威，雙拳連發六拳，分向六個白衣少女打去。

餘下的六個白衣少女，都是極少江湖閱歷之人，不能兼顧四面，只顧想法子對付神鐘道人劍勢，又忘了白作義那無聲無息的拳風，全都被那悄無聲息擊來的拳風打中。

只覺心頭一震，齊齊向後退了數步，兩個受擊較重，一屁股跌坐在地上。

梅絳雪眼看神鐘道人等衝出迴輪殿，直向生死門闖去，但兩位師姐卻仍被五行劍陣擋住，兩人攻勢雖然極辣極狠，毒手頻施，但那五行劍陣配合嚴密，變化奇奧，任兩人攻勢猛惡，始終不現破綻。

這時她怕引起兩位師姐懷疑，趕忙縱身而上，揮動碧玉尺搶攻。

她一加入，三女威勢大增，武當門下弟子，登時感受到強大的壓力，陣勢變化受制，漸感不支。

方兆南一看情勢不對，低頭對陳玄霜道：「師妹去助神鐘道人開路，我去助那幾個斷後的武當弟子一臂之力。」

陳玄霜低應一聲，仗劍一躍，凌空飛起，越過了松風、松月，落在神鐘道人身後，說道：「道長請小息片刻，讓我先打一陣。」

這時，神鐘道人已衝到生死門前，十二個鬼形怪人，排成了一座陣式，擋在門口，神鐘道人已猛衝了三次，都被那十二個鬼形怪人合擊之勢，擋了回來。

神鐘道人經這一陣激戰之後，已覺身受之毒將要發作，如不及時運氣調息，只怕難再持久，當下疾攻兩劍，抽身而退。

陳玄霜抬頭望了那十二個鬼形怪人一眼，只見每人一副怪形，臉上彩色鮮明，縱然心中明白那都是人裝扮而成，但仍然不自覺地有些害怕。

她別過臉去不敢再看，手中長劍一揮，幻出兩朵劍花，分向當先兩個鬼形怪人刺去。

她雖然眼睛未看，但刺出的劍勢，卻是準確異常，指襲之處，都是人身要害大穴。

兩個主持陣勢變化的鬼形怪人，被她的劍勢逼得各自向後退了一步。

陳玄霜一擊逼退了強敵，使她怯敵之心大減，玉腕揮搖，施展開迅辣的劍招，倏忽之間，連續攻出了八劍。

搶盡先機的八劍，使那圍守生死門的十二個鬼形怪人，被迫得手忙腳亂，彼此相互救應的陣式，也被迫亂了章法。

神鐘道人一面運氣調息，一面留神著陳玄霜和人動手的情形，見她出手劍招，詭異辛辣，竟是生平未見之學，心頭大力震動。

突聽耳際間，響起了一聲悶哼，眼前泛現了一片血光。

定神看去，只見陳玄霜濺滿了一身血跡，揮劍決戰於敵陣之中。

她劍招愈來愈奇，劍勢的威力也愈來愈大，十二個鬼形怪人，已被她劍劈四個。

這時，無影神拳白作義，和分背著葛煒、葛煌的松風、松月，都爲陳玄霜精奇劍招吸引，忘記了仍然置身在險難重重的境遇之中。

但聞陳玄霜嬌叱一聲，劍光突然暴射，撒出了朵朵銀花，又有兩個鬼形怪人，濺血橫屍在劍下。

這面陳玄霜大展身手，初試奇學，那面方兆南也發揮了甚大威力，阻擋了三女迫進之勢。

原來武當門下弟子的五行劍陣，自梅絳雪出手之後，已被迫得形將散亂，險象環生，方兆南卻仗劍一躍而到，一連猛攻三劍，把形將散亂的五行劍陣，重又穩定下來。

那紅衣少女格格一陣嬌笑，道：「好啊！你也會裝死啊！」

說著唰唰兩劍，直劈過去。

方兆南長劍斜指，一招「斗轉星移」，化解開疾攻過來的兩劍，反手一招「琵琶別抱」，閃閃寒芒，幻化出數點銀星，分點向藍衣少女三處要穴。

那藍衣少女一揮手中形如鹿角的怪兵刃，一招「鐵樹銀花」，化出了一片紅影。

只聽一陣叮叮咚咚之聲，有如金石相擊，方兆南點去劍勢，盡被封開。

梅絳雪冷眼看他武功大進，心中甚喜，但她表面神情之間，仍是一片冷冰冰的樣子，左手碧玉尺一招「畫龍點睛」，由側面急襲過去。

方兆南暗暗忖道：「我如不和她實實在在地拚上幾招，只怕要引起她兩位師姐的懷疑之心。」

當下一劍「潮泛南海」，守中帶攻，封架開梅絳雪手中的碧玉尺，長劍趁勢推進，疾向前胸點去。

梅絳雪正待用右手玉尺封架，斜裡卻疾來一劍，封開了方兆南的劍勢。

耳際間響起了紅衣少女嬌笑之聲，道：「當真是癡情女子負心漢，你竟然連我們三師妹也一樣照下毒手……」

方兆南手中劍勢一緊，唰唰唰一連三劍，把那紅衣少女迫得向後退了一步。

那藍衣少女和梅絳雪的攻勢，卻被五行劍陣中的道人接住。

五行陣的奇奧變化，護住了方兆南的側翼，使他沒有了後顧之憂。

激鬥中，忽聽一聲冷響，一個武當派中道人被梅絳雪玉尺震飛了長劍，那藍衣少女疾由側面攻來一劍，把那人一斬兩截。

五人組成的五行劍陣，死了一人之後，登時陣法亂了起來。

那藍衣少女借機向前疾衝了兩步，手中形如鹿角的怪兵刃，突然施展開迅厲的招術，疾衝入陣。

已經散亂的五行劍陣，登時被她衝得七零八落。

方兆南暗中留神瞧去，只見群道個個滿頭大汗，舉手揮劍，顯得亦甚勉強，看樣子，再動

手相搏一會兒工夫，不用三女施下毒手，四人也難支撐多久了。

原來四個道人經這一陣激烈的相搏之後，血脈流行加速，毒性早已發作。

方兆南暗暗嘆息一聲，忖道：「霜師妹說那大殿水霧中含有劇毒，當時我亦有中毒之感，這些道人，分明一個個毒性發作，我怎麼毫無異樣之感，這樣看將起來，梅絳雪相贈那兩粒丹藥，定然是解毒之藥了，唉！她待我這般情深意厚，日後不知該如何報答於她才好……」

正自忖思，遙聞陳玄霜高呼之聲，道：「南哥哥，快些退出來吧。」

那紅衣少女手中拂塵，劍勢突然一緊，攻勢猛厲無比，口中卻嬌笑道：「三師妹，郎君薄倖，留著他徒招煩惱，二師姐替妳殺了他，稍洩妳心頭之恨……」

方兆南大喝一聲，手中劍勢突然一變，施出半招「巧奪造化」，剎那間劍芒點點，分向三女襲到。

這一招曠絕千古的奇奧之學，威力強大，變化神奇，方兆南雖然只知道一招的三分之一，但出手的劍勢，已使三女大駭而退。

方兆南低聲喝道：「四位道兄快退！」

他收劍一躍，人已到生死門下。

這時他回頭望去，只見武當門下四個道人，一齊摔倒在地上。

但見那藍衣少女、紅衣少女手中劍光閃動，四人全都被攔腰斬作兩截。

激戰中，方兆南大喝一聲，又施出了那招「巧奪造化」，但見寒芒流動，分向三女襲去。

梅絳雪和那藍衣少女見威勢奇大，似是知道厲害，立即倒躍而退。

那紅衣少女看他常施出此招，逼退自己，心中忽生不服之感，竟然不向後退，左手拂塵，右手寶劍，一齊出手。

拂塵攻敵，長劍卻斜撩方兆南的劍勢。

只覺那滿天流動的光影中，幻起千百劍尖齊齊刺了過來。

同時，也覺著向上撩的劍勢落空，全身盡在對方劍光籠罩之下，不禁心頭大駭，急急收劍而退。

她見機雖快，但仍晚了一步。

只見閃閃銀虹，掠面而過，一片秀髮，應手而落。

這招劍術之中，本還有甚多精奇的變化，如果方兆南當時記全那老人傳此一招劍學，只怕三女早已濺血在他的劍下了。

方兆南一擊得手後，立時大聲喝道：「霜妹快退！」伸手一拉陳玄霜，轉過身子，急急向前跑去。

那紅衣少女吃那一劍削落了一片秀髮，早已嚇得魂魄離體，呆立谷口，擋住了那藍衣少女的去路，梅絳雪更是有意拖延，故意不追。

那藍衣少女探過頭來，在那紅衣少女臉上打量了一下，見她沒有受傷，立時冷冷地罵道：「死丫頭，還不快追，站著發的什麼呆？」

那紅衣少女被師姐兩句話，罵得醒了過來，口中啊了一聲，放腿向前追去。

神鐘道人目睹方兆南、陳玄霜連番惡鬥之後，仍然毫無毒發疲累之態，心中甚感奇怪。

他橫劍守在谷口之處，待方兆南、陳玄霜奔到之時，立時低聲問道：「兩位可覺得內腑之中，有些不對嗎？」

方兆南搖搖頭道：「沒有啊！」

神鐘道人略一沉忖，側身放過方兆南和陳玄霜，說道：「我擋追襲強敵，兩位請保護青城派的兩位道兄，離開此處。」

也不待方兆南答話，仗劍向三女迎了上去。

白作義連施無影神拳，真力消耗甚大，亦自知內腑毒性發作，難再久存人世，當下對松風、松月一拱手，道：「兩位任重道遠，請盡餘力，相助葛氏兄弟，脫出險難，兄弟去助神鐘道兄一臂之力……」

說罷，縱身一躍，直飛過去，人還未落實地，雙拳齊出，打出兩記無影神拳，分向三位少女擊去。

松風、松月，因一直未和強敵動手，毒性發作較緩，心知眼下處境，寸陰千金，也不謙辭，低聲對方兆南、陳玄霜道：「咱們走吧！」

說著當先放腿向前奔去。

方兆南心中雖然覺得疑竇甚多，但見松風、松月奔行如箭。也無暇多問，急急追了上去。

但聽身後金鐵相擊之聲，不絕於耳，似是打得十分激烈。

松風、松月一面奔行，一面抬頭打量山勢，似是想尋找一條出山之路。

片刻間，已奔出數里之遙，觸目一片花海，香氣襲人。

奔行之間，忽見人影一閃，紅花叢中，閃出來兩個綠衣少女，手橫寶劍，攔住了去路。

松月左手抓緊了背上的葛煒，右手抽出背上空劍，唰的一劍，疾向左首那綠衣少女刺去。

那左首少女並不舉劍，向後一閃，避開劍勢，倒是右首那綠衣少女，斜裡伸來一劍，擋開松月劍勢。

方兆南沉聲喝道：「兩位道長揹負著人，我來對付這兩個。」

他話還未完，陳玄霜已疾衝而上，手中寶劍一振，幻出兩朵劍花，分襲二女。

右邊那綠衣少女一招「迴風舞柳」，長劍疾轉回來，封架開陳玄霜攻去的一劍。

陳玄霜嬌軀斜斜一轉，反臂一招「天外來雲」，劈了過去。

她劍招剛變，忽聽一聲淒厲、短急的慘叫聲。

轉眼望去，只見左側那綠衣少女，手中寶劍，從身後洞穿右側綠衣少女的前胸。

原來她乘勢閃到身後，借機刺出一劍，右側綠衣少女，萬沒料到同伴竟會暗算自己，毫無防備，劍勢穿心透胸，慘叫半聲，人已倒地死去。

這意外之變，連方兆南、陳玄霜等，都有些茫然不知所措，望著那綠衣少女發呆。

只見她緩緩拔出長劍，就那綠衣少女身上，抹去血跡，問道：「哪位姓方？」

方兆南怔了一怔，道：「在下姓方。」

那綠衣少女打量了方兆南兩眼，道：「你可是叫方兆南？」

方兆南道：「不錯，姑娘怎地知道？」

綠衣少女道：「前面關卡重重，這谷中有一條出山捷徑，幾位如想逃得性命，只有從那密道出去。」

方兆南道：「你是什麼人？」

綠衣少女低聲答道：「我奉梅姑娘之命而來，眼下時光不多，幾位快隨我來吧！」飛起一腳，把屍體踢入花叢中，轉身向前跑去。

方兆南望了望松風、松月一眼，道：「跟她去吧！」

幾人魚貫隨那綠衣少女身後，加緊急追。

那綠衣少女似是異常熟悉冥嶽地勢，帶著幾人穿越奔行於花叢之中。

這時松風、松月身受之毒，已逐漸開始發作。

那綠衣少女神情，也似十分緊張，雖已瞧出松風、松月難以支撐下去，但她奔行的速度，仍然不減。

方兆南連經大變，增長了不少閱歷，緊緊追隨那綠衣少女身後，暗運功力監視，只要一發覺那綠衣少女有什麼異樣舉動，立時以迅雷不及掩耳之勢，出手施襲。

奔行約頓飯之久，才出花叢，綠衣少女回頭望了松風、松月一眼，道：「兩位道長請忍耐一下，咱們已快脫離險境了。」

說完轉身向一道荒蕪的谷中跑去。

在此等情境之下，方兆南心中雖然懷疑，但也不得不隨那綠衣少女身後，進入山谷。

這是個生滿荒草的山谷，那綠衣少女舉著寶劍，分撥著荒草而行，深入二里左右，才長吁一口氣，停了下來。

她回頭對方兆南等說道：「如若咱們的行蹤沒有被埋伏在花叢中的人看見，眼下已經算十分安全了！」

方兆南道：「姑娘知道此路，難道冥嶽中其他之人，就不知道這條荒谷麼？」

綠衣少女道：「這條荒谷，原本是條死谷……」

方兆南道：「既然是條死谷，姑娘把我們送入絕地，不知是何用心……」

那綠衣少女道：「你這人急什麼呀？不待別人把話說完。」

只聽那綠衣少女繼續說道：「在這荒谷之中，有一個噴火的山口，但近幾年來，已經不噴火了！」

方兆南暗道：「好啊！妳把我們送到火山口中，倒可省了妳們甚多手腳。」

那綠衣少女甚少在江湖上行動，也瞧不出方兆南心中已有了懷疑，仍然接著說道：「梅姑娘要我把你們帶到那火山口處，要你們從那山口進入，她說這是唯一的生機……」

方兆南道：「那山口雖然不噴火了，但裡面的熱度定然甚高，我們進入，只怕難再生出……」

那綠衣少女搖搖頭，道：「這我就不知道啦，梅姑娘只要我把你們帶到那噴火處。」也不等方兆南回答去是不去，立時又轉身向前走去。

方兆南回目望了松風、松月一眼，只見兩人頭上汗珠如雨，滾滾而下，微閉著雙目而立，神志已似進入了半暈迷的狀態，哪裡還能作得主意，暗自忖道：「眼下情景，九死一生，不如先和她到那噴火口處，瞧瞧再說。」

當下隨那綠衣少女身後走去。

那綠衣少女走得甚慢，似在辨認去那山口之路。

又行里許左右，到了一處山壁前面，只見那崖壁下面，有一所高約三尺，橫寬二尺左右的山洞。

綠衣少女指著那洞口說道：「這就是了。」

方兆南探頭望去，裡面一片漆黑，也不知有多深多遠，但卻毫無灼熱之感。

那綠衣少女道：「你們進去吧，我要走了。」

方兆南暗暗忖道：「如是此女故意引我們進入火山洞中，決然不會殺傷同伴，想來她是奉梅絳雪之命而來，大概是不會錯了。」

但見那綠衣少女的背影，閃了兩閃，已然走得蹤影不見。

方兆南目光緩緩由陳玄霜、松風、松月的臉上掃過，心中暗自想道：「陳玄霜毫無江湖閱歷，松風、松月兩位道長，看來已是神志昏亂不清，眼下情景，已無可與商議之人，進不進山口的主意，全要我來決定了……」

他忽然覺得自己責任重大，這幾人的生死性命，都在他一念之間。

他沉思良久，才決定冒險一試，回頭對陳玄霜道：「我在前面帶路，師妹請走在最後，松風、松月兩位道長，只怕已經神智迷亂，難以久撐下去，師妹準備隨時搶救他們。」

陳玄霜點點頭，道：「知道啦，你放心吧！」

方兆南拔出劍來，一側身進了山洞。

這時，松風、松月兩入，心中唯一能夠記著的事，就是跟著方兆南行動，兩入一見方兆南進了山洞，倒是不用招呼，緊隨方兆南身後而入。

洞中一片漆黑，伸手不見五指，方兆南心中又有慎嚴的戒備，走得異常緩慢。

只覺這洞向下傾斜的坡度甚大，但卻毫無灼熱之感。

深入約三十丈後，狹窄的山洞，突然開闊起來，一種隆隆之聲，遙遙傳入耳際。只覺那隆隆之聲，忽東忽西，似是經常移動，雖然不大，但隱隱可辨其驚人的聲勢，有如遙聞海嘯一般。

方兆南不禁暗自忖道：「不知什麼聲音，如同海嘯沉雷，現下相距甚遠，已可預想其勢，待接近之後，尚不知是何等情景了。」

忽聽身後的松風道長低沉的呻吟了一聲，摔倒在地上。

方兆南目力本超異常人甚多，經過這一段黑暗中行走之後，已然可在一丈內辨視景物。他回頭望去，只見松風道長，嘴角間鮮血汩汩而出，身負之人，和手提的包裹，都已丟棄地上，頭頸斜斜地靠在壁上。

方兆南伸手在他鼻口之間一摸，人已氣絕死去。

他身後的松月道長，突然雙膝一軟，直向前面栽去。

陳玄霜依他身後而立，趕忙探手一把，抓住他的道袍，方兆南雙手齊出，接住正向地上倒的葛煌。

只見松月道長，長長喘息了一口氣，說道：「他們兄弟兩人都是被點了穴，解開之後，就可自己行動了……」

一口鮮血湧了出來，打斷他未完之言。

方兆南放下葛煌，暗運功力，舉手一掌，輕輕按在他「天靈」要穴，低聲問道：「道長還有什麼話要說麼？」

松月道長得方兆南真氣之助，已然緊閉的雙目，突然睜了開來，說道：「他們兩人，都服了武當派相傳下來兩粒護命金丹，只要解開穴道，調息一陣，逼出內腑之毒，大概就會好了……

「那包裹之中，是參與此次冥嶽之會所有之人的絕技，是傳給他們兩人的，要好好保存，交給他們……」

他掙動右手，探入懷中，摸出一塊銅牌，接著又道：「這是我們……青城派中信物……攜有此物，可得本派掌門接……」

下面的話尙未說出，人已支撐不住，又吐了兩口鮮血，大喝一聲而逝。

方兆南長長嘆息一聲，說道：「霜師妹，放開他吧，他已經死了。」

陳玄霜道：「他們怎麼死的？」

方兆南道：「中毒而亡。」

陳玄霜道：「我們在那大殿之中，不是也中了毒麼，怎麼還會好好呢？」

方兆南道：「我們服用了解毒藥物，要不然，只怕比他們還要早死一些時間！」

陳玄霜奇道：「就是在大殿中，你放入我口中的一粒丹藥麼？」

方兆南道：「不錯……」

陳玄霜道：「你哪裡來的解毒藥物？」

方兆南暗自忖道：「她心中一直記恨著梅絳雪，不如把梅絳雪贈藥之事，相告於她，或可減少她一些嫉恨之心。」

心念電轉，當下說道：「那解藥就是穿白衣的少女相贈……」

陳玄霜鬆下手中扶著的屍體，默然不言。

方兆南輕輕嘆息一聲，伏身撿起松月道長握在手中的銅牌，說道：「如若不是她相贈解藥，只怕咱們此刻屍體已寒。」

陳玄霜原本默然不語，聽得方兆南的話後，突然惱火起來，冷笑一聲道：「早知是她給你的解藥，我死了也不吃它！」

方兆南一看情形不對，趕忙扳轉話題道：「這兩位道長已經毒發身死，咱們把他們屍體移到一處，也該早些解開葛氏兄弟穴道，唉！只不知武當派的護命金丹，是否有效……」

陳玄霜道：「哼！人家的丹藥沒有效，只有你那白衣妹妹的靈丹有效啦！」

此女嫉妒之心，奇重無比，雖在異常淒涼險惡的處境之中，仍然對那白衣少女，有著強烈的記恨和醋意，一句也不肯放鬆。

方兆南心知如若再和她相辯下去，定要鬧成十分緊張之局，微微一笑，默然不語，扶著葛煒的肩頭，讓他端坐在地上。

他先伸出左手來，暗中提聚了丹田真氣，右手掌心抵在他命門穴上，先用本身真氣，催動葛煒的行血，然後才解開他的穴道。

只聽葛煒長長吸一口氣，醒了過來。

陳玄霜目睹方兆南解開了葛煒穴道，立時如法炮製，也把葛煌的穴道解開，冷哼了一聲，道：「南哥哥，誰說人家武當派護命金丹不管用了？」

方兆南知她心中怒意未消，趕忙接口說道：「神鐘道長肯把兩粒護命金丹，轉贈兩位葛兄，自己卻甘心忍受毒發之苦，一代名派掌門，氣度果然是與眾不同。」

葛煒、葛煌醒來之後，打量了一下四周的景物，問道：「這是什麼所在？」霍然站起了身子。

兩人剛剛醒來，神智尙未全復，這洞中又黑暗如夜，難見景物，不覺心中微生驚駭。

方兆南低聲說道：「兩位葛兄穴道初解，內腑尙有劇毒，不可亂動，快請坐下，運氣調息，逼出內腑劇毒。」

葛煌突然問道：「我爹爹哪裡去了？」

葛天鵬被殺之時，神鐘道人雖及時點了他的穴道，但那幕慘絕人寰的景色，已在腦際中留下了一些印象，人已清醒，立時想起了父親生死之事，不禁一問。

方兆南暗暗一皺眉頭，道：「兩位葛兄先請運氣調息，迫出內腑劇毒之後，兄弟自會奉告詳情……」

他微一停頓之後，又道：「此地尙未全離險境，待兩位迫出劇毒，咱們還要立刻趕路。」

葛氏兄弟果然依言坐下，運氣調息。

這兩粒護命金丹，功效異常強大，葛煒、葛煌運氣催開藥力，立時覺得丹田之中，一股強勁的熱流，直沖上來，不自禁張口一陣嘔吐，把腹中存有之物，全都吐了出來。

方兆南不知兩人嘔吐，乃所服金丹之力，初時爲之十分擔心，及見兩人逐漸好轉，閉目而坐，才放心一嘆，低聲對陳玄霜道：「霜妹身上是否還帶有食用之物？」

陳玄霜笑道：「你肚子餓了？」

方兆南搖搖頭道：「不是，他們兩位嘔吐之後，腹中定會有饑餓之感，運息醒來，恐怕要吃東西，但那食物之上，已然有毒，不如早些拋去算了。」

陳玄霜這次倒沒有再出言頂撞，解下身上食用之物拋了出去。

方兆南微微一笑道：「這次你倒是很聽話呀！」

陳玄霜緩緩站起，走了過來，偎在他身邊坐下，柔聲說道：「南哥哥……」

三個字剛出口，忽聽一聲轟隆巨響，一股濃煙，由身後直沖過來。

幾人但覺如陷蒸籠之中一般，全身一陣奇熱，全部出了一身大汗。

這股熱風，來得太過迅快，快得幾人來不及運氣抵拒。

方兆南趕忙吸了口氣，準備先行運氣抵住這股熱風，然後再抱起葛氏兄弟，逃離此地。

哪知這一來，受的苦楚更大，只覺一股強烈難耐的硫磺氣味，直入內腑，趕忙又把吸入胸中之氣，吐了出來。

幸得那股熱風來得快，去得也快，不過一盞茶工夫，已然消去。

方兆南舉手拂拭一下頭上的汗水，低聲問道：「兩位沒有受傷吧？」

葛氏兄弟一齊睜開雙目，答道：「還好！」

兩人經過一陣嘔吐，身受之毒，已被靈丹逼出了大半，又經這一陣靜坐調息，元氣已恢復甚多，再睜開雙目之時，已可見四周景物。

陳玄霜微微一笑，道：「南哥哥，我想起來啦……」

方兆南一時之間，思解不出她話中含意，奇道：「妳想起來什麼了？」

陳玄霜道：「那白衣少女一點也不喜歡你，才要叫人把你帶入這火山口中，想把咱們活活燒死！」

方兆南默然不語，心中卻暗暗忖道：「這話倒也有幾分道理。」

忽然心中一動，另一個新的念頭，閃過腦際，暗道：「她如存心害死我們，大可不必多費這一番手腳，在迴輪殿中，我和霜妹都已身受奇毒，她又爲什麼暗中相送解藥呢？……」

只聽陳玄霜繼續說道：「她這樣對待你，我可以放心了。」說完一笑，緩緩地偎入了方兆南的懷中。

葛煌突然輕輕嘆一聲，道：「哥哥，就我記憶所及，爹爹好像已傷在迴輪殿，那身著紅衣少女的劍下。」

葛煒道：「我似是也看到了爹爹傷在那三個妖女手中，可是尚未看清，就已經被人點了穴道……」

他長長嘆息一聲，回顧了方兆南一眼，道：「不論什麼事，方兄只要知道，但請直言相告好了，事已至此，我們兄弟決不致意氣用事。」

方兆南略一沉忖，然後正容說道：「神鐘道人把武當派中歷代傳下來的兩粒金丹，相賜二位服用，使兩位保得性命，這等胸襟，是何等的博大。他相賜靈丹之後，又要全場中高手，各留絕技，獨授兩位，用心是何等良苦，如若兩位有負於他，一片苦心，只怕神鐘道人死在九泉之下，也是難以瞑目。」

葛煒、葛煌齊聲說道：「方兄但請放心，我兄弟決不致有負神鐘道人相救之望。」

方兆南道：「兩位真有這等氣度，不但神鐘道人相賜靈丹之心，沒有白費，也可使不少武林絕技，得以保存，不致失傳……」

他微微一頓之後，又道：「兩位所見不錯，令尊確然已死……」

葛煒、葛煌同時感到一陣傷心，熱淚滾滾奪眶而出，但兩人強力忍耐著傷痛之情，舉手拭去臉上淚痕，默不出聲。

方兆南嘆息一聲接道：「不但令尊罹難而死，除了眼下咱們四人，生死還難預卜之外，只怕這次參與冥嶽大會的武林高手，無一能夠生還……」

他簡明扼要地把迴輪殿，那場慘烈絕倫，驚人動魄的搏鬥經過說了一遍。

他嘆道：「神鐘道人在天下武林高手薈萃之中，獨獨選擇兩位，相賜靈丹，並請與會之人，必死之前，各留絕技，錄傳兩位，無非是讚賞二兄年少有力，天資過人。

「在那等情形之下，留下絕技的諸位老前輩，決不敢有藏私之心，二兄身負眾望，任重道遠，但願能不負天下英雄深厚的寄望才好。」

葛煒緩緩站起身來，低聲對葛煌說道：「弟弟，咱們先拜拜松風、松月道長遺體，也略表一點相敬之心。」

於是兩人並肩跪下對著松風、松月的屍體，大拜了三拜。

方兆南指著身側一個包裹說道：「此包之中，乃與會各位老前輩錄記的武功絕學，兩位要善爲保存，如若遺失一片衣襟、一塊木柄，就可能使一種絕技失傳。」

葛煒打開包裹，把裡面的劍柄、衣襟，分成了兩包，分給弟弟一半，牢牢地綁在身上，說道：「如若我們兄弟有了什麼意外，方兄就請把我們身負各位老前輩遺留下來的絕學取出，不要讓它流落在敵人手中才好。」

說完站起身來，大步直向外面走去。

方兆南呆了一呆，道：「葛兄停步，你要到哪裡去？」

葛煒回過頭道：「趁此刻咱們尚有搏敵之力，該設法闖出冥嶽才對，如果在此居留時間一久，饑餓得筋疲力盡之時，豈不只有束手待縛一途？」

方兆南道：「出此洞口，絕無生脫冥嶽之望，死裡求生之法，只有冒險深入，從這火山洞中，找出一條可行之路。」

葛煒緩步走了回來，說道：「剛才那一股濃煙之中，所含高熱，已非普通人的體能所可擋受……」

他微微一頓之後，接道：「也許方兄內功精深，已達寒熱難侵之境，但就兄弟剛才感受而論，決難忍受這洞中高熱，何況冒險深入未必就有出山之路，這等冒險犯難，倒不如試行一闖他們攔擊。」

方兆南不便把梅絳雪派人引入此洞之事，據實相告，怕又引起陳玄霜妒嫉之心，但他心中確信梅絳雪不會故意把自己陷入絕地之中。

這是一種無法說出的感受，在他心靈上，似乎已從梅絳雪那終日冷若冰霜的神情中，感受到一種難以言喻的信任。

他覺得這位難得一笑的絕色少女，內心中卻蘊藏了深摯的情愛，只是她偏重向靈性的發展，不像陳玄霜那等表現強烈，愛恨分明，但卻從淡漠中給人一種真摯的感受。

這感受使方兆南生出無比的信心，他相信這火山洞內，定有著脫險之路。

他深忖了良久時光，才緩緩抬起頭來，說道：「目下只有兩條路，不論哪一條，都是艱苦異常，生機茫茫，出此山洞，勢必為冥嶽中高手圍擊，縱然咱們能僥倖衝出重重攔截，強敵鐵騎亦必窮追不捨，不談武功，單是冥嶽中人善於用毒一項，咱們就防不勝防。」

葛煒道：「方兄之意，是……」

方兆南接道：「以兄弟之見，闖越攔截，倒不如深入火山之中一試，或有一線生機。」

葛煒微一沉忖，道：「這等自然界的威勢，爆發時山川易形，風雲變色，人力如何能夠抗拒……」

方兆南接道：「這座火山，已多年沒有噴火，深入火山腹地，自屬身冒絕大危險，但據兄弟的看法，也正因爲艱險萬分，才有一線生機，萬一咱們引發火山，自己雖然難免葬身火窟，身化飛灰，但冥嶽中人，亦將爲這爆發的火山威勢吞噬，果能如此，雖死何憾？」

葛煒沉忖了一陣，道：「方兄說得不錯，此既唯一生機，也只好冒險一試了。」

方兆南霍然站起身來，說道：「事不宜遲，趁咱們現在體力未減，立時行動。」

葛煌突然插嘴說道：「咱們已沒有食用之物，忍饑挨餓，越此絕險，只怕體力難以支持。」

方兆南道：「以兄弟估計，咱們餓上三日夜，體力大概還不致完全消失，盡此期中，冒險一試，如若咱們在三日夜內，還難出此絕地，餓不死也要被灼燒而死了！」

陳玄霜也緩緩站起來，說道：「你們兩位如果這樣怕死，乾脆就別走啦！」

葛煒吃陳玄霜言語一激，不覺豪氣大振，道：「姑娘都不怕，我等堂堂七尺之軀，何懼之有，走！」搶在方兆南前面，大步領先而行。

方兆南探手一把抓住了葛煒手腕，說道：「葛兄不可任性涉險，還是由兄弟前面帶路。」

葛煒心知方兆南武功、閱歷都強過自己，也不爭執，當下隨在方兆南身後而行。

幾人久處黑暗之中，又經過一陣靜坐調息，丈餘左右的景物，目力已然能及，但見前面盡都是一塊塊礁岩，雖無灼熱的感覺，但卻寸草不生。

行約十餘丈，去路又轉狹窄，那隆隆之聲，重又響起。

方兆南停下腳步，凝神側耳，靜靜地聽了一陣，又緩步向前走去。

四個人默然地向前走著，心情沉重、步履緩慢，有如負重千斤，在幾人意識中，大概都有著一步步走近死亡之感。

忽聽陳玄霜輕輕嘆息一聲，說道：「南哥哥，咱們要是能夠從這火山腹中，找到山路，離開此地之後，只怕不勝麻煩了。」

方兆南奇道：「什麼麻煩？」

陳玄霜道：「這次冥嶽之會，很多武林高手都葬身其中，只有咱們四個人活著出去，那些人的兒女弟子，定然川流不息地登門造訪，問咱們冥嶽中經過，那不是不勝麻煩了嗎？」

方兆南暗暗忖道：「妳想的這麼遠也好，反正眼下之局，凶多吉少，咱們索性海闊天空地胡亂談吧，也許可以暫時忘去眼下處境的凶險。」

當下笑道：「是啊，那時咱們可忙極了，單是接待川流不息的訪客，就夠累了……」

葛煒截住了方兆南的話，接道：「兩位倒是還有閒情逸致，說這等不著邊際的事，唉！我看還是別再談啦！」

陳玄霜笑道：「怎麼？你怕死麼？」

葛偉道：「難道妳一點都不怕？」

陳玄霜道：「怕有什麼用，在這等人力難以抗拒的環境之中，誰也無法主宰生命，死就死啦！」

方兆南怕幾人再爭論下去，引起怒火，趕忙接口說道：「以少林、武當掌門的武功，佐以黑白兩道中數十個高手，都無法抵拒冥嶽中人，憑咱們四個人，要想逃出他們攔截、追襲，自是必死無疑。

「這火山腹地誠然生機甚微，但咱們如能小心謹慎，或可找出一條生路，兩害相權取其輕，一個是必死無疑，一個尚有些微生機，兩位葛兄不妨再想想，哪條路對？」

其實他這幾句話，十分牽強，他所以深信這山腹之中，有路可通，完全是信任梅絳雪不會陷害自己。

她既然派人把自己引入這火山口，想來定有生路。

這信念是基於一種十分微妙的關係而生，但卻是那樣堅強。

廿六　命運岔道

在方兆南心目中，梅絳雪對他是那樣陌生，兩人沒有聚首時的歡樂，也沒有分離時的悃悃愁懷，除了寒水潭，為時勢所迫，對月締盟的一點瓜葛之外，再也沒有其他可做懷念的事……

可是方兆南卻深信梅絳雪不會陷害自己，這信任使他產生出強烈的求生信念，覺著這火山腹中，定有出路。

忽聽那隆隆之聲，由遠而近。

一股強烈的硫磺氣味，由洞內直冲而來。

方兆南一嗅那迎面撲來的硫磺氣味，不禁心頭大震，急急喝道：「兩位葛兄快運氣護身，閉住呼吸，臥倒地上。」

一拉陳玄霜當先伏在地上。

葛煒、葛煌依言伏身趴在地下。

這陣熱風來的時間甚久，足足有一盞熱茶工夫，才逐漸消失。

因幾人先都有了準備，運真氣護住身子，又閉住了呼吸，是以並無太大的難受之感。

黝暗的山腹甬道中，一片死寂。

但見葛煒起身越走越快，片刻之後，步履如飛，眾人急急跟去。

這一口氣急奔，足足有七、八里路之遙。

抬頭望去，前面仍然是一片黝暗，這條山腹的甬道，不知有多深多遠，也不知通往何處……

沉默使這山腹甬道中，加重不少恐怖氣氛。

又轉過兩個彎子，葛煒突然停了下來。

原來這山腹通道，到此之後，突然分爲三條岔路。

葛煒回過來問道：「方兄，咱們走哪一條路？」

方兆南看三條岔道的寬度，都在伯仲之間，一時之間，實難決定走哪一條才對，不禁呆在當地。

葛煌輕輕嘆息一聲，說道：「方兄也不必太覺爲難，不論走哪條岔道，都是一樣生死由命，縱然遇上凶險，也是無可奈何之事。」

方兆南沉吟了一陣，道：「這三條岔道內決不會完全一樣。剛才吹來的熱風，定然從這三條岔道中的一條吹來。

「唉！適才那隆隆不絕的震聲，現在怎地也不響了，如果還在響著，倒是可以幫我們……」

忽覺一股冷風，從正中一條道中，吹了出來。

這山腹之中，熱溫甚高，幾人都已在不知不覺中，運氣抗拒著那熱度。

此刻，突然吹來一陣冷風，在極高的熱度中，這陣風特別陰寒，四個人都不自禁地打了一個冷顫。

葛煌喜道：「方兄，不用想啦，這中間甬道既有冷風吹來，咱們就走這一條岔路好了！」

方兆南忽覺腦際靈光一閃，盤膝坐了下來，說道：「這陣冷風，十分陰寒，咱們一直在熱度甚高中趕路，這一冷風只怕不是身體能夠抗拒。兄弟之意，先請靜坐下來，運氣調息一下，咱們再向前趕路不遲，在這等生機渺茫的絕地，要是再生起病來，那可是一件麻煩之事。」

陳玄霜微微一笑，道：「是啊！忽冷忽熱，最易生病，南哥哥說得不錯，兩位快請坐下來吧！」

她即靠著方兆南身旁，坐了下去。

葛煒、葛煌都覺得身上有些寒意，依言盤膝而坐，閉目運氣調息。

方兆南卻借靜坐的機會，暗暗忖道：「這火山腹內，哪來的寒冷之風，這顯然是一處十分奇怪的地方……」

正忖思間，突覺身上一陣灼熱，一股熱氣，從左面一條岔道上吹了出來。

幾人雖有一身武功，身體也有著強烈的反應，只覺全身一熱，出了一身大汗。

方兆南抬頭望去，只見左面那條甬道之中，紅光閃動，似是冒出的火焰一般。

不禁心頭一震，暗道：「糟啦！這火山真要爆發不成？」

葛煒、葛煌還在閉目調息，因那突來熱氣十分強猛，兩人正自運氣抗拒，對身後沖來的火焰，竟然毫無所覺。

這突變，打斷了方兆南的思潮，一躍而起，大聲叫道：「火！快些躲避，火山要爆發了……」

就這說兩句話的工夫，那熾烈的火焰已疾撲而到。

葛煒匆忙中拉抓住哥哥，縱身一躍，直向正中一道岔道竄去。

方兆南因顧及葛氏兄弟的安危，運集畢生功力，對著那疾沖而來的強烈火焰，猛發兩掌。

那疾沖過來的火焰，被方兆南強猛的掌力一擋，來勢果然微微一緩。

但一緩之後，來勢更加迅猛，方兆南還未來得及發出第二次掌力，那火焰已疾掩而到，封住了中間一條岔路的入口。

方兆南原想逃入正中一條岔道，但形勢一變，迫得他不得不向後退去，進入了右面岔路。

這條山腹中的甬道，和初入山腹的來路大不相同，曲曲彎彎，沒有兩丈以上的直徑。

後面強烈的火焰灼熱迫人，逼得陳玄霜、方兆南，不得不冒險施展飛行功夫，縱身向前疾躍猛衝。

但因那甬道直徑過短，兩人聯袂躍奔的距離，常常超過甬道直徑的長度，撞在壁上，碰得頭暈目眩……

一種強烈的求生本能，使他們暫時忘去了撞在壁上的傷疼，一味地疾躍急奔，也不知撞了幾次，已不覺身後的灼熱相迫，才停下身子。

方兆南長長吁了一口氣，低聲問道：「霜師妹，妳撞傷了沒有？」

陳玄霜忽然探手入懷，摸出一條手帕，嬌聲說道：「還問人家哩，瞧你自己頭上撞破了……」

舉起了絹帕，向他額角之上擦去，情意款款，無限溫柔。

方兆南喘了兩口氣，伸出雙手，抓住陳玄霜肩頭，在她臉上仔細瞧了一陣，道：「師妹，妳當真沒有受一點傷嗎？」

陳玄霜點頭笑道：「是啊！第一次我撞上石壁之後，以後就小心啦，哪裡還會再撞上去？」

方兆南啊了一聲，笑道：「那很好，師妹只要沒有傷著，我就放心了……」

陳玄霜無限關心地問道：「你可是很累嗎？」

方兆南道：「我傷著的幾處關節很疼，唉！我要不帶妳來冥嶽，妳也不會吃這些苦了。」

陳玄霜柔媚一笑，道：「和你在一起，就是再多吃些苦頭，我也很快樂……」

她微微一頓之後，接道：「你哪裡疼了，我替你活動一下筋骨好嗎？」

不待方兆南回答，伸手出去，輕輕在他雙膝關節上面推拿。

方兆南只覺一雙柔軟的玉掌，在雙膝關節之上慢慢滑動，絲絲熱氣，由她手掌上傳了過來，傷疼登時大減，不知不覺間，熟睡了過去。

也不知睡了多少時光，才從熟睡中醒了過來。

睜眼看時，只見陳玄霜微閉雙目、盤膝而坐，正在運氣調息。

他心中忽泛起甚大的愧咎，暗暗嘆道：「她不過一個十六、七歲的少女，在這茫茫世界上，又把我視做她唯一的親人，我不但未能給她慰藉，使她快快樂樂的生活，反而帶著她跋涉關山，涉險冥嶽。如今又把她帶入這等生機渺渺的絕地中，但她卻沒有一點怨我、恨我之心，此等情意，是何等的真摯，何等的感人……」

想到傷心之處，不禁黯然一嘆。

這嘆息聲雖然低微，但陳玄霜卻已被驚醒過來，霍然睜開星目，微微一笑，道：「南哥哥，你睡醒了嗎？」

方兆南道：「不知我睡了多久啦！」

陳玄霜偏頭想了一下，道：「大概有一個多時辰吧……」

她微一沉吟，深情地問道：「南哥哥，你剛才嘆什麼氣？」

方兆南本想說出心中感想之事，但話到口中，心中忽然一動，暗道：「她對我用情已深，這番話說將出來，只怕又要引起她的誤會。」

當下隨口說道：「我想到葛氏兄弟，不知他們兩人怎麼樣。」

陳玄霜道：「他們兩人躲入的岔道，寒冷侵肌，決難衝過寒氣阻擋。」

方兆南道：「那條岔道陰寒之氣，特別強烈，只怕也非人所能忍受！」

陳玄霜道：「咱們這條岔道中倒是滿好的啊！既不覺陰寒侵入，也無灼熱迫人。」

方兆南緩緩站起身來，道：「走吧！前面尚不知還要遇到些什麼凶險，也不知要幾時才能出此山腹甬道，重見天日。

「此地既無可食水果，又無飛鳥走獸，咱們多耽誤一點時間，就減少一分生機！」言畢大步向前走去。

陳玄霜緊緊隨他身後，說道：「南哥哥，不論前面遇上什麼凶險，咱們可別走散了，唉！要是讓我一個人，走在這等黑暗如漆的甬道中，心裡定然會十分害怕！」

方兆南笑道：「怕什麼？這等地方，決不會生什麼毒蛇，蜈蚣之類。」

兩人談談笑笑，行速甚快，不知不覺間，已走出甚遠路程。

轉過了兩道陡急的彎子，耳際忽然響起了一種強勁呼呼之聲，有如海濤怒嘯一般。

陳玄霜驚愕地說道：「南哥哥，你會游水嗎？」

方兆南搖搖頭，道：「不是！這聲音不像激流澎湃之聲。」

陳玄霜道：「不是水聲，是什麼？」

方兆南道：「像是風聲。」

陳玄霜奇道：「這山腹之內，哪裡會吹來這樣強勁的大風呢？」

方兆南道：「這聲音極像大風吹過的聲音，哪來的大風，就叫人費疑猜了！」

陳玄霜想了一陣，忽然跳起腳來，笑道：「是啦，咱們快出這山腹了。」

方兆南道：「為什麼？」

陳玄霜道：「既然能聽到風聲，定然離出這山腹之口，不會太遠了！」

方兆南嘆道：「奇怪的是，咱們既能聽到這等強勁的風聲，怎麼卻毫無一點感覺？」

陳玄霜牽起他的一隻手，笑道：「不用想啦，咱們到前面瞧瞧去吧！」拉著他向前走去。

走了一段路，那呼呼狂嘯之聲，響得更是強烈，有如狂濤激流，排山而下，單聽那威勢，已夠嚇人了。

陳玄霜不自覺地被那股威勢所懾，放慢了腳步。

又轉過了一條急彎，前路突然中斷，只見一座黑黝黝的石壁，攔住去路。

這條甬道，只不過三、四尺寬，一眼之下就可以看得清清楚楚，前面是一道山壁。

行至絕地，方兆南悶在胸中的疑團，卻突然開朗於胸，暗暗忖道：「原來這甬道至此而斷，有前面一條石壁攔住去路，那狂嘯之聲，自然是無法破壁吹來，是故，只聞其聲，不覺吹來。」

只聽陳玄霜輕輕嘆息一聲，道：「南哥哥，咱們得回頭走了，前面走不通啦！」

方兆南只覺腦際靈光一閃，喜道：「咱們可能就要脫險了！」

陳玄霜茫然答道：「面臨絕地，走都走不通了，怎麼就要脫險呢？」

方兆南笑道：「咱們坐下來養息一下體力，打通這一道攔路的石壁，就可生脫此險！」

陳玄霜柔婉一笑，依著他身旁坐了下來，說道：「快些說吧！我心裡急死了！」

方兆南道：「這山腹之中，深入地下，哪裡有狂風吹來，但我們現下聽到的，絕對是狂嘯的風聲……」

陳玄霜本是異常聰明之人，口中啊了一聲，道：「你可是說這石壁之外，是一道露天絕壑……」

方兆南道：「是啊，而且這道石壁還不會很厚！」

陳玄霜笑道：「要是很厚，咱們就聽不到風聲了！」

方兆南點頭笑道：「不錯，咱們休息一會兒，想法子打通這道石壁，就可以脫此險地了。」

陳玄霜輕輕嘆息一聲，說道：「南哥哥，咱們脫此險地之後，到哪裡去呢？」

方兆南怔了一怔，笑道：「這是一場千古浩劫，咱們無論如何也得想辦法，把這凶訊，傳達各派，免得他們臨時措手不及。」

陳玄霜突然一躍而起，道：「你想的雖然和我大相背逆，但我還是要依你心意去做。」

舉手一掌，擊在石壁之上，但聞一陣嗡嗡之聲，由近而遠，逐漸散失，陳玄霜的強勁掌力，卻被擋了回來。

方兆南霍然站起，道：「這是什麼聲音？」

拔出長劍，疾向那石壁上面點去。

只聽噹的一聲，有如金鐵相擊，又響起一陣嗡嗡之聲。

陳玄霜也似聽出了這聲音，不是山石所發，輕揚纖指，在壁上一彈，果然又是一陣輕微的嗡嗡之聲。

她低聲說道：「南哥哥，這山壁不是石頭啊！」

方兆南沉吟了一陣，道：「倒像銅、鐵之類鑄築的牆壁，只是這等火山腹內，哪來的鐵鑄之壁，實在叫人費解？」

陳玄霜默然不言，暗暗想道：「是啊！這地方決然不會有人來過，這道攔路牆壁，也不似經過人工築成……」

方兆南忖思了良久，想不出脫身之法，心中甚是煩惱，舉手一掌，向那山壁之上拍去。

他在急慮之中，這一掌用力甚大，一掌擊在壁上，除了重響那嗡嗡之聲外，忽覺那山壁似被自己這一掌震落了甚多沙子。

不禁心中一動，暗道：「如這山壁真是鐵鑄成的，如何能被我一掌擊落沙石下來。」趕忙撿了幾粒，暗運指力一捏，只覺那落下的幾粒沙石，堅硬異常，而且也較一般石粒重些。

仔細一瞧，那落下的幾粒沙石，竟是鐵沙。

陳玄霜被他掌擊山壁，打亂了思潮，急急問道：「南哥哥，你在瞧什麼？」

方兆南笑道：「咱們有了一線生機啦！」

陳玄霜道：「爲什麼？」

方兆南道：「這山壁並非生鐵鑄成，乃是地下自然所含的鐵沙結成，這鐵沙雖然堅硬，但它究竟是散粒組成，不似生鐵聚成的那等堅牢，如若咱們慢慢用寶劍挖掘，不難把它打穿！」

陳玄霜道：「不知這山壁有多深多厚……」

方兆南道：「依我推想，這山壁決然不會太厚，剛才咱們聽到那狂嘯之聲，分明是一種怒吼的風聲，如若這山壁很厚，只怕難以聽到……」

他輕輕嘆息一聲，接道：「師妹，也許咱們尚未挖穿出壁，已經餓得沒有氣力了，但咱們只有這一線生機，除此之外，別無可循之途！」

陳玄霜婉然一笑，道：「不論什麼事，我總是要聽你的話。」

她拔出背上寶劍，暗運功力，一劍刺向山壁。

這一劍她用了七成勁力，寒芒到處，又響起一陣嗡嗡之聲。

一片鐵沙，應手而下。

方兆南忽然覺著眼前這位任性、倔強的少女，有些變了，變得無限的溫柔，楚楚可憐。

陳玄霜刺出一劍，擊落甚多鐵沙，側臉望著方兆南嫣然一笑，又是一劍刺去。

方兆南也拔出背上寶劍，向那鐵沙上刺去。

兩人的功力都已十分深厚，兩劍此起彼落，鐵沙紛紛滾落，片刻之間，已打了三寸多深、兩尺方圓的一個壁穴。

陳玄霜停下手瞧瞧手中寶劍，只見劍尖鋒刃處，缺痕斑斑。

不禁嗤的一笑，道：「南哥哥，咱們把這山壁打穿之時，只怕這兩柄寶劍也沒有用了！」

方兆南道：「只要把這石壁打穿，縱然沒了兵刃，也不要緊。」

這等晝夜不分，難見天光的山腹之內，也無法分辨時間。

兩人也不知過了多少時間，那山壁已被打了兩尺多深，手中兩柄百煉成鋼的長劍，形體已變，地上堆滿了一大堆鐵沙。

這時，兩人的腹中，都已甚感饑餓，但誰也不肯提出腹中饑餓之事。

方兆南原想這山壁不會超過兩尺，哪知打了兩尺多深，仍然不見一點洞穿的跡象。口中雖然不言，但心中卻是甚爲憂慮。

萬一此望斷絕，兩人勢非被活活餓死在這山腹之中不可。

陳玄霜似是看出了他的憂慮，反而不時出言慰藉，低語淺笑，毫無愁苦之感。

方兆南只覺心中對她有著無比的愧咎，她愈是深情款款，笑語慰勸，愈覺著愧疚加深。

這時，兩人都剛剛運氣調息完畢，一起拿起了寶劍準備動手擊打山壁。

方兆南輕輕一拂陳玄霜秀髮，說道：「咱們再打一尺，如若仍難洞穿這石壁，那就不用再打了，唉！我把妳帶到這九死一生的絕地之中，讓妳忍受饑餓之苦，想來心中愧恨至極，如何能對得住陳老前輩在天之靈……」

陳玄霜婉然一笑，柔聲說道：「我現在很快樂，我爺爺把我交給了你，這一生我都不會離開你啦，生死同命，福禍與共。」

她舉手一劍，直向那山壁面刺去。

這一劍用足了她全身勁力，只覺阻力大減，全身不自主地向前一傾，直沒及劍柄之處，先是一怔，繼而喜道：「南哥哥，咱們打穿這山壁了！」

方兆南喜道：「當真嗎？」

他們再舉劍猛力向壁上刺去，果然阻力大減，一劍洞穿。

陳玄霜拔出了洞穿石壁的長劍，凝目向外瞧去，只見壁外一片黑暗，仍然不見一點天光，心中登時暗道：「這石壁之外，也不知是什麼所在，既然不見天光，只怕尚未脫出山腹。」

方兆南不見天光由那洞穿山壁中透射進來，心中已涼了一半。

但他仍存萬一之想，暗自忖道：「也許山腹之外，正值深夜，難見天光透入。」

他們再拔出劍來，一陣猛刺橫削，那一片快被削通的山壁，沙屑紛紛，片刻被削了一個尺許見方的圓洞。

練武之人，筋骨大都要比常人柔軟，這洞口雖是不大，但已足可容兩人通過，方兆南當先探頭出去，爬出洞壁，只感一腳踏空，身子直向下面摔去。

外面一片沉沉黑暗，難見景物，不知這洞外山谷，究有多深，他怕陳玄霜也和自己一般，跌了下來，一面提氣，伸手向四面亂抓，一面高聲叫道：「霜師妹小心了，這洞外是一片懸崖洞谷……」

只聽碰然一聲，身子撞在一片堅硬之處，幸得他早已運氣護身，暗中戒備，這一摔雖是不輕，但人並未受傷。

但聞陳玄霜嬌脆而又充滿著焦急的聲音，道：「南哥哥，你在哪裡？」

方兆南站起身來，長長吁了一口氣，應道：「我在這裡……」

只覺一陣急風，撲了下來，還未來得及喝止，陳玄霜已落到了他的身側，笑道：「南哥哥，你沒摔著嗎？」

方兆南道：「不要緊，也不知這是一處什麼所在，剛才咱們聽到的狂嘯之聲，現在卻是一點也聽不到了。」

陳玄霜凝目看去，只見兩面都是山壁，中間是丈餘寬窄的甬道，極似幽深的山谷，只是上面不見天光。

忽然間，狂嘯重起，兩面山壁，都響起了嗡嗡之聲，有如千軍萬馬，遙遙地奔來，聲勢十分嚇人。

方兆南不聞那狂嘯聲時，心中悃然若失，但聽到這等嚇人的聲勢，不禁又有些驚怯，緩緩向後退去，準備依靠在山壁之上。

身子還未觸及山壁，那狂嘯之聲，已挾著無比的威勢吹到。

方兆南只覺全身被那一股排山倒海的疾勁之力，吹了起來，不禁心頭大爲震駭。

這股狂飆力道之猛，足以拔樹起鼎，耳際間只聽陳玄霜尖厲的驚叫，但立時被狂風怒嘯掩去。方兆南剛叫一聲：「霜師妹……」他身子突然撞在山壁之上，一陣頭暈眼花，知覺頓失。

原來這甬道並非直徑，方兆南被那疾猛無比的狂風，吹了起來，撞在轉彎的堅壁上，任他武功再高，也難抗拒這等大自然的驚世威力。

昏迷中也不知過了多少時間，當他神智恢復，茫然睜開眼睛時，耳際聽到了一聲沉重的嘆息，道：「可憐的孩子，你醒過來了？」

方兆南緩緩轉動著目光望去，只見一個布衣老媼，坐在一張竹椅上，自己卻仰臥在榻上。

她臉上泛起著慈愛的光輝，眼睛中滿蘊著濡濡淚光，世界上大多數是慈愛善良的人，屬於冷酷殘忍的究竟不多。

這是一所山草結成的茅屋，但室內卻打掃得十分乾淨，陽光從竹簾掩遮的窗門中透射進來。

他茫然啊了一聲，道：「老伯母，這是什麼地方，我還活在世上嗎？」

那老媼和藹地笑道：「你傷得很重，已經在這裡睡了一天一夜啦，唉！年輕人身體強壯，換了我那老頭子傷成這樣，只怕早就不行了。」

方兆南想掙扎著起來，卻被老媼伸手攔住，說道：「你人剛剛醒來，不要亂動，還是躺著休息，我去替你煮麵來吃吧！」

說完，拿起靠在榻邊的竹杖，策杖緩步而起。

他緩緩舉起手，摸摸自己的腦袋，只覺頭上包著很厚的紗布，膝背之處，都有些隱隱作痛。

他輕輕嘆息一聲，耳際間恍似繚繞著陳玄霜那驚駭尖叫之聲，也不知她現在被那狂急的風勢吹落在何處？

只覺一陣熱血沸騰，強忍著傷疼，挺身坐了起來，緩步向室外走去。

茅屋外是一座植滿花樹的小巧庭院，翠竹作籬，山風拂面，山居茅廬，給人別有一番清雅

而出塵的感受。

那老嫗入廚煮麵，庭院中悄然無人，方兆南一心想念著陳玄霜的安危，緩步出了籬門。

抬頭看山色凝翠，耳際中小溪潺潺，這一處山居人家，似是風雅人士選居之地，景物甚是優美。

方兆南掙扎著向前走了一段，心中忽然一動，暗道：「山道崎嶇，我又滿身重傷，行動不易，這樣遼闊的大山中，如果茫然無緒，哪裡去找，該回去問問那位老嫗才是。」

正待轉身重返茅舍，忽聽一陣步履之聲，傳了過來。

轉臉望去，只見一個年約五旬，身披藍布大褂，留有花白鬍鬚的樵人，急急地奔了過來，說道：「公子受傷未癒，怎能隨便亂跑，唉！我那老伴也未免太不經心了。」

方兆南搖搖頭說道：「我借老伯母下廚之機，偷溜出來，她怎麼能夠知道，老伯伯休要錯怪人。」

他滿口伯伯伯母，叫得那樵人心花怒放，呵呵連聲地笑道：「你們年輕人，身體當真是強壯，我昨天救你時，你到處傷痕，滿身鮮血，唉！當時看去，復生之望甚是渺茫，想不到你今天竟然可以行動了。」

方兆南急道：「老伯伯可否帶我到救我之處瞧瞧？」

那樵人沉吟一陣，道：「此去不下數里之遙，而且都是崎嶇的山道，你滿身重傷，如何能夠走得？」

方兆南道：「不要緊，晚輩習過武功，這點皮肉之傷，還可忍受得住。」

那樵人沉吟不語，但他禁不住方兆南苦苦相求，終於點頭說道：「你在此等我片刻，我回

去告訴老伴一聲，咱們再去。」

說完話，他挑起柴擔，趕回茅舍。

片刻之後，拿了一支竹杖而來，笑道：「你傷口都未長合，雖然習過武功，只怕行動起來，也不很方便，用這竹杖借點力吧！」

方兆南稱謝一聲，接過竹杖，暗中運氣，緊隨那樵人身後，向前行去。

他內功已有深厚的基礎，此刻氣脈已暢，皮肉傷疼大減，行動逐漸靈活，翻越兩座山嶺，到了一處山勢異常險惡的所在。

那老樵子伸手指著一道深谷說道：「這道山谷，就是聞名全省的陰風谷了，經常有疾勁無比的陰風，從這谷中吹出，風勢之大，飛石拔樹，公子看看那谷中情形就可明了。」

方兆南探頭向下望去，只見那道百丈深谷之中，果然寸草不生，甚至連一塊突出的山石，也難見到，兩面崖壁，都是光滑如削。

只聽那老樵夫長長地嘆息了一聲，接道：「陰風谷實是一處充滿著神秘的奇怪地方，縱長二、三十里中，兩壁和谷底都如刀削鏟平一般，但這條卻只有十丈直徑。」

那老樵子繼續說道：「除了那強大的風力之外，這谷中吹的風，也和別處不同，有如冰窖地獄吹的寒風一般，冰冷刺骨，鳥獸難支，不說那強猛風力，單是陰寒之氣，就叫人難以忍受得了。幸好有諸多山彎，折來轉去，強大的風力，被那橫生的山壁一擋，威力逐漸減少，待到出口之時，風威已消去很多，縱是如此，那風力也是夠強大了……」

他臉上泛出一種見聞廣博的自得之色，拂髯一笑，又道：「那陰寒之氣連經小壁抵擋、折

轉，也隨著風力減弱，出谷之後，那陰寒之氣，已不足加害鳥獸了！」

方兆南輕輕咳了一聲，問道：「不知那風力從哪裡吹入此谷？」

老樵人呵呵大笑了一陣，道：「公子這一問，只怕甚少有人能夠回答，據說那陰風是從一處地穴中吹出，不過這只是一種傳說，見過的人，卻少之又少。」

方兆南問道：「老伯伯相救晚輩，可就在此處嗎？」

那老樵人伸手遙指著里許外，一座淺山峰上，說道：「公子就暈迷在那座山峰上面，全身蜷伏在一座巨大山石之下。」

方兆南輕輕嘆急一聲，道：「多謝老伯伯相救了，不知除了晚輩之外，還有其他受傷之人嗎？」

那老樵人道：「怎麼！公子還有同伴嗎？」

方兆南道：「不錯，晚輩有一位小妹同行……」

那老樵人立時搖搖頭，堅決地說道：「公子不用費心找她了，以那陰風的威勢來說，公子這條命能夠保得，已經是上天見憐，你那同行小妹，只怕早已被那陰風吹得屍骨無存了！」

方兆南極目張望了一陣，不自禁落下了兩行淚水，黯然一嘆，說道：「但願皇天保佑她，免罹慘禍才好……」

他心中雖是悲苦，但想到陳玄霜武功，要強過自己甚多，自己既能留得性命，她自非絕無生機。

只聽那老樵人慈藹的聲音，重又在耳際響起道：「老漢有一事想它不明，公子何以會走入了這道陰風谷中？」

方兆南隨口答道：「晚輩幼年酷愛山水，又學過幾年武功，自恃身體強健過人，常常遊玩於大山名川之中，想不到遊蹤此地之時，誤入了那陰風谷中！」

那老樵人道：「公子喜愛山水常常出來遊走，也還罷了，但令妹乃一位女流之輩，難道她也極愛山水不成？」

方兆南道：「家父善營陶朱，積席甚豐，舍妹雖是女子，但因常和我在一起習武，故頗有男子漢豪俠之風……」

那老樵人似是突然想起了一件重要之事，道：「對了，老漢還有一件事忘記相告公子。」

方兆南道：「什麼事？」

老樵人道：「這陰風谷有時也會吹出傷人體的熱風，不過次數不多罷了，據說那熱風較這陰寒之風，更為可怕，不論鳥獸，只要被那熱風一吹，勢非活活燒死不可。」

方兆南口中應著那老人之言，心中卻暗暗忖道：「要想查出霜師妹的下落，看來非得冒險入谷一探究竟不可了，但此刻功力未復，只有先回這老人家中，養息兩天，待傷勢好轉一些，再下去查看不遲。」

心念一轉，低聲說道：「老前輩，咱們回去吧！」

那老樵人點點頭，轉身走去，一面嘆息著說道：「這條陰風谷可算是世間第一等奇異的地方，縱長雖只三、四十里，但卻蘊藏著千奇百怪的變化，瞧得人眼花撩亂……」

方兆南道：「老伯伯可否列舉其中一些，以廣在下的見聞。」

那老樵人仰臉思索了一陣，道：「大概是三年前吧！那陰風谷中突然傳出一種鬼哭神嚎的怪叫之聲，其聲不但尖銳刺耳，而且悲切無比。當時天色還在深夜之中，我們帶了刀、槍等防身兵刃，趕到了陰風谷，借峰上樹木隱身，探頭向谷中望去，老夫雖是讀書之人，也幾乎嚇得暈了過去。」

方兆南道：「老伯伯難道當真發現了什麼怪物嗎？」

那老樵人道：「一隻滿身發射藍色光芒的奇大蜈蚣……」

方兆南笑道：「蜈蚣也值得這樣可怕嗎？」

那老樵人道：「不不，那怪物只是形似蜈蚣而已，長約丈餘，全身閃動著藍色的光芒，移動之時，全身的藍芒就更顯得強烈，老夫回來遍查典籍，找不出是何等怪物！」

方兆南暗暗想道：「不過是條大蜈蚣罷了，以霜妹的武功，遇上牠也對付得了。」

他口中卻微微說道：「就只有那一條大蜈蚣嗎？」

老樵人道：「還有一條似蛇非蛇，似龍非龍的怪物，全身赤鱗如火……」

方兆南吃了一驚，急道：「究竟是蛇是龍？」

老樵人道：「我們到時，那怪物正向谷底一座山洞中爬去，只見牠一條尾巴尚露在外面，那時明月在天，景物清晰可見。那怪物露出部分，在月光映射之下，泛現出耀人眼目的紅芒，看去更是清楚，看牠閃動的紅光，似是兩條尾巴，如若說牠是條大蛇，世間哪有兩條尾巴的蛇呢？」

方兆南暗道：「定是他們當時看花了眼，蜈蚣和蛇，都是山中常見之物，有何可畏之處。」

當下笑道：「也許是兩條蛇吧！」

那老樵人長長嘆息一聲，道：「至於那紅鱗耀目的雙尾怪物，決然非蛇，如果是蛇，也不

會發出那鬼哭狼嚎般的難聽聲音。」

那老樵人眼看方兆南逐漸被自己說服，而且泛現出喜悅之色，道：「幸好那雙尾怪物隱入洞中不久，那全身藍芒閃閃的怪物，也自行爬入洞中，以後就未再出現了。」

兩人邊走邊談，不覺間已到那茅舍附近。

老樵人看方兆南經過這一段山行之後，不但傷口沒有疼苦之感，而且更見靈活。

竹籬旁依著個策杖老嫗，她似正在等待著他們回來，一見方兆南立時抱怨說道：「你這孩子，滿身重傷，還要出去亂跑，快進去吃飯啦，麵都放冷了。」

方兆南微微一笑，長揖拜謝道：「老伯母這等關愛，在下日後，定當報答大恩！」

那老嫗淒涼一笑，道：「可惜我那女兒，三歲之時，被山魅帶走，下落不明，如她還活在世上，怕不和你一樣大了……」

那老樵人搖頭嘆道：「婦人之見，荒謬之論，青天白日，朗朗乾坤，哪裡會有山魅出現，不知她被什麼野獸吃掉了。」

那老嫗怒道：「別家孩子爲什麼不被野獸吃掉，單單吃了我的女兒……」

那老樵人回頭望著方兆南，苦笑道：「我這老伴，有點瘋瘋癲癲，女兒三歲失蹤，距今已十八寒暑，她還堅信她女兒未死，有一天會突然歸來，唉！這豈不是白日夢囈嗎？」

方兆南看那老嫗滿臉悲苦，趕忙說道：「世間事，常有出人意料，也許令媛真的活在這世上。」

那老嫗喜道：「公子說得不錯，我那女兒，決沒有死，不是被山魅帶走，就是被路人抱去……」

她突然嘆息一聲，臉上的笑容隨著斂失不見，淒涼地接道：「唉！我那女兒，如若現在我身邊，定已出落得如花似玉了……」

那老樵人的爲人，十分達觀，哈哈大笑，道：「我瞧妳還是別想妳那女兒了，別說她已不在人世，就算她真的還活在世上，事隔二十年也不會認識妳了！」

說話之間，已進了大廳。

那老嫗已準備好了食用之物，立時端出來招待方兆南，吃完飯後，話題重又轉到了女兒的身上。

她告訴了方兆南女兒的特徵，右手腕上有一個扣子大小的紫記，要方兆南日後遇到她時，告訴她回家一行。

方兆南倒是很用心地把字字句句，都記住在心中，準備日後萬一遇上時，也好轉告於她。

那老樵子眼看方兆南和老伴談得興高采烈，也不再多管閒事，兩人又談了甚久，方兆南才起身辭出，回到自己養息的房中。

他開始考慮眼前的形勢，不知是去找陳玄霜呢？還是早些離開此地……

沉思良久，仍是難以決定。

突然間，腦際間泛現一個新的念頭，暗暗忖道：「這次赴約的武林精英，可以說全軍盡沒，冥嶽中人只怕要趁機而動，當今江湖上幾大門派，都還不知此事，毫無防備。萬一冥嶽中人乘勢派遣高手，分頭潛往各大門派的根據之地，暗施奇襲，一鼓作氣殲盡各大門派中人，武林中恐怕從此一蹶難振了……」

他愈想心中愈覺不安，立時挺身而起，暗中運氣相試，覺著筋骨並未受傷，不必再行休養，匆匆離室，趕往廳中。

這時，那老樵人夫婦尚在談話，目睹方兆南匆匆而來，甚覺意外。

方兆南心急如焚，對兩人抱拳一揖，說道：「在下忽然想起了一件重大之事，特來向兩位告別！」

那老嫗驚道：「公子傷口還未長好，如何能上路，休息幾天再走不遲。」

方兆南道：「此事急如星火，我多養息一天，多一分危急，兩位相救，在下日後再行答謝了。」

也不待兩人口話，站起身子，向外走去。

那老嫗急急站起身來，說道：「公子慢走一步，老身還有兩句話說。」

方兆南道：「老伯母有何指教？」

那老嫗道：「小女乳名夢蓮，公子遇到她時，務必告訴她父母倚門相望，要她回來一次。」

方兆南道：「晚輩記下了……」

回身走了兩步，突然想到這一日來一直想著其他之事，連這老夫婦的姓名，也忘記問了，趕忙又回身說道：「晚輩該死，尚未請教老伯伯的姓名。」

那老樵人捋著鬍子笑道：「不敢，不敢，敝姓雲，草字金城。」

方兆南抱拳一揖道：「雲老伯高誼隆情，晚輩已深銘肺腑，在下就此告別了。」大步出門面去。

他心中雖然想著早日趕往各大門派的根據之地，把冥嶽慘變經過，告訴各大門派中人，使他們早做準備，以免遭冥嶽中人暗襲。

但一則山路不熟，二則潛意識中仍然想念著陳玄霜的安危，不知不覺間，他又走到那陰風谷中去。

這時日正當午，谷中景物清晰可見，但見那谷中怪石嶙峋，寸草不生，連一棵矮松、枯草也瞧不到。

還有一宗奇怪之處。

那谷中所有的山石，都是一片深紫的顏色，由上向下望去，有如一片深紫色的地毯，不見一點其他的顏色。

深深的懷念，使他不自覺地沿著山谷向前走去。

他期望能發現一些追索陳玄霜的跡痕。

走約十幾里路，那山谷忽然向南轉折過去。

一道橫出的山壁，攔住了去路。

方兆南抬頭打量了山勢一眼，只見這道橫阻眼前的山峰，足有七、八十丈高低，一峰突起，下臨深壑，看去便覺雄偉。

他閉目調運一下真氣，縱身而起，手足並用地向那絕峰上面爬去。

這座山峰雖然陡峭，但方兆南此時功力，已非小可，手足並用速度甚快，不大工夫已爬上峰頂。

一股涼風吹來，傷口隱隱作痛，雖是皮肉之傷，但經他這一陣縱躍攀登，那本來長好的傷口，又裂開了很多，鮮血汩汩流出。

他輕輕吁一口氣，四下望去，只見山勢綿連，一望無涯，這一峰在五里方圓內，最為突出，高出群山甚多。

陰風谷向南折轉之後，又成一條直徑，登高往下視，幽谷一線，日光照耀之下，那谷底深紫山石，閃閃生光。

他極盡目光探看了一陣，暗暗嘆道：「霜師妹如果是和我一齊被那強猛狂風吹出山腹，以她武功，受傷決不會比我更重，我被那老樵人救了起來，她何以不知去向？眼下已相隔數日之久，她如被那強猛的風力，和我一齊吹出山腹，縱不遇救，人也該清醒過來了，如若不幸重傷死去，在這等深山惡谷之中，屍體也難以保存至今……」

方兆南心念一轉，頓覺此望渺渺，回憶相處數月情義，不禁黯然神傷，兩行淚水滾滾而下。山風吹飄起他的衣袂，眼前山色景物，都變成一片模糊，周蕙瑛埋身抱犢崗，已使他腸轉百折，傷心千回，曾幾何時，慘事重演。

雖然尚未確定陳玄霜是生是死，但算來她生機甚小，因她如是隨自己同被勁風吹出山腹，留得命在，定會梭巡附近，找尋自己。

除此之外，被撞得傷重而死，就是陷在山腹中沒有出來。

他經過了一番分析，已確定陳玄霜生機甚微，只覺胸中熱血沸騰，恨不得跳下懸崖，以身相殉。

忽聞一陣羽翼劃空之聲，掠頂而過，抬頭望去，只見一隻蒼鷹緊緊追著一隻黃雀，那黃雀忽而振翼直升，忽而斂翼疾沉而下，左飛右旋，閃避那蒼鷹撲擊之勢。

這情景，忽然使他有些昏迷的神志，突然為之一清。

方兆南暗暗忖道：「這次冥嶽一戰，武林道數百精英，死傷殆盡，眼下逃出冥嶽之人，只我一個，這早傳凶訊的責任，是何等的重大，晚上一天半日，武林中就增多一分凶險……」

他仰臉長長吁一口氣，喃喃地祈禱道：「霜師妹陰靈有知，請恕我無暇在此多留，傳達凶訊之後，定當重入那火山腹內，仔細查訪霜師妹的生死下落。」

他轉身躍下高峰，急奔而去。

方兆南下了絕峰，立時施展開提縱之術，待天色黃昏時分，已然離開了那綿連的山勢，到了可見行人的官道之上。他放緩了腳步，仰臉望著正西即將消失的晚霞，暗暗忖道：「先到哪裡去呢？武林中到處潛伏著殺機，冥嶽也許早已派出高手，分向各大門派施襲了……」

他沉思了良久，才決定先趕到嵩山少林本院一行。

一則因那嵩山少林寺，素有天下武功薈萃之稱，二則他忽然想到知機子言陵甫，已被大方禪師派人送到嵩山少林本院，不知他的瘋癲之症，是否已有轉機？

這次冥嶽一戰，使他深深地感到了「血池圖」的重要，可惜那「血池圖」已和陳玄霜同時失陷，下落不明。

他決定了行止之後，立時又加快腳步趕路，一路上除吃飯之外，起早趕黑，兼程而進，僕僕風塵，不辭勞苦，希望能先把凶訊傳到少林寺中。

這日中午時分，到了嵩山腳下，就山下一處僻靜地方，食用了些乾糧，即時登山。

少林寺乃聞名的古剎，建築宏偉，地連十頃，僧侶眾多，清規森嚴，寺外林木蔥蘢，景物甚美。

方兆南心急如焚，也無暇瀏覽沿途景色，匆匆登山，直奔寺門。

兩扇大開的廟門上，橫著一塊斗大的金字匾額，寫著「少林寺」三個大字。

方兆南剛剛到門前，大門內一聲佛號，轉出來一個灰袍中年僧人，合掌當胸，攔住去路，問道：「施主可是進香的客人嗎？」

方兆南搖頭說道：「不是，在下有急事千里專程趕來，求見貴寺主持，煩請大師代為通報一聲。」

那灰袍僧人打量了方兆南一眼，皺眉道：「施主有何大事，難道非見敝寺主持不可嗎？」

方兆南道：「在下方兆南，由冥嶽而來……」

那中年僧人臉色一變，接道：「方施主請入寺稍坐，貧僧立時就代為施主通報。」身子一側，欠身讓客。

方兆南也不客氣，大步直入寺中。

請續看《絳雪玄霜》（三）

臥龍生武俠經典珍藏版 10

絳雪玄霜（二）

作者：臥龍生
發行人：陳曉林
出版所：風雲時代出版股份有限公司
地址：10576台北市民生東路五段178號7樓之3
電話：(02) 2756-0949　　傳真：(02) 2765-3799
執行主編：劉宇青
美術設計：許惠芳
行銷企劃：林安莉
業務總監：張瑋鳳
出版日期：臥龍生60週年珍藏版 2022年4月
ISBN ：978-986-5589-71-4
風雲書網：http://www.eastbooks.com.tw
官方部落格：http://eastbooks.pixnet.net/blog
Facebook：http://www.facebook.com/h7560949
E-mail：h7560949@ms15.hinet.net
劃撥帳號：12043291
戶名：風雲時代出版股份有限公司

風雲發行所：33373桃園市龜山區公西村2鄰復興街304巷96號
電話：(03) 318-1378　　傳真：(03) 318-1378
法律顧問：永然法律事務所 李永然律師
北辰著作權事務所 蕭雄淋律師

行政院新聞局局版台業字第3595號 營利事業統一編號22759935

定價：320元　

國家圖書館出版品預行編目資料

絳雪玄霜／臥龍生 著. -- 臺北市：風雲時代出版股份有限公司，2021.06- 冊；公分（臥龍生武俠經典珍藏版）

ISBN：978-986-5589-70-7（第1冊：平裝）
ISBN：978-986-5589-71-4（第2冊：平裝）
ISBN：978-986-5589-72-1（第3冊：平裝）
ISBN：978-986-5589-73-8（第4冊：平裝）

863.57　　110007330